MånPocket

I0808723

En miljövänlig bok!
Papperet i denna bok är framställt av råvaror som uteslutande kommer från miljöcertifierat skandinaviskt skogsbruk. Det är baserat på ren mekanisk trämassa. Inga ämnen som är skadliga för miljön har använts vid tillverkningen.

Joanne Harris

Underströmmar

Översättning av Jan Hultman och Annika H Löfvendahl

MånPocket

Omslagstypografi av John Eyre
Omslagsillustration © Stuart Haygarth, by arrangement with Transworld Publishers, a division of the Random House Group Ltd.
Originalets titel:
Coastliners

Bokförlaget Prisma, Stockholm 2003
Originalförlag: Doubleday, London
Svensk översättning av Jan Hultman och Annika H Löfvendahl

www.manpocket.se

Denna MånPocket är utgiven enligt överenskommelse med Bokförlaget Prisma, Stockholm

Tryckt i Danmark hos
AIT Nørhaven A/S 2004

ISBN 91-7001-162-1

Till min mor
Jeannette Payen Short

Ingen människa är en ö…

JOHN DONNE

Att se en värld i ett sandkorn…

WILLIAM BLAKE

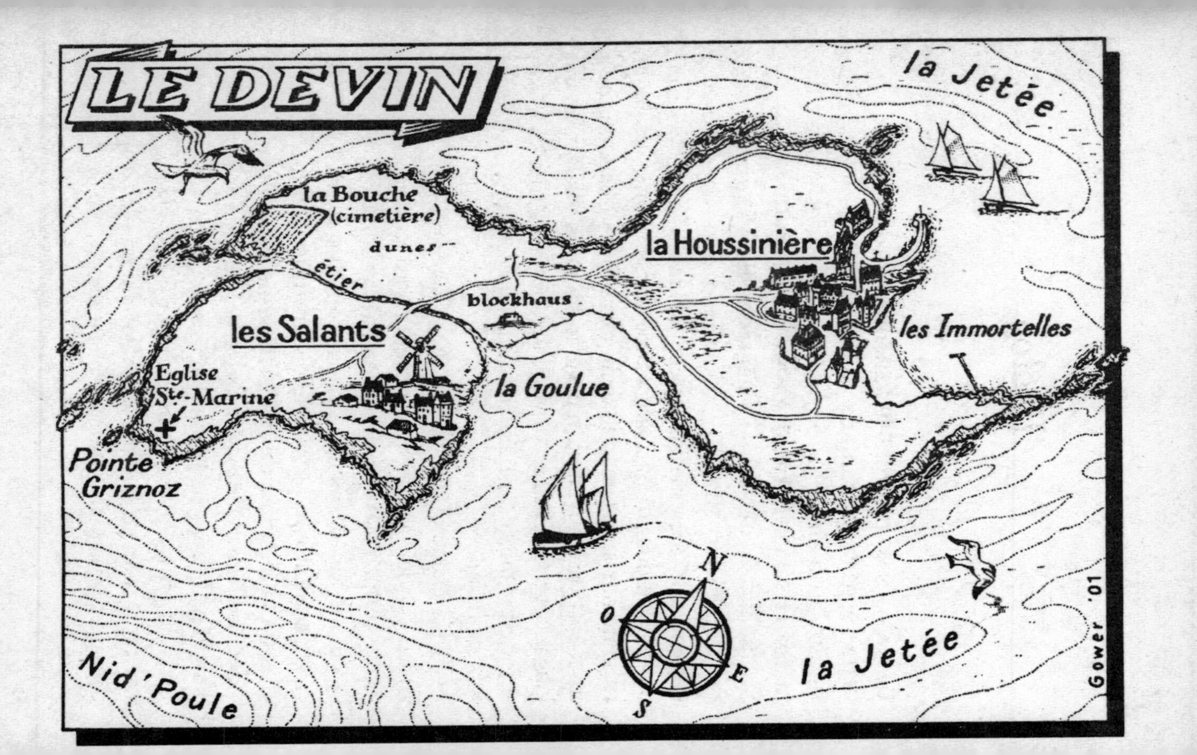
LE DEVIN
la Jetée
la Bouche
(cimetière)
dunes
étier
blockhaus
la Houssinière
les Salants
les Immortelles
Eglise
Ste-Marine
la Goulue
Pointe
Griznoz
N
O
E
S
la Jetée
Nid'Poule
Gower '01

Prolog

ÖAR ÄR ANNORLUNDA. Ju mindre ön är, desto sannare blir detta. Se på Storbritannien. Man kan nästan inte föreställa sig att detta smala landområde kan innehålla en sådan mångfald. Cricket, eftermiddagste med scones, Shakespeare, Sheffield, fish-and-chips i vinägerkladdiga tidningar, Soho, två universitet, stranden i Southend, randiga solstolar i Green Park, ”Coronation Street”, Oxford Street, lata söndagseftermiddagar. Så många motsägelser som marscherar tillsammans som berusade demonstranter, vilka ännu inte insett att de i huvudsak har varandra att skylla för det de klagar över. Öar består av pionjärer, utbrytargrupper, oppositionella, missanpassade, naturliga isolationister. De är, som sagt, annorlunda.

Ta till exempel den här ön. Cykelavstånd från den ena änden till den andra. En människa som kan gå på vatten skulle kunna nå fastlandet på en eftermiddag. Ön heter Le Devin, en av de många småöar som ligger som fångade krabbor utanför Vendées grunda kustlinje. Där den ligger i skuggan av Noirmoutier på fastlandssidan, av L'île d'Yeu i söder, skulle man kunna missa den helt en dimmig dag. Den omnämns knappt på kartor. Faktum är att den nästan inte förtjänar att kallas ö överhuvudtaget, eftersom den inte är mycket mer än en samling anspråksfulla sandbankar och en klippig ryggrad som lyfter den ur Atlanten, ett par byar, en liten fiskpaketeringsfabrik, en enda strand. Längst bort i ena änden ligger hemma, Les Salants, en rad stugor – nätt och jämnt värda att kallas by – som kämpar sig ner mellan klippor och sanddyner mot havet som erövrar alltmer land vid varje besvärligt tidvatten. Hemma, det där ofrånkomliga stället, den plats mot vilken hjärtats kompass vrider sig.

Om jag hade fått välja hade jag nog valt något annat. Kanske någonstans i England, där min mor och jag levde lyckliga i nästan ett år innan min rastlöshet drev oss vidare. Eller Irland, eller Jersey, Iona eller Skye. Ni märker att jag instinktivt dras till öar, som om jag försöker återskapa beståndsdelarna i *min* ö, Le Devin, den enda plats som inte är utbytbar.

Dess form påminner om en sovande kvinna. Les Salants är huvudet, axlarna vridna till skydd mot vädret. La Goulue är magen, La Houssinière hennes skyddade knäveck. Runt omkring ligger La Jetée, en kjol av sandiga småöar som utvidgas och drar ihop sig i takt med tidvattnet som långsamt förändrar kustlinjen – knaprar på ena sidan och deponerar på den andra – och som knappast behåller sina konturer tillräckligt länge för att förtjäna att namnges. Bortom detta ligger det fullkomligt okända, den grunda hyllan bortanför La Jetée stupar abrupt ner i en spricka av outforskat djup som lokalbefolkningen kallar Nid'Poule. Flaskpost som kastas i från vilken plats som helst på ön kommer oftast tillbaka till La Goulue – Den Giriga – bakom vilken byn Les Salants hukar i den hårda vinden från havet. Dess läge öster om den klippiga udden Pointe Griznoz innebär att grynig sand, slam och diverse skräp har en tendens att samlas här. Högt tidvatten och vinterstormar förvärrar detta, bygger bröstvärn av tång på den klippiga stranden som kan ligga kvar i sex månader eller ett år innan en ny storm spolar bort dem.

Som ni förstår är Le Devin ingen skönhet. Precis som vårt skyddshelgon, Marine-de-la-Mer, har den böjda figuren ett skrovligt och primitivt utseende. Det är inte många turister som hittar hit. Det finns inte mycket som kan locka dem. Om de här öarna från luften liknar dansöser med vida tyllkjolar, så är Le Devin flickan längst bak i truppen – en ganska alldaglig flicka – som har glömt sina danssteg. Vi har hamnat på efterkälken, hon och jag. Dansen fortsätter utan oss.

Men ön har bevarat sin identitet. Trots att den bara består av några få kilometer långt landområde har den en helt egen karaktär, dialekter, maträtter, traditioner, kläder som skiljer sig lika mycket från de andra öarnas som de skiljer sig från kläderna på det franska fastlandet. Öborna ser sig själva som devin-bor snarare än fransmän eller vendée-bor. De känner ingen lojalitet mot politiker. Få av deras söner bryr sig om att göra värnplikt. Det förefaller absurt, så långt från händelsernas centrum. Och så långt från byråkrati och lagar följer Le Devin sina egna regler.

Men det innebär inte att främlingar inte är välkomna. Tvärtom: om vi visste hur vi skulle uppmuntra turism skulle vi göra det. I Les Salants är turism detsamma som välstånd. Vi tittar över vattnet mot Noirmoutier med sina hotell och pensionat och affärer och den stora graciösa bron som flyger över vattnet från fastlandet. Där är sommarvägarna floder av bilar – med utländska registreringsskyltar och fullt med bagage på takräckena – stränderna är svarta av människor, och vi försöker föreställa oss hur det skulle vara om de var våra. Men det är inte mycket som blir annat än fantasier. Turisterna – de få som vågar sig så här långt – stannar envist i La Houssinière på den sida som ligger närmast fastlandet. Det finns inget för dem i Les Salants med dess klippiga, strandlösa kust, dynerna av sten som gjutits ihop med hård sand, den sandbemängda och ihållande vinden.

Människorna i La Houssinière vet det. Houssinborna och salantsborna har legat i fejd så länge någon kan minnas, till en början handlade det om religiösa frågor, sedan var det dispyter om fiskerättigheter, byggrättigheter, handel och, oundvikligen, mark. Uppodlat land tillhör enligt lagen dem som odlat upp den och deras efterkommande. Det är salantsbornas enda rikedom. Men La Houssinière kontrollerar leveranserna från kusten (dess äldsta familj driver den enda färjan) och sätter priserna. Om en houssinbo kan lura en salantsbo så gör han det. Om en salantsbo skulle lyckas lura en houssinbo så är hela byn delaktig i triumfen.

Och La Houssinière har ett hemligt vapen. Det heter Les Immortelles, en liten sandstrand, två minuter från hamnen och skyddad på ena sidan av en gammal pir. Här glider segelbåtar över vattenytan i lä för västanvinden. Det är det enda säkra ställe där man kan bada och segla, i skydd för de starka strömmar som sliter i udden. Denna strand – detta naturens missfoster – är orsaken till skillnaden mellan de båda samhällena. Byn har växt till en liten stad. På grund av den blomstrar La Houssinière, med ömått mätt. Det finns en restaurang, ett hotell, en biograf, ett diskotek, en campingplats. På sommaren är den lilla hamnen packad med småbåtar. I La Houssinière finns öns borgmästare, dess polis, dess postkontor, dess ende präst. Ett antal familjer från kusten hyr hus här i augusti och för med sig kommers.

Samtidigt är Les Salants dött hela sommaren, flämtar och förbränns i vinden och hettan. Men för mig är det ändå hemma. Inte den vackraste platsen på jorden, eller ens den mest inbjudande. Men det är min plats.

Allting återvänder. Det är ett ordspråk här på Le Devin. När man som vi bor utefter Golfströmmen är det en bekräftelse på att det finns hopp. Allting kommer tillbaka förr eller senare. Förlista fartyg, flaskpost, livbojar, vrakgods, fiskare som försvunnit till havs. La Goulues dragningskraft är för stark för att man ska kunna stå emot. Det kan ta år. Fastlandet är lockande, med sina pengar, städer och märkliga levnadssätt. Tre av fyra barn ger sig av när de fyller arton, drömmer om en värld bortom La Jetée. Men Den Giriga är både tålmodig och hungrig. Och för dem som likt mig inte har något annat som binder dem, verkar återkomsten ofrånkomlig.

Jag hade en gång en historia. Inte för att det spelar någon roll nu. På Le Devin bryr sig ingen om någon historia förutom den gemensamma. Föremål spolas upp på de här stränderna – vrakdelar, badbollar, döda fåglar, tomma plånböcker, dyra joggingskor, plastbestick, till och med människor – och ingen frågar sig varifrån de kommer. Havet för bort det som ingen lägger beslag på. Havsinvånare rör sig också utefter den här autostradan, portugisiska örlogsmän, sköterskehajar och sjöhästar och ormstjärnor och en och annan val. De stannar eller ger sig av, kortvariga märkvärdigheter att förundras över och glömma så snart de lämnar våra vatten. För öborna existerar ingenting bortom La Jetée. Från den punkten är det inget som bryter horisonten förrän man når Amerika. Ingen vågar sig längre bort. Ingen studerar tidvattnet eller vad det för med sig. Utom jag. Eftersom jag själv är vrakgods tycker jag att jag har rätt till det.

Ta till exempel den här stranden. Den är en märkvärdig sak. En ö, en enda strand; en lyckad biprodukt av tidvatten och strömmar; etthundratusen ton urgammal sand, envis som sten, förgylld av tusen avundsjuka blickar till något värdefullare än guldstoft. Det har sannerligen gjort La Houssinière välmående, även om vi alla vet, både houssinbor och salantsbor, hur lätt allt skulle ha kunnat vara annorlunda.

En ström som ändrat riktning och flyttat sig hundra meter åt vänster eller höger. En grads ändring av den förhärskande vinden. Rörelser i sjöbottnens geografi. En svår storm. Vilken som helst av dessa saker skulle när som helst kunna orsaka en helomvändning. Turen är som en pendel som svänger långsamt genom årtiondena och för med sig det oundvikliga i sin skugga.

Les Salants väntar fortfarande tålmodigt, förväntansfullt, på att den ska svänga tillbaka.

Del ett

Drivved och vrakgods

I

EN HET DAG I SLUTET AV AUGUSTI återvände jag efter tio års bortovaro, alldeles före sommarens första svåra tidvatten. Medan jag stod och iakttog angöringsplatsen från däcket på *Brismand 1*, den gamla färjan till La Houssinière, kändes det nästan som om jag aldrig rest därifrån. Ingenting hade förändrats – luftens skarpa doft, däcket under mina fötter, ljudet av måsar från den heta blå himlen. Tio år, nästan halva mitt liv, utraderade i ett enda slag, som något skrivet i sanden. Närapå, i alla fall.

Jag hade knappt något bagage, och det förstärkte illusionen. Men jag hade alltid rest med lätt packning. Det hade vi båda två, mor och jag; vi hade aldrig släpat på mycket. Och mot slutet hade det varit jag som betalat hyran för vår lägenhet i Paris, jobbat på ett sjabbigt kafé för att dryga ut inkomsterna jag fick från de målningar som mor avskydde så mycket, medan hon kämpade med sitt emfysem och inte låtsades om att hon var döende.

Hur som helst hade jag velat återvända förmögen, framgångsrik. För att visa min far hur bra vi klarat oss utan hans hjälp. Men mors små besparingar hade för länge sedan tagit slut, och mina egna – några få tusen franc på Crédit Maritime, en mapp med osålda målningar – uppgick inte till mycket mer än vad vi tagit med oss den dagen vi gav oss av. Inte för att det spelade någon roll. Jag hade inte tänkt stanna. Oavsett hur stark illusionen av att tiden stått stilla var, hade jag ett annat liv nu. Jag hade förändrats. Jag var inte längre en ö.

Ingen la märke till mig där jag stod en bit ifrån de övriga på däcket till *Brismand 1*. Det var högsäsong, och det var redan ett stort antal turister ombord. En del var till och med klädda som jag, i segelduksbyxor och en fiskares *vareuse*, det där oformliga plagget som är ett mellanting mellan en skjorta och en jacka – stadsbor som gjorde sitt bästa för att inte se ut som sådana. Turister med ryggsäckar, resväskor, hundar och barn stod hopträngda på däck mellan lådor med frukt och specerier, burar med kycklingar, postsäckar, kartonger. Det var ett hemskt oväsen. Och under det, havets *sssss* mot färjans skrov och måsarnas skrin. Mitt hjärta bultade i takt med bränningarna.

Medan *Brismand 1* närmade sig hamnen lät jag blicken glida över vattnet upp mot esplanaden. Som barn hade jag tyckt om det här stället; jag hade ofta lekt på stranden, gömt mig under de gamla badhytternas feta bukar medan min far uträttade sina ärenden i hamnen. Jag kände igen de blekta Choky-parasollen på det lilla kaféets *terrasse* där min syster brukade sitta; korvkiosken; souvenirbutiken. Det var kanske mer liv och rörelse än jag mindes. En oregelbunden rad fiskare med grytor med krabba och hummer kantade kajen och sålde sin fångst. Jag hörde musik från esplanaden; nedanför den lekte barn på stranden, stranden som, även nu vid högvatten, verkade slätare och större än jag mindes den. Det såg ut att gå bra för La Houssinière.

Jag lät blicken svepa utefter Rue des Immortelles, huvudgatan som löper parallellt med vattnet. Jag såg tre personer som satt sida vid sida på det som en gång varit min favoritplats: muren nedanför esplanaden med utsikt över bukten. Jag kom ihåg hur jag satt där som barn, betraktade det avlägsna fastlandets grå käkben och undrade vad som fanns där. Jag kisade för att se bättre; redan halvvägs inne i bukten kunde jag se att två av figurerna var nunnor.

När nu färjan närmade sig kände jag igen dem: syster Extase och syster Thérèse, karmelitervolontärer på vårdhemmet vid Les Immortelles, gamla redan innan jag föddes. Jag kände mig märkligt trygg vid tanken på att de fortfarande fanns kvar. Båda nunnorna åt glass, dräkterna uppfästa vid knäna, bara fötter som dinglade över kanten. Mannen som satt bredvid dem, med ansiktet dolt av en vidbrättad hatt, kunde ha varit vem som helst.

Brismand 1 la till med långsidan mot kajen. En landgång placerades ut och jag väntade på att turisterna skulle gå av. Trängseln på kajen var lika stor som på båten; försäljare stod beredda att sälja drycker och bakverk; en taxichaufför erbjöd sina tjänster; barn med kärror kämpade om turisternas uppmärksamhet. Till och med för att vara i augusti var det livligt.

”Ska jag ta era väskor, mademoiselle?” En pojke i fjortonårsåldern med runt ansikte, klädd i en urblekt röd t-tröja, drog mig i ärmen. ”Ska jag ta era väskor till hotellet?”

”Jag klarar mej, tack.” Jag visade honom min lilla väska.

Pojken gav mig ett förbryllat ögonkast, som om han försökte placera mig. Sedan ryckte han på axlarna och drog vidare mot lönsammare byten.

På esplanaden var det trångt. Turister som skulle resa, turister som anlände; houssinbor mellan dem. Jag ruskade på huvudet åt en äldre man som försökte sälja en nyckelring av makramé; det var Jojo-le-Goëland, som brukade ta oss med på båtturer om somrarna, och även om han aldrig varit en vän – han var trots allt en houssinbo – så kände jag ett styng i hjärtat när jag märkte att han inte kände igen mig.

"Ska du bo här? Är du turist?" Det var pojken med det runda ansiktet igen, nu tillsammans med en vän, en mörkögd ung man i läderjacka, som rökte en cigarett mer för att imponera än för nöjes skull. Båda pojkarna bar på resväskor.

"Jag är ingen turist. Jag är född i Les Salants."

"Les Salants?"

"Ja. Min far heter Jean Prasteau. Han är båtbyggare. Eller var, i alla fall."

"GrosJean Prasteau!" Båda pojkarna betraktade mig med oförställd nyfikenhet. De hade nog fortsatt att prata, men just då fick vi sällskap av ytterligare tre tonåringar. Den störste av dem tilltalade pojken med det runda ansiktet på ett auktoritärt sätt.

"Vad gör ni salantsbor här nu igen, va?" frågade han. "Ni vet att strandpromenaden tillhör houssinborna. Ni får inte bära bagage till Les Immortelles!"

"Vem har bestämt det?" undrade pojken med det runda ansiktet. "Det är inte *er* esplanad! Det är inte *era* turister!"

"Lolo har rätt", sa pojken med de mörka ögonen. "Vi var här först."

De två salantspojkarna drog sig lite närmare varandra. De andra var fler, men jag fick en känsla av att de båda pojkarna var beredda att slåss hellre än att lämna ifrån sig resväskorna. För ett ögonblick såg jag mig själv i deras ålder, där jag väntade på min far och försökte att inte låtsas om de söta houssinflickorna som skrattade på kaféterrassen, tills det blev för mycket och jag flydde till mitt gömställe under badhytterna, där jag kände mig trygg.

”Dom var här först”, sa jag till de tre. ”Ge er iväg nu.”

För ett ögonblick stirrade houssinpojkarna harmset på mig, sedan gav de sig muttrande iväg mot kajen. Lolo gav mig en blick av tacksamhet. Hans kamrat ryckte bara på axlarna.

”Jag följer med er”, sa jag. ”Ska ni till Les Immortelles?” Det stora vita huset låg bara några hundra meter längre ner på esplanaden. Förr i tiden hade det varit vårdhem.

”Det är hotell nu”, sa Lolo. ”Det ägs av Monsieur Brismand.”

”Ja, jag känner honom.”

Claude Brismand – en undersätsig houssinbo med en bombastisk mustasch – som luktade rakvatten, hade espadriller på fötterna som en bonde och en röst som var fyllig och praktfull som ett gott vin. Listige Brismand, kallades han i byn. Tursamme Brismand. I många år hade jag trott att han var änkling, även om det ryktades att han hade fru och barn någonstans på fastlandet. Jag hade alltid gillat honom, trots att han var houssinbo; han var gladlynt, pratsam, hans fickor var fulla av godis. Min far hade hatat honom. Som på rent trots hade min syster Adrienne gift sig med hans brorson.

”Nu räcker det nog.” Vi hade kommit fram till slutet av esplanaden. Genom ett par glasdörrar såg jag lobbyn i Les Immortelles – en disk, en vas med blommor, en stor man som satt nära det öppna fönstret och rökte cigarr. För ett ögonblick övervägde jag att gå in, men bestämde mig sedan för att inte göra det. ”Jag tror att ni klarar er härifrån. Gå in med er.”

Det gjorde de, den mörkögde pojken utan ett ord, Lolo med en tacksam grimas som ursäkt för sin vän. ”Bry dej inte om Damien", sa han med låg röst. "Han vill alltid slåss."

Jag log. Jag hade varit likadan. Min syster, fyra år äldre än jag, med sina vackra kläder och sitt filmstjärnehår, hade aldrig haft några problem med att smälta in; på kaféets *terrasse* hade hennes skratt alltid ljudit högst.

Jag tog mig över den myllrande gatan till den plats där de två gamla karmelitersystrarna satt. Jag var inte säker på att de skulle känna igen mig, en salantsbo som de inte sett sedan hon var femton, men jag hade alltid tyckt om dem förr i tiden. När jag närmade mig var jag inte förvånad över att se att de inte förändrats ett dugg: båda var klarögda men bruna och läderaktiga som torkade föremål på stranden. Syster Thérèse hade en svart sjalett istället för öarnas vita *quichenotte coiffe*; utan den var jag inte säker på att jag skulle ha kunnat skilja dem åt. Mannen bredvid dem, som hade en korallpärla om halsen och slokhatt, var en främling. Mellan tjugo och trettio år; trevligt utseende utan att vara anslående; han hade kunnat vara turist om det inte varit för den lättsamma förtrolighet som han hälsade mig med, öarnas tysta nick.

Syster Extase och syster Thérèse såg noga på mig ett ögonblick och sprack sedan upp i identiska, strålande leenden. "Nämen, det är ju GrosJeans lilla flicka."

Ett mångårigt kamratskap långt från klostret hade gett dem likartade manér. Deras röster var också lika, kvicka och spruckna som skators. Precis som hos tvillingar fanns det en egenartad samhörighet mellan dem, de avslutade varandras meningar och betonade varandras ord med uppmuntrande åtbörder. På ett lite kusligt sätt använde de aldrig något av sina namn, den ena hänvisade alltid till den andra som "*ma sœur*", trots att de så vitt jag visste inte var släkt.

”Det är Mado, *ma sœur*, lilla Madeleine Prasteau. Vad hon har vuxit. Tiden går –”

”Så fort här på öarna. Det känns inte som mer än –”

”Ett par år sedan vi kom hit för första gången och nu är vi –”

”Gamla och gnälliga, *ma sœur*, gamla och gnälliga. Men vi är glada över att träffa dej igen, Mado lilla. Du var alltid så annorlunda. Så jättejätteannorlunda jämfört med –”

”Din syster.” De uttalade det sista ordet gemensamt. De svarta ögonen glimmade.

”Det är skönt att vara tillbaka.” Innan jag uttalade de orden hade jag inte känt hur skönt det faktiskt var.

”Det har inte förändrats mycket, eller hur, *ma sœur?*”

”Nej, ingeting förändras mycket. Det blir –”

”Äldre, bara. Som vi.” Båda nunnorna skakade sakligt på huvudet och återvände till sina glassar.

”Jag ser att dom har gjort om Les Immortelles”, sa jag.

”Just det”, nickade syster Extase. ”Det mesta av det, i alla fall. Fortfarande bor några av oss kvar på översta våningen.”

”Långliggare, kallar Brismand oss.”

”Men inte många. Georgette Loyon och Raoul Lacroix och Bette Plancpain. Han köpte deras hus när dom blev för gamla för att klara sej själva.”

”Köpte dom billigt och gjorde i ordning dom åt sommargästerna.”

Nunnorna utbytte blickar. ”Brismand behåller dom här bara för att han får välgörenhetspengar från klostret. Han tycker om att hålla sej väl med Kyrkan. Han vet att hålla sej framme.”

Båda två sög på sina glassar under eftertänksam tystnad.

”Och det här är Rouget, Mado lilla.” Syster Thérèse pekade på främlingen som hade lyssnat på deras kommentarer med ett brett leende på läpparna.

"Rouget, engelsmannen –"

"Som kommit för att förföra oss med glass och smicker. Vid vår ålder."

Engelsmannen skakade på huvudet. "Bry dej inte om dom", rådde han. "Jag står bara ut med dom eftersom dom annars skulle avslöja alla mina hemligheter." Han pratade med en trivsam, om än kraftig, brytning.

Systrarna kacklade. "Hemligheter, va! Det finns inte mycket som vi inte vet, eller hur, *ma sœur*? Vi är kanske –"

"Gamla, men det är inget fel på våra öron."

"Folk tänker inte på oss –"

"Därför att vi är –"

"Nunnor."

Mannen som kallades Rouget såg på mig och log brett. Han hade ett intelligent, originellt ansikte som sken upp när han log. Jag kunde känna hans ögon ta in varenda detalj i mitt utseende, inte ovänligt utan med en förväntansfull nyfikenhet.

"Rouget?" De flesta namn på Le Devin är smeknamn. Bara utlänningar och fastlänningar använder något annat.

Han tog av sin hatt med en ironisk svängning. "Richard Flynn, filosof, byggare, skulptör, svetsare, fiskare, alltiallo, väderspåman..." Han gestikulerade vagt mot sanden vid Les Immortelles. "Och viktigast av allt, strandletare och vrakplundrare."

Syster Extase hälsade hans ord med ett uppskattande kacklande som antydde att det där var ett gammalt skämt. "Trubbel för dej och mej", förklarade hon.

Flynn skrattade. Hans hår hade ungefär samma färg som

pärlan om hans hals. Rött hår, dåliga gener, brukade min mor säga, fast det är en ovanlig färg på öarna och anses ofta vara ett tecken på tur. Det förklarade smeknamnet. Men trots det: ett smeknamn ger ett slags status på Le Devin, ovanligt för en utlänning. Det tar tid att göra sig förtjänt av ett önamn.

”Bor du här?” På något sätt verkade det otroligt. Det var något rastlöst över honom, tyckte jag; det fanns någon dold beståndsdel som när som helst kunde flamma upp.

Han ryckte på axlarna. ”Den här platsen är väl inte sämre än nån annan.”

Det där överraskade mig lite grann. Som om alla platser var likadana för honom. Jag försökte föreställa mig att jag inte brydde mig om var hemma var någonstans, att jag inte kände den där oupphörliga dragningen i hjärtat. Hans fruktansvärda frihet. Och ändå hade de gett honom ett namn. I hela mitt liv hade jag bara varit *la fille à GrosJean*, precis som min syster.

”Jaha.” Han log brett. ”Vad sysslar du med?”

”Jag är målare. Jag menar, jag säljer mina målningar.”

”Vad målar du?”

För ett ögonblick tänkte jag på den lilla lägenheten i Paris, och rummet som jag använde som ateljé. Ett litet utrymme, för litet för att vara gästrum – och mor hade knappt ens släppt till det – mitt staffli och mina mappar och dukar staplade mot väggen. Jag kunde ha valt att måla vad som helst, brukade mor säga. Jag hade gåvan. Varför målade jag då alltid samma sak? Brist på fantasi? Eller var det för att plåga henne?

”Öarna, för det mesta.”

Flynn såg på mig men sa inget mer. Hans ögon hade samma skiffergrå ton som molnbanken vid horisonten. Jag tyckte att de var märkligt svåra att möta, som om de kunde läsa tankar.

Syster Extase hade ätit upp sin glass. ”Och hur mår din mamma, Mado lilla? Kom hon hit tillsammans med dej idag?”

Jag tvekade. Flynn såg fortfarande på mig. ”Hon dog”, sa jag till sist. ”I Paris. Min syster var inte där.” Jag hörde det elaka i min stämma när jag tänkte på Adrienne.

Båda nunnorna gjorde korstecknet. ”Det var tråkigt, Mado lilla. Så väldigtväldigt tråkigt.” Syster Thérèse tog min hand mellan sina skrynkliga fingrar. Syster Extase klappade mig på knäet. ”Ska ni ha en minnesgudstjänst i Les Salants?” frågade syster Thérèse. ”För din fars skull?”

”Nej.” Jag kunde höra bryskheten i min röst. ”Det där är över. Och hon sa alltid att hon aldrig skulle återvända. Inte ens som aska.”

”Så synd. Det hade varit bättre för alla.”

Syster Extase gav mig en snabb blick under sin *quichenotte*. ”Det kan inte ha varit lätt för henne, att bo här. Öar –”

”Jag vet.”

Brismand 1 la ut igen. För ett ögonblick kände jag mig ytterst förlorad, som om min enda livlina hade klippts av. Jag rös plötsligt vid tanken. ”Min far gjorde inte saker och ting lättare”, sa jag medan jag betraktade färjan som vände tillbaka. ”Men nu är han fri. Det var vad han ville. Att bli lämnad ifred.”

2

"PRASTEAU. DET ÄR ETT ÖNAMN."

Taxichauffören – en houssinbo som jag inte kände igen – lät anklagande, som om jag hade använt namnet utan tillåtelse.

"Ja, det är det. Jag är född här."

"Jaså." Chauffören sneglade bakåt mot mig, som om han försökte placera mig. "Så du har fortfarande släkt på ön, då?"

Jag nickade. "Min far. I Les Salants."

"Åh." Mannen ryckte på axlarna, som om nyfikenheten tagit slut när jag nämnde Les Salants. För min inre blick såg jag GrosJean på sitt varv, såg mig själv iaktta honom. Ett skuldmedvetet styng av stolthet när jag mindes min fars hantverksskicklighet. Jag tvingade mig själv att se chauffören i nacken tills jag blev av med känslan.

"Jaha, då så. Les Salants."

Taxin luktade unket och fjädringen var slut. När vi körde den bekanta vägen ut från La Houssinière hade jag fullt av fjärilar i magen. Jag mindes allting alltför väl nu, alltför klart; en tamariskdunge, en klippa, en glimt av ett korrugerat tak över ryggen på en sanddyn fick mig att känna mig hudlös inför alla minnen.

"Du vet vart du ska, va?" Vägen var dålig; när vi svängde runt en krök fastnade taxins bakhjul för ett ögonblick i lös sand. Chauffören svor och varvade våldsamt för att komma loss.

”Ja. Rue de l'Océan. Längst bort.”

”Är du säker? Där finns inget annat än sanddyner.”

”Ja. Jag är säker.”

En ingivelse fick mig att hoppa av ett kort stycke utanför byn; jag ville anlända till fots, som en salantsbo. Taxichauf-fören tog emot mina pengar och åkte iväg utan att titta bakåt, med sanden sprutande under hjulen och smällande avgasrör. Alltmedan tystnaden åter lägrade sig runt mig blev jag medveten om en oroande förnimmelse, och jag fick ett nytt anfall av skuldkänslor när jag identifierade det som glädje.

Jag hade lovat min mor att aldrig återvända.

Det var skuldkänslan; för ett ögonblick tryckte den ihop mig, som en fläck under den vidsträckta himlen. Min blotta närvaro här var ett förräderi mot henne, mot våra fina år tillsammans, mot det liv vi hade skapat på avstånd från Le Devin.

Ingen hade skrivit till oss efter vår avresa. När vi väl hade korsat La Jetées gräns hade vi blivit precis som vrak-gods, ignorerade, bortglömda. Mor hade sagt det till mig tillräckligt många gånger, under kalla nätter i vår lilla paris-lägenhet, med de obekanta ljuden från trafiken utanför och de där ljusen från brasseriet som skiftade från rött till blått genom de trasiga persiennerna. Vi var inte skyldiga Le De-vin någonting. Adrienne hade gjort rätt: gift sig gott; fått barn; flyttat till Tanger med sin man Marin, som handlade med antikviteter. Hon hade två små pojkar, som vi bara hade sett på bilder. Hon hörde sällan av sig. Mamma tolka-de det som ett bevis på Adriennes hängivenhet mot sin familj, och höll fram henne som en förebild för mig. Min syster hade klarat sig bra; jag borde vara stolt över henne, inte avundsjuk.

Men jag var envis; trots att jag kommit undan var jag inte förmögen att gripa de lysande tillfällen som världen bortom öarna erbjöd. Jag kunde ha fått allt jag ville ha: ett bra jobb, en rik man, trygghet. Istället två år på konstskola, därefter ytterligare två på resa utan mål, sedan jobb på en bar, städning, tillfälliga arbeten, försäljning av mina tavlor i gathörn för att slippa betala avgift till gallerierna. Jag bar Le Devin inom mig, som minnet av ett brott, blandade min skuld med löften samtidigt som jag hela tiden i mitt hjärta visste att jag ljög.

"Allting återvänder."

Det är vrakplundrarens levnadsregel. Jag sa det högt, som om jag svarade på en outtalad anklagelse. Jag planerade ju ändå inte att stanna. Jag hade betalat en månadshyra i förskott för lägenheten; det lilla jag ägde fanns kvar precis som jag lämnat det, det fick anstå i väntan på min återkomst. Men just nu var drömmen för lockande för att jag skulle kunna bortse ifrån den: Les Salants, oförändrat, välkomnande, och min far…

Jag började springa, klumpigt, över den ojämna vägen mot husen; hemåt.

3

BYN LÅG ÖDE. De flesta av husen hade stängda fönsterluckor – en förebyggande åtgärd mot hettan – och de såg provisoriska och övergivna ut, som badhytter när säsongen är slut. En del såg ut som om de inte hade målats om sedan jag reste; väggar som en gång vitkalkats varje vår hade nu skrubbats färglösa av sanden. En enda pelargonia reste sitt huvud ur en torr fönsterlåda. Flera av husen var inte mer än brädskjul med korrugerad plåt på taket. Jag mindes dem nu, fast de aldrig förekommit på någon av mina tavlor. Några få flatbottnade båtar eller *platts* hade dragits upp i *l'étier* – saltvattenbäcken som ledde in till byn från La Goulue – och låg strandade i den bruna lågvattenleran. Ett par fiskebåtar låg förtöjda på djupare vatten. Jag kände genast igen båda två: Guénolés *Eleanore*, som min far och hans bror hade byggt många år innan jag föddes, och längre bort *Cécilia*, som tillhörde deras fiskerivaler, familjen Bastonnet. Någonting högt uppe i masten på en av båtarna slog monotont mot metallen – *ding-ding-ding-ding* – i vinden.

Det syntes knappt några tecken på liv. För ett ögonblick skymtade jag ett ansikte som kikade fram bakom ett stängt fönster; hörde en dörr smälla igen om ljudet av röster. En gammal man satt under ett parasoll utanför Angélos bar och drack *devinnoise*, öns likör smaksatt med örter. Jag kände igen honom direkt – det var Matthias Guénolé, pigga och blå ögon i ett ansikte lika väderbitet som drivved – men jag såg honom inte uttrycka någon nyfikenhet när jag hälsade. Bara en skugga av igenkännande, den där korta nicken som ska föreställa artighet i Les Salants, och sedan likgiltighet.

Jag hade sand i skorna. Sand hade också lagt sig i högar utmed några av husväggarna, som om dynerna hade gått till attack mot byn. Sommarstormarna hade säkerligen skördat sina offer. En vägg vid Jean Grossels gamla hus hade rasat; det saknades tegelpannor på flera tak; och bakom Rue de l'Océan, där Omer Prossage och hans fru Charlotte hade sin bondgård och sin lilla butik, såg marken vattensjuk ut, himlen speglades i stora områden med stillastående vatten. Ett antal ledningar vid sidan av vägen sprutade vatten i ett dike, vilket i sin tur mynnade ut i bäcken. Jag såg något slags pump arbeta vid sidan av huset, förmodligen för att skynda på processen, och hörde malandet från en generator. Bakom bondgården snurrade vingarna på en liten väderkvarn snabbt.

Vid slutet av huvudgatan stannade jag intill brunnen vid Marine-de-la-Mers altare. Där fanns en handpump, rostig men fortfarande användbar, och jag pumpade upp lite vatten för att tvätta ansiktet. Med en nästan bortglömd rituell åtbörd stänkte jag vatten i stenskålen vid sidan av altaret, och när jag gjorde det la jag märke till att helgonets lilla nisch var nymålad, och att ljus, band, pärlor och blommor hade lagts på stenarna. Helgonet självt stod tung och outgrundlig bland offergåvorna.

”Dom säjer att om du kysser hennes fötter och spottar tre gånger så kommer du att få tillbaka något du förlorat.”

Jag vände mig om så häftigt att jag nästan tappade balansen. Bakom mig stod en stor, rosa, munter kvinna, händerna på höften, huvudet en aning på sned. Ett par förgyllda ringar hängde i hennes örsnibbar; håret hade samma glänsande nyans.

"Capucine!" Hon hade åldrats lite (hon hade varit nästan fyrtio när jag gav mig iväg) men jag kände igen henne meddetsamma; hon kallades La Puce och bodde med sin oregerliga barnaskara i en skamfilad husvagn på gränsen till sanddynen. Hon hade aldrig varit gift – män är alldeles för tröttsamma att leva med, stumpan – men jag mindes musik vid dynerna under sena kvällar, och hemlighetsfulla män som alltför uppenbart försökte att inte bry sig om den lilla husvagnen med sina ryschiga gardiner och sitt välkomnande ljus vid dörren. Min mamma hade tyckt illa om henne, men Capucine hade alltid varit snäll mot mig, gett mig chokladöverdragna körsbär och berättat allt möjligt skandalöst skvaller. Hon hade öns mest oanständiga skratt; faktum är att hon var den enda vuxna öbo jag kände som skrattade högt.

"Min Lolo sa att han träffade dej i La Houssinière. Han sa att du var på väg hit." Hon log brett. "Jag borde kyssa helgonet oftare om det är sånt här som händer!"

"Det var roligt att träffa dej, Capucine", log jag. "Jag började tro att byn var övergiven."

"Jo, visst." Hon ryckte på axlarna. "Det har varit en dålig säsong. Men det är det alltid nuförtiden." Hon fick något mörkt i blicken en kort stund. "Det var tråkigt att höra om din mor, Mado."

"Hur visste du det?"

"Ha! Det här är en ö. Nyheter och skvaller är det enda vi har."

Jag tvekade, medveten om mitt bultande hjärta. "Och – och min far?"

Ett leende fladdrade förbi. ”Som vanligt”, sa hon lättsamt. Sedan återfick hon sin muntra min och la sin arm om mina axlar. ”Kom och drick en *devinnoise* med mej, Mado. Du kan bo hos mej. Jag har en extra säng nu när engelsmannen gett sej av.”

Jag måste ha sett förvånad ut, för Capucine skrattade ett av sina djupa och oanständiga skratt.

”Inbilla dej inget. Jag är en respektabel kvinna nu – i alla fall nästan.” Hennes mörka ögon glittrade roat. ”Men du kommer att gilla Rouget. Han kom till oss i maj och orsakade en sån uppståndelse! Vi hade aldrig sett något liknande sen den där gången då Aristide Bastonnet fångade en fisk med huvud i båda ändarna. Den där engelsmannen!” Hon skrockade tyst för sig själv, ruskade på huvudet.

”Nu i maj?” Det betydde att han bara hade varit här i tre månader. På tre månader hade de gett honom ett namn.

”Mm.” Capucine tände en Gitane och drog in röken med tillfredsställelse. ”Dök upp här en dag, luspank, men gjorde affärer direkt. Pratade till sej ett jobb hos Omer och Charlotte, tills deras flicka började kasta ögon efter honom. Jag lät honom bo i husvagnen tills han kunde ordna ett eget ställe. Verkar som om han kom ihop sej med gamle Brismand, bland andra, därborta i La Houssinière.” Hon såg nyfiket på mig. ”Adrienne gifte sej med hans brorson, eller hur? Hur går det för dom?”

”Dom bor i Tanger. Jag hör inte ifrån dom särskilt ofta.”

”Tanger, va! Ja, hon sa alltid –”

”Du höll på att berätta om din vän”, avbröt jag. Tanken på min syster fick mig att låta argsint och ohyfsad. ”Vad sysslar han med?”

”Han har idéer. Han bygger saker.” Capucine gestikulerade vagt över axeln mot Rue de l'Océan. "Omers kvarn, till exempel. Den fixade han."

Vi hade rundat dynen och jag kunde se hennes skära husvagn nu, den såg ut som jag mindes den fast lite mer skamfilad och djupare nersjunken i sanden. Bortanför den, det visste jag, låg min fars hus, men en tjock tamariskhäck gjorde att det inte syntes. Capucine såg att jag tittade.

"Åh nej, du", sa hon bestämt, tog min arm och ledde mig ner i sänkan mot husvagnen. "Vi måste skvallra lite nu. Ge din far tid. Låt djungeltelegrafen gå."

På Le Devin är skvaller ett slags valuta. Stället lever av det – fejder mellan rivaliserande fiskare, utomäktenskapliga barn, rövarhistorier, rykten och avslöjanden. Jag insåg mitt värde i Capucines ögon; för ögonblicket var jag en tillgång.

"Varför det?" Jag stirrade fortfarande på tamariskhäcken. "Varför ska jag inte träffa honom nu?"

Capucine såg ut att vilja undvika frågan. "Det har gått en lång tid, eller hur? Han har vant sej vid att vara ensam." Hon knuffade upp husvagnsdörren, som var olåst. "Kom in bara, stumpan, så ska jag berätta allt för dej."

Det var en märklig hemkänsla i hennes husvagn, med den trånga, rosafärgade interiören, tygen som var draperade över varenda yta, doften av rök och billig parfym. Trots det uppenbart sjaskiga inbjöd den till förtroenden.

Folk verkade anförtro sig åt Capucine på ett sätt som de aldrig gjorde åt Père Alban, öns ende präst. Det verkar som om budoaren, till och med en så pass ålderstigen, är mer tilltalande än biktstolen. Åldern hade inte gjort Capucine mer respektabel, men trots detta fanns en naturlig aktning för henne i byn. Precis som nunnorna känner hon till för många hemligheter.

Vi pratade över kaffe och kakor. Capucine verkade ha obegränsad kapacitet när det gällde de små sockerbakelser som kallas *devinnoiseries*, och kompletterade dem med åtskilliga Gitanes, kaffe och chokladkörsbär, som hon plockade ur en stor hjärtformad ask.

"Jag brukar gå över och hälsa på honom ett par gånger i veckan", berättade hon och hällde upp mer kaffe i de dockservisstora kopparna. "Ibland tar jag med mej en kaka, eller stoppar lite kläder i maskinen."

Hon iakttog mina reaktioner och såg nöjd ut när jag tackade henne. "Folk pratar, förstår du", sa hon. "Men det är inte mer än så. Den tiden är förbi sen länge."

"Han mår väl bra?"

"Du vet hur han är. Han avslöjar inte mycket."

"Det har han aldrig gjort."

"Just det. Folk som känner honom förstår. Men han har inte lätt för främlingar. Inte för att *du*..." rättade hon sig själv omedelbart. "Han tycker bara inte om förändring. Han har sina vanor. Kommer till Angélos varje fredagskväll, tar sin *devinnoise* tillsammans med Omer, alltid lika punktlig. Han pratar förstås inte mycket, men det är inget fel på hans huvud."

Galenskap är en verklig skräck på öarna. En del familjer bär på den som en förrädisk gen, som den höga förekomsten av för många fingrar eller tår eller blödarsjuka som uppstår i sådana här stillastående samhällen. För många kusiner som kysser varandra, säger houssinborna. Min mor sa alltid att det var därför GrosJean valde en flicka från fastlandet.

Capucine skakade på huvudet. "Och det är inte lätt så här års. Ge honom lite tid."

Javisst, ja. Helgonets dag. När jag var barn hade min far och jag ofta hjälpt till att måla helgonets nisch – korallblå med det traditionella stjärnmönstret – som förberedelse för den årliga ceremonin. Salantsborna är en vidskeplig skara, det måste vi vara, trots att sådana föreställningar och traditioner anses ganska löjliga i La Houssinière. I La Houssinière finns förstås fortfarande en kyrka. La Houssinière skyddas av La Jetée. La Houssinière är inte utlämnat åt tidvattnet. Här i Les Salants är havet närmare och måste blidkas.

”Men det förstås”, sa Capucine och avbröt mina tankar, ”GrosJean har förlorat mer än dom flesta till havet. Och Helgonets dag, så nära inpå när allt hände... Det måste du ta hänsyn till, Mado.”

Jag nickade. Jag kände till historien, även om den var gammal och inträffade innan mina föräldrar gifte sig. Två bröder, som stod varandra lika nära som tvillingar; och enligt seden på ön hade de till och med samma namn. Men P'titJean hade dränkt sig vid tjugotre års ålder, fullkomligt meningslöst, på grund av någon flicka, och uppenbarligen hade de lyckats övertyga Père Alban om att det hade varit en fiskeolycka. Trettio år senare anklagade GrosJean fortfarande sig själv.

”Så det där har inte förändrats.” Det var ingen fråga.

”Lilla vän. Det där kommer aldrig att förändras.”

Jag hade sett gravstenen, ett enda stycke ögranit, på La Bouche, Les Salants kyrkogård bortanför La Goulue.

Jean-Marin Prasteau

1949–1972
Älskad bror

Min far hade själv huggit ut inskriptionen, ett finger djupt i den massiva stenen. Det hade tagit honom sex månader.

”Hur som helst, Mado”, sa Capucine och tog en tugga i ännu en kaka. ”Du kan bo hos mej så länge, tills Sainte-Marine är över. Du behöver inte ha nån brådska tillbaka, eller hur? Du kan väl lugna dej en dag eller två?”

Jag nickade, ville inte berätta mer för henne.

”Det finns mer plats härinne än du tror”, sa La Puce optimistiskt och visade mot ett draperi som skiljde sovrumsdelen från vardagsrumsdelen. ”Du får det bekvämt därinne, och min Lolo är en snäll pojke, han skulle aldrig hålla på att sticka näsan bakom draperiet var och varannan minut.” Capucine tog ett chokladkörsbär ur sitt uppenbarligen oändliga förråd. ”Han borde vara tillbaka vid det här laget. Kan inte förstå vad han gör hela dagarna. Drar omkring med den där Guénolé-pojken.” Jag förstod att Lolo var Capucines barnbarn; hennes dotter Clothilde hade lämnat honom i hennes vård medan hon sökte jobb på fastlandet.

”Allting återvänder, säjer dom. Ha! Min Clo verkar inte ha nån brådska att komma tillbaka. Hon har det alldeles för trevligt.” Capucines ögon mörknade en aning. ”Nej, det är ingen idé att kyssa Helgonet för *hennes* skull. Hon lovar jämt att komma hem till helgerna, men det finns alltid nån undanflykt. Om tio år, kanske –” Hon avbröt sig när hon såg mitt ansiktsuttryck. ”Förlåt, Mado. Jag syftade inte på *dej*.”

”Det gör inget.” Jag drack upp kaffet och reste mig. ”Tack för erbjudandet.”

”Du tänker väl inte gå dit nu? Inte idag?”

”Varför inte?”

”Du kommer inte att gilla det”, varnade hon. ”Huset är inte i ett sådant skick.”

”Jag klarar mej.”

”Låt mej få följa med dej då. Eller låt mej hämta Rouget.”

”Varför?” Jag kände ett stick av irritation. ”Vad har han med det här att göra?”

Capucine slingrade sig. ”Han är bara en vän, helt enkelt. Din far vande sej vid att ha honom i närheten.”

”Nej. Tack. Jag går hellre ensam.”

Capucine rynkade pannan mot mig, händerna på höften, hennes rosa sjal halvvägs ner från axlarna. ”Vänta dej inte för mycket”, varnade hon. ”Saker och ting förändras. Du har skapat dej ett eget hem, därborta på fastlandet.”

”Oroa dej inte. Jag klarar mej.”

”Jag menar allvar.” Hon gav mig en kuvande blick. ”Börja nu inte få några idéer om det här stället, flicka lilla. Som om du skulle kunna fly från allting genom att gömma dej här.”

”Du börjar låta som min mor.”

Capucine gjorde en grimas. ”Nu får du mej att känna mej gammal.”

Jag visste vad hon tänkte. Att det var trygghet jag var ute efter. Att jag på något sätt var rädd för livet därborta på fastlandet. Men det var inte sant. Det finns inget tryggt i att bo på en ö. Allting förändras. Ingenting är förankrat. Men inget av det där spelade någon roll nu. För tillfället hade jag kommit hem. Hem – den plats dit allting återvänder, flaskpost, leksaksbåtar, bröd över haven. Allt spolas till slut tillbaka upp på den där dystra, obarmhärtiga stranden, krossat, begravt i de långsamt marscherande dynerna, glömt, övergivet.

Tills idag.

4

MIN MOR VAR FRÅN FASTLANDET. Det gör mig till endast en halv öbo. Hon var från Nantes, en romantiker som tröttnade på Le Devin nästan lika snabbt som på min fars stiliga men dystra ansikte.

Hon var illa rustad för ett liv i Les Salants. Hon var pratglad, en sångerska, en kvinna som grät, skällde och gormade, skrattade, levde ut allting. Far hade inte mycket att säga ens i början. Han kunde inte småprata. De flesta av hans yttranden var enstaviga; han hälsade med en nick. Den lilla ömhet han visade gick till fiskebåtarna han byggde och sålde på gården bakom vårt hus. Han arbetade utomhus på sommaren, flyttade in sin utrustning i båthangaren på vintern, och jag tyckte om att sitta i närheten och se på när han formade träet, blötte klinkbrädorna för att göra dem böjbara, skapade stävens och kölens graciösa linjer, sydde seglen. Dessa var alltid vita eller röda, öns färger. En korallpärla prydde förstäven. Varje båt var putsad och fernissad, aldrig målad, förutom namnet som flög över bogen i svart och vitt. Far föredrog romantiska namn, *Belle Ysolde, Sage Héloïse* eller *Blanche de Coëtquen*, namn ur gamla böcker, trots att han så vitt jag visste aldrig läste någonting. Hans arbete var hans konversation – han tillbringade mer tid tillsammans med sina "damer" än med någon annan, hans händer var lika säkra som en älskares mot deras lena varma skrov, men han döpte aldrig en båt efter någon av oss; inte ens efter min mor, fast jag vet att hon skulle ha tyckt om det. Om han hade gjort det skulle hon kanske ha stannat.

När jag rundade dynen såg jag att varvet var övergivet. Dörrarna till hangaren var stängda och verkade inte, med tanke på hur högt det torra gräset var som hade växt upp framför dem, ha öppnats på flera månader. Ett par gamla skrov låg vid grinden, halvt begravda i sand. Traktorn med släpvagnen stod parkerad under ett skydd av korrugerad plast och såg ut att vara i användbart skick, men lyftarmen som min far en gång hade använt för att vinscha upp båtar på släpvagnen såg rostig och oanvänd ut.

Huset var inte mycket bättre. Det hade varit tillräckligt misskött förr i världen, fullt av lämningar efter förhoppningsfulla projekt som far hade påbörjat och sedan övergivit. Nu såg det fallfärdigt ut. Den vita färgen hade bleknat; en glasruta hade ersatts med en skiva; färgen på dörrar och fönsterluckor var sprucken och flagnade. Jag såg en kabel som löpte genom sanden till uthuset där generatorn brummade; det var det enda tecknet på liv.

Brevlådan var inte tömd. Jag tog ut de inkilade breven och broschyrerna som stack upp ur lådan och bar in dem i det övergivna köket. Dörren var olåst. Det stod en trave smutsiga tallrikar bredvid diskhon. En kanna kallt kaffe på spisen. Det luktade sjukrum. Mors saker – en byrå, en kista, en ram för bildvävnad – fanns fortfarande kvar, men nu var det damm på allting och sand på betonggolvet.

Och ändå fanns det tecken på att någon hade gjort något. Det låg bitar av rör och elledningar och trä i en verktygslåda i ena hörnet av rummet, och jag la märke till att varmvattenberedaren som GrosJean alltid stod i begrepp att reparera hade ersatts av en rund kopparanordning som var kopplad till en flaska butangas. Lösa ledningar hade prydligt stoppats in bakom en panel; det fanns tecken som tydde på att någon jobbat med eldstaden och skorstenen, som alltid brukade ryka in. Dessa tecken på aktivitet stod i märklig kontrast till det övriga förfallet i huset, som om GrosJean hade varit så absorberad av sitt arbete att han inte haft tid att damma eller tvätta kläder. Det var typiskt honom, tänkte jag. Det enda som överraskade mig var att han för första gången verkligen tycktes ha genomfört de där projekten.

Jag släppte breven på köksbordet. Irriterande nog märkte jag att jag darrade. För många känslor som kämpade för att komma ut. Jag tvingade mig att lugna ner mig. Jag tittade igenom posten – den måste ha varit sex månader eller ett år gammal – och hittade mitt senaste brev till honom i högen, oöppnat. Jag stirrade länge på det, såg parisadressen på baksidan, och mindes. Jag hade burit omkring det i veckor innan jag till sist postade det, omtumlad och märkligt befriad. Min vän Luc från kaféet hade frågat varför jag väntade. ”Vad är problemet? Du vill väl träffa honom? Du vill väl hjälpa till?”

Så enkelt var det inte. Jag hade byggt upp mina förhoppningar som ett ostron bygger en pärla, lager på skinande lager, tills det obetydliga sandkornet blir ett vackert föremål. GrosJean hade inte skrivit till mig på tio år. Jag hade skickat honom teckningar, fotografier, skolbetyg, brev, utan att någonsin få svar. Och ändå hade jag fortsatt att skicka dem, år efter år, som flaskpost. Jag hade förstås aldrig berättat för mor. Jag visste precis vad hon skulle ha sagt.

Jag la ner brevet, med en hand som skakade lite. Sedan stoppade jag det i fickan. Det var kanske, när allt kom omkring, bättre så. Det gav mig tid att tänka igen. Att överväga alternativen.

Som jag hade trott från början var ingen hemma. Jag försökte att inte känna mig som en inkräktare när jag öppnade dörren till mitt gamla rum, sedan till Adriennes. Inte mycket hade ändrats. Våra saker var fortfarande kvar: mina modellbåtar, min systers bioaffischer och burkar med skönhetsmedel. Adriennes rum var störst och ljusast. Mitt vette mot norr och hade en fuktfläck på vintern. Bortanför dem låg mina föräldrars rum.

Jag öppnade dörren mot ett halvmörker; luckorna var stängda. Lukten av vanvård slöt sig omkring mig. Sängen var obäddad, ett randigt bolstervar syntes under ett hopknölat lakan. Det stod en överfull askkopp på ena sidan; smutsiga kläder låg i högar på golvet; en nisch bredvid dörren hade en gipsstaty av Sainte-Marine; det fanns en pappkartong med diverse innehåll. I den där kartongen fick jag syn på ett fotografi – jag kände igen det direkt, trots att ramen var borta. Mor hade tagit det när jag fyllde sju år, och vi tre fanns där – GrosJean, Adrienne och jag – leende mot en stor tårta formad som en fisk.

Mitt ansikte hade klippts ut ur bilden – klumpigt, med sax – så att bara GrosJean och Adrienne fanns kvar, hon med sin arm lätt på hans. Far log mot henne över det utrymme där jag hade funnits.

Plötsligt hörde jag ett ljud utanför huset. Jag knölade snabbt ner bilden i fickan och stannade upp för att lyssna, medan halsen snördes åt. Någon gick mjukt förbi under sovrumsfönstret, på så lätta fötter att jag nästan inte hörde det på grund av mitt bultande hjärta; någon gick barfota, eller i espadriller.

Utan att förlora någon tid sprang jag ut i köket. Nervöst drog jag håret bakåt, funderade på vad han skulle säga – vad jag skulle säga – om han ens skulle känna igen mig. Jag hade förändrats på tio år, min tonårsfyllighet hade försvunnit, mitt korta hår hade blivit axellångt. Jag är inte den skönhet min mor var, även om en del brukade säga att vi var lika. Jag är för lång, saknar hennes behagfulla rörelser, och mitt hår har en obestämbar brun ton. Men jag har hennes ögon; med kraftiga ögonbryn ovanför och en underlig, kall grågrön nyans som en del tycker är ful. Plötsligt önskade jag att jag hade försökt snygga till mig lite mer. Jag kunde åtminstone haft klänning på mig.

Dörren öppnades. Någon stod på tröskeln klädd i en fiskares stora jacka och med en papperspåse i famnen. Jag kände igen honom med en gång, trots att han gömde håret under en stickad mössa; de snabba, precisa rörelserna liknade inte min fars björnlika lufsande. Han hade tagit sig förbi mig och in i rummet innan jag visste ordet av, och stängt dörren bakom sig.

Engelsmannen. Rouget. Flynn.

"Jag tänkte att du kanske kunde behöva lite av varje", sa han när han satte ner papperspåsen på köksbordet. Sedan såg han mitt ansiktsuttryck. "Något på tok?"

"Jag var inte beredd på att du skulle komma", fick jag fram till slut. "Du överraskade mej." Mitt hjärta bultade fortfarande. Jag kramade fotografiet i fickan, kände mig varm och kall om vartannat, visste inte hur mycket av det han kunde läsa i mitt ansikte.

"Du är nervös, eller hur?" Flynn öppnade påsen på bordet och började plocka upp innehållet. "Det finns bröd, mjölk, ost, ägg, kaffe, frukostgrejer. Du behöver inte tänka på att betala; allt går på hans konto." Han la brödlimpan i brödpåsen av linne som hängde på baksidan av dörren.

"Tack." Jag kunde inte låta bli att lägga märke till hur hemmastadd han verkade i min fars hus, öppnade skåp utan att tveka, ställde undan matvarorna. "Jag hoppas att det inte var för mycket besvär."

"Inget besvär alls." Han log brett. "Jag bor två minuter härifrån, i det gamla blockhuset. Ibland tittar jag förbi."

Blockhuset låg på dynerna ovanför La Goulue. Det tillhörde min far. Precis som landremsan det stod på. Jag kom ihåg det: en tysk bunker som var kvar från kriget, en ful fyrkant av rostfläckad betong halvt begravd i sanden. I många år trodde jag att det spökade där.

"Jag trodde inte att nån skulle kunna bo på det där stället", sa jag.

"Jag har gjort i ordning det", sa Flynn muntert och ställde in mjölken i kylskåpet. "Det svåraste var att få bort all sand. Det är förstås inte klart än; jag måste gräva en brunn och dra ordentliga vatten- och avloppsledningar, men det är bekvämt, det är stabilt och det kostade mig inte mer än tid och några få saker som jag inte kunde hitta eller tillverka själv."

Jag tänkte på GrosJean och hans evigt pågående arbeten. Inte undra på att han gillade den här mannen. Han bygger saker, hade Capucine sagt. En som lagar trasiga saker. Nu förstod jag vem som gjort reparationerna i fars hus. Jag kände ett plötsligt hugg i hjärtat.

"Du kommer förmodligen inte att träffa honom ikväll", sa Flynn. "Han har varit rastlös dom senaste dagarna. Det är knappt nån som har sett till honom."

"Tack." Jag vände mig bort för att undvika att möta hans blick. "Jag känner min far."

Det var sant. På kvällen på Sainte-Marines dag, efter processionen, brukade GrosJean alltid försvinna i riktning mot La Bouche, där han tände ljus vid P'titJeans grav. Den årliga ritualen var helig. Inget kunde störa den.

"Han vet inte ens om att du är tillbaka", fortsatte Flynn. "När han får reda på det kommer han att tro att helgonet har besvarat alla hans böner på en gång."

"Tror du att jag är dum?" sa jag. "GrosJean har aldrig kysst helgonet för någons skull."

Det uppstod en lång, obehaglig tystnad. Jag undrade hur mycket engelsmannen visste om min far, hur mycket han hade berättat för honom, och jag kände hur det började svida farligt i ögonen. Det var just likt GrosJean, tänkte jag, att bli vän med den här främlingen av en nyck, medan –

"Du, jag vet att jag inte har med det här att göra", sa Flynn till slut. "Men om jag var du skulle jag hålla mig borta från högtidligheterna ikväll. Det är för mycket spänning i luften." Han log, och för ett ögonblick såg jag hans lättsamma charm och avundades den. "Du ser ut som om du skulle behöva vila lite. Du kan väl göra det bekvämt för dej, sova en stund, och se hur saker och ting artar sej imorgon?"

Han menade väl. Det visste jag. För ett ögonblick var jag till och med frestad att anförtro mig åt honom. Men jag är inte lagd åt det hållet; jag är trumpen, brukade min mamma säga, som min far, och jag har inte lätt för att prata. För första gången undrade jag om jag hade begått ett fruktansvärt misstag genom att komma hem. Jag rörde vid fotot i fickan en gång till, som vid en talisman.

"Jag klarar mej", sa jag.

5

SAINTE-MARINE-DE-LA-MERS högtid infaller en gång om året, den kväll i augusti då månen är full. Den kvällen bärs helgonet från sin plats i byn till ruinerna efter hennes kyrka vid Pointe Griznoz. Det är en svår uppgift – helgonet är nittio centimeter hög, och tung, för hon är gjord av solid basalt – och det krävs fyra karlar för att bära henne på en sockel till strandkanten. Där defilerar byborna förbi henne en och en; några stannar till och kysser hennes fötter i den gamla rituella åtbörden, i förhoppning om att något förlorat – eller kanske snarare någon förlorad – ska komma tillbaka. Barnen pryder henne med blommor. Små offergåvor – mat, blommor, buntar av bergsalt hopbundna med band, till och med pengar – kastas i det stigande tidvattnet. Ceder- och furuspån eldas i fyrfat på båda sidor om statyn. Ibland är det fyrverkerier, som trotsigt exploderar över det likgiltiga havet.

Jag väntade tills det blivit mörkt innan jag lämnade huset. Vinden, som alltid blåser hårdast på den här delen av ön, hade vridit mot sydost och skallrade sin *danse macabre* i dörrar och fönster. Jag undrade om det skulle blåsa upp till storm. Sydliga vindar är dåliga vindar, säger öborna. Det är inte något gott tecken på Sainte-Marines kväll.

När jag gav mig iväg, tätt insvept i jackan, kunde jag redan se glöden från fyrfaten längst ute på udden. En gång hade det legat en kyrka där. Den har varit en ruin i nästan hundra år; havet har tagit den, bit för bit, tills det nu bara återstår en enda del. En bit av den norra väggen, nischen där Sainte-Marine hade sin plats, kan fortfarande urskiljas bland de vittrande stenarna. I det lilla tornet ovanför nischen hängde en gång en klocka – La Marinette, Sainte-Marines egen klocka – men den är försvunnen sedan länge. En legend berättar att den föll i havet; andra berättar historien om hur La Marinette stals och smältes ner av en skrupelfri houssinbo, som drabbades av Sainte-Marines förbannelse och drevs till vansinne av klockans spöklika klämtningar. Den klämtar fortfarande ibland; alltid under blåsiga nätter, alltid förebådande katastrofer. Cynikerna hävdar att dånet uppstår när den sydliga vinden blåser mellan klipporna och skrevorna på Pointe Griznoz, men salantsborna vet bättre: det är La Marinette, som fortfarande klämtar fram sina varningar, som fortfarande vakar över Les Salants från djupet.

När jag närmade mig udden såg jag konturerna av människor som silhuetter mot den eldupplysta gamla kyrkväggen. De var många, minst trettio; mer än halva byn. Père Alban, öns präst, stod vid vattnet med nattvardskalken och staven i händerna, han såg grå och spänd ut i eldskenet. Han hälsade kort och utan förvåning när jag gick förbi. Jag la märke till att det luktade fisk om honom, och att han hade stoppat ner sutanen prydligt i fiskarstövlarna.

Den gamla ceremonin är en underligt rörande syn, även om byborna i Les Salants är helt omedvetna om att de är pittoreska. De är en annan ras än jag och min mor; mestadels korta och satta, skarpa anletsdrag, keltiska; svarthåriga, blåögda. Dessa anslående drag avtar dock snabbt och på äldre dar liknar de mest fågelskrämmor, de bär svarta kläder som sina förfäder och kvinnorna en vit *quichenotte*. Tre fjärdedelar av befolkningen ser alltid ut att vara över sextiofem.

Jag studerade ansiktena snabbt och förhoppningsfullt. Gamla kvinnor i evig sorg, långhåriga gamla män i fiskarbyxor, svart tygjacka eller *vareuse* och stövlar, ett par unga män som bättrat på fiskarutstyrseln med grälla tröjor. Min far fanns inte ibland dem.

Den högtidliga stämning jag mindes från min barndom verkade saknas i år; det var färre blommor runt helgonaltaret och få tecken på de sedvanliga offergåvorna. Istället tyckte jag att byborna såg sammanbitna ut, som människor under belägring. Det var en atmosfär av spänd förväntan.

Till sist kom det, ljuset från lampor från dynerna bortanför Pointe Griznoz och det klagande ljudet från *biniou*-spelarna när Sainte-Marines procession startade. *Biniou* är ett traditionellt instrument; om det spelas bra påminner det lite om säckpipa. Men i det här fallet hade det något kattlikt över sig, en klagande ton som skar genom den brummande vinden.

Jag såg sockeln med helgonet på; fyra karlar, en i varje hörn, kämpade för att bära det hela över den ojämna marken. När processionen kom närmare kunde jag urskilja detaljerna: högen av röda och vita blommor under Sainte-Marines ceremoniella dräkt; papperslyktorna; den nya förgyllningen på den gamla stenen. Här fanns också barnen från Les Salants, med ansikten som var rosiga av vinden, med röster gälla av utmattning och nervositet. Jag kände igen Capucines dotterson, Lolo med det runda ansiktet, och hans vän Damien, båda bar papperslyktor – en grön, en röd – och sprang lätt över sanden.

Processionen rundade den sista sanddynen. När den gjorde det grep vinden tag i en av lyktorna som gick upp i lågor; i det plötsliga ljusskenet upptäckte jag min far.

Han var en av bärarna, och för ett ögonblick såg jag honom tydligt utan att själv bli sedd. Eldskenet var vänligt; i dess glöd såg hans ansikte knappt ut att ha förändrats, och det gav hans ansiktsdrag ett okaraktäristiskt, livligt utseende. Han var större än jag mindes honom, han hade lagt på sig med åren, hans kraftiga armar kämpade för att hålla sockeln vågrät. Ansiktet var fruktansvärt koncentrerat. Helgonets övriga bärare var alla yngre män. Jag såg Alain Guénolé och hans son Ghislain, båda fiskare och vana vid hårt arbete. När processionen stannade till framför klungan av förväntansfulla bybor, såg jag till min förvåning att den siste bäraren var Flynn.

"Santa Marina." En kvinna i mängden framför mig steg fram och tryckte hastigt läpparna mot helgonets fötter. Jag kände igen henne; det var Charlotte Prossage som drev livsmedelsbutiken, en knubbig och fågelliknande kvinna som ständigt såg lika ängslig ut. De övriga höll sig på behörigt avstånd, några fingrade på amuletter eller fotografier.

"Santa Marina. Gör så att affärerna går bra igen. Vintertidvattnet översvämmar alltid åkrarna. Det tog mig tre månader att röja upp senast. Du är vårt helgon. Ta hand om oss." Hon lyckades få rösten att låta både ödmjuk och förbittrad på samma gång. Hennes ögon flackade hit och dit.

I samma ögonblick som Charlottes bön var slut, tog andra hennes plats: hennes make, Omer – som hade fått smeknamnet La Patate på grund av sitt lustiga, konturlösa ansikte; Hilaire, Les Salants veterinär, med sitt kala huvud och sina runda glasögon; fiskare, änkor, en tonårsflicka med rastlösa ögon, alla pratade de med samma snabba och lätt anklagande muttrande. Jag kunde inte tränga mig fram utan att väcka anstöt. GrosJeans ansikte doldes ännu en gång bakom tidvattnet av guppande huvuden.

”Marine-de-la-Mer. Håll havet borta från min dörr. För makrillen till mina nät. Håll den där tjuvfiskaren Guénolé borta från mina ostronbäddar.”

”Sainte-Marine, ge oss gott fiske. Beskydda min son när han går till havs.”

”Sainte-Marine, jag vill ha en röd bikini och Ray-Ban-solglasögon. Jag vill ligga i en solstol vid en simbassäng. Jag vill till Côte d'Azur och stränderna i Cannes. Jag vill ha margaritas och glass och amerikanska pommes frites. Vad som helst utom fisk. Snälla. Var som helst utom här.”

Flickan som bett om Ray-Ban-solglasögon sneglade hastigt på mig när hon gick bort från helgonet. Nu kände jag igen henne: det var Mercédès, Charlottes och Omers dotter, som varit sju eller åtta när jag lämnade ön, nu var hon lång med snygga ben, utsläppt hår och en trumpen, söt mun. Våra blickar möttes; jag log, men flickan gav mig bara ett ogillande ögonkast och trängde sig förbi mig in i folkmassan. Någon annan tog hennes plats, en gammal kvinna med sjalett, hennes ansikte böjdes vädjande över ett tummat fotografi.

Processionen hade satt sig i rörelse igen, ner mot havet, där helgonets fötter skulle sänkas i vattnet för att välsignas. Jag tog mig längst bort i klungan precis när GrosJean vände sig om. Jag såg hans profil, som nu badade i svett, såg en skymt av hängsmycket runt halsen, och misslyckades på nytt med att fånga hans blick. Om bara ett ögonblick skulle det vara för sent; bärarna kämpade sig nerför den klippiga sluttningen mot vattenbrynet, medan Père Alban höll ut en hand för att hindra helgonet från att välta. *Binioun* klagade övergivet; ytterligare en lykta fattade eld, sedan en tredje, och svarta fjärilar skingrades för vinden.

Till slut kom de ner till havet. Père Alban gick ur vägen och de fyra bärarna bar ner Sainte-Marine i vattnet. På udden finns ingen sand, bara sten, och det var förrädiskt att ta sig fram i ljuset som reflekterades i vattnet. Tidvattnet stod nästan som högst. Bakom kvidandet från *binioun* tyckte jag mig höra de första ljuden av vinden i skrevorna, sydvindens ihåliga brummande som snart skulle förstärkas till ett dån som nästan liknade en sjunken klocka...

"La Marinette!" Det var den gamla kvinnan med sjaletten, Désirée Bastonnet, med ögonen svarta av fruktan. De smala, nervösa händerna fingrade fortfarande på fotografiet som i lampskenet visade en leende pojke.

"Nej, det är det inte." Det var Aristide Bastonnet, hennes man, överhuvud för fiskarsläkten med samma namn; en gammal man i dryga sjuttioårsåldern, med en stor hövdingamustasch och långt grått hår under sin platta öhatt. Han hade förlorat ett ben många år innan jag föddes, i samma fiskeolycka som tagit livet av hans äldste son. Han gav mig en vass blick när jag gick förbi honom. "Inget mer otursprat, Désirée", sa han till sin hustru med låg röst. "Och lägg undan det där."

Désirée vände bort blicken och knäppte händerna om fotot. Bakom dem stod en ung man på nitton eller tjugo år och sneglade blygt och nyfiket på mig genom små stålbågade glasögon. Det verkade som om han tänkt säga något, men i samma ögonblick vände sig Aristide om och den unge mannen skyndade sig efter honom, hans bara fötter ljudlösa mot klipporna.

Bärarna stod nu med vatten till bröstet, vända mot stranden, och höll helgonet med fötterna i vattnet. Vågor slog mot nedre delen av sockeln, spolade ut blommorna i strömmen. Alain och Ghislain Guénolé hade tagit de främre platserna, Flynn och min far de bakre, och de försökte hålla stånd mot dyningarna. Till och med i augusti måste det ha varit en kylig uppgift; kölden från det flygande skummet fick mitt ansikte att domna, och vinden skar genom yllejackan så att jag darrade. Och jag var ändå torr.

När alla byborna intagit sina platser lyfte Père Alban sin stav till den sista välsignelsen. I samma stund lyfte GrosJean sitt huvud i riktning mot prästen, och våra blickar möttes.

För ett ögonblick befann sig min far och jag i en ficka av tystnad. Han stirrade på mig mellan helgonets fötter, med munnen en aning öppen, en koncentrationsrynka mellan ögonen. Hängsmycket om hans hals lyste rött.

Jag fick något i halsen, något som satte sig i vägen, som gjorde det svårt för mig att andas. Händerna kändes som om de tillhörde någon annan. Jag tog ett steg mot honom.

"Far? Det är jag. Mado."

Tystnad, som aska, över allting.

Bredvid honom tyckte jag att jag såg Flynn göra någon åtbörd. Sedan bröt en våg kraftigt bakom dem, och GrosJean, fortfarande med blicken riktad mot mig, snubblade i svallet, tappade fotfästet, sträckte ut en hand för att stadga sig... och tappade Sainte-Marine från sockeln ner i det djupa vattnet vid Pointe Griznoz.

I ett fruset ögonblick tycktes hon flyta, mirakulöst, i det upprörda havet, med den karmosinröda sidenklänningen utbredd. Sedan försvann hon.

GrosJean stod hjälplöst och stirrade på ingenting. Père

Alban gjorde ett fruktlöst försök att gripa efter det fallna helgonet. Aristide gav ifrån sig ett förvånat skratt. Bakom honom tog den glasögonprydde unge mannen ett steg mot vattnet och stannade sedan upp. För ett ögonblick rörde sig ingen. Sedan steg ett jämmer från salantsborna, som förenades med vindens jämmer. Min far stod där en kort stund till, skenet från lyktorna lyste på ett absurt festligt sätt upp de anletsdrag som förlorat allt liv, sedan flydde han, hävde sig upp ur havet, halkade på klipporna, tvingade sig upp igen, kämpade i sina stora, vattendränkta kläder. Ingen rörde sig för att hjälpa honom. Ingen sa någonting. Folk vek av för att låta honom passera, med ögonen bortvända.

"Far!" ropade jag när han kom fram till mig, men han hade redan försvunnit utan att se sig om. När han kom till toppen av Pointe Griznoz tyckte jag att jag hörde ett ljud från honom, ett långt, brustet, stönande ljud, men det kan ha varit vinden.

6

ENLIGT TRADITIONEN GÅR ALLA till Angélos bar för att dricka helgonets skål efter ceremonin uppe på klippan. Det här året var det knappt hälften av deltagarna som gjorde det. Père Alban gick direkt hem till La Houssinière utan att ens välsigna vinet, och barnen – och de flesta av mödrarna – gick och la sig, och den sedvanliga glädjen var märkbart frånvarande.

Huvudorsaken var självklart förlusten av Sainte-Marine. Utan henne skulle bönerna klinga ohörda, tidvattnet vara utom kontroll. Omer La Patate hade föreslagit att man omedelbart skulle börja leta, men tidvattnet var för högt och klipporna för ojämna för att det skulle vara säkert, och operationen sköts upp till morgondagen.

För egen del gick jag direkt till huset och väntade på att GrosJean skulle komma hem. Han kom inte. Till slut, omkring midnatt, gick jag till Angélos, där jag fann Capucine i färd med att återställa sitt lugn med hjälp av kaffe och *devinnoiseries*.

Hon reste sig när hon fick syn på mig, oron avspeglade sig i ansiktet.

”Han är inte där”, sa jag, och satte mig bredvid henne. ”Han har inte kommit hem.”

”Han kommer inte hem. Inte nu”, sa Capucine. ”Inte efter det som hände – och att ha träffat dej igen, ikväll av alla kvällar –" Hon avbröt sig, skakade på huvudet. "Jag varnade dej, Mado. Det här var den värsta tidpunkt du kunde ha valt."

Folk tittade på mig; jag anade nyfikenhet, och en kyla som gjorde att jag kände mig stel och konstig. "Jag trodde att alla var välkomna till Sainte-Marines högtid. Är det inte vad den handlar om?"

Capucine såg på mig. "Prata inte strunt, flicka lilla", sa hon allvarligt. "Jag vet varför du valde den här dagen." Hon tände en cigarett och blåste ut röken genom näsborrarna. "Du har alltid varit envis. Kunde aldrig välja den enkla vägen, eller hur? Alltid full fart framåt, försökte ändra allt på en gång." Hon log ett trött leende. "Ge din far en chans, Mado."

"En chans?" Det var Aristide Bastonnet, med Désirée vid armen. "Vad har vi för chans efter det som hände på udden ikväll?"

Jag tittade upp. Den gamle mannen stod bakom oss, tungt lutad mot käppen, ögon som flintsten. Den unge mannen med glasögonen stod strax intill, med håret i ögonen, och såg generad ut. Nu kände jag igen honom: det var Xavier, Aristides sonson. Han hade varit en enstörig pojke förr i världen, föredragit böcker framför lekar. Trots att det bara skilde några år mellan oss hade vi sällan pratat med varandra.

Aristide blängde fortfarande på mig. "Varför har du kommit tillbaka?" frågade han. "Här finns ingenting längre. Har du kommit för att spärra in stackars GrosJean? Ta över hans hus? Hans pengar?"

"Svara inte", sa Capucine. "Han är full."

Aristide visade inget tecken på att ha hört henne. "Ni är

likadana allihop!" sa han. "Ni kommer bara tillbaka när det är nåt ni är ute efter."

"Farfar", protesterade Xavier och la sin hand på den gamle mannens axel. Men Aristide skakade honom av sig. Trots att den gamle var ett huvud kortare, gjorde hans vrede honom till en jätte; ögonen brann som på en profet.

Bredvid honom såg hans fru nervöst på mig. "Förlåt", sa hon med låg röst. "Sainte-Marine – vår son –"

"Tyst med dej!" fräste Aristide och vände sig så hastigt på käppen att han kunde ha ramlat om inte Désirée stått så nära. "Du tror väl inte att *hon* bryr sej om det, va? Tror du att det är nån som gör det?"

Han gick utan att se sig om, med sina anhöriga i kölvattnet, träbenet släpade i betonggolvet. De följdes av tystnad.

Capucine ryckte på axlarna. "Bry dej inte om honom, Mado. Han har bara fått sej en *devinnoise* för mycket. Översvämningen – helgonet – och så kommer du nu."

"Jag förstår inte."

"Det finns inget att förstå", sa Matthias Guénolé. "Han är en Bastonnet. Envis som synden." Detta var inte så skämtsamt som det lät; familjen Guénolé hade hatat familjen Bastonnet i generationer.

"Stackars Aristide. Han ser alltid konspirationer överallt." Jag vände mig och såg en liten kvinna klädd i en änkas svarta kläder som satt uppflugen på en pall bredvid mig. Toinette Prossage, Omers mor och byns äldsta invånare. "Det är alltid så med Aristide, folk försöker spärra in honom, är ute efter hans besparingar – ha!" Hon kraxade fram ett skratt. "Som om inte alla visste att han har slösat bort dom på att reparera sitt hus. *Bonne Marine*, även om hans pojke kom tillbaka efter alla dessa år så skulle det inte finnas annat åt honom än en gammal båt och en remsa vattensjuk mark som inte ens Brismand skulle vilja ha."

Matthias drog in luft genom näsan. "Den där blodsugaren."

Jag fingrade på brevet som jag fortfarande hade i fickan. "Brismand?"

"Javisst", sa Toinette. "Vem annars skulle ha råd att utveckla det här stället?"

Enligt Toinette hade Brismand planer för Les Salants. Planer som var lika olycksbådande som de var diffusa. Jag kände igen salantsbornas traditionella avsky för framgångsrika houssinbor.

"Han skulle kunna fixa till Les Salants – svisch! Utan vidare", sa den gamla kvinnan med en uttrycksfull gest. "Han har pengarna och maskinerna. Dika ut träsken, bygga några vallar vid La Goulue – han skulle kunna få det gjort på sex månader. Inga fler översvämningar. Ha! Men det skulle kosta, förstås. Han har inte tjänat ihop sina pengar genom att göra folk tjänster."

"Ni kanske skulle ta reda på vad han har att erbjuda."

Matthias tittade surt på mig. "Sälja oss till en houssinbo?"

"Låt henne vara ifred", sa Capucine. "Flickan menar väl."

"Ja, men om han kunde stoppa översvämningarna –"

Matthias skakade på huvudet som om han kom med sista ordet i frågan. "Man kan inte kontrollera havet", sa han. "Det gör som det vill. Om helgonet vill dränka oss så gör hon det."

Det hade varit en rad dåliga år, fick jag veta. Trots beskyddet från Sainte-Marine hade tidvattnet gått högre för varje vinter. I år hade till och med Rue de l'Ocean svämmats över, för första gången sedan kriget. Sommaren hade också varit ovanligt problemfylld. Bäcken hade svällt och lagt halva byn under en meter havsvatten, skador som ännu inte helt reparerats.

"Det kommer att sluta som för den gamla byn om det fortsätter så här", sa Matthias Guénolé. "Allting översvämmat, till och med kyrkan." Han stoppade sin pipa och tryckte ner tobaken med en smutsig tumme. "Jag säjer bara det. En kyrka. Om helgonet inte kan hjälpa oss, vem kan då göra det?"

"Ja, *det* var ett svart år", förklarade Toinette Prossage. "Nittonhundraåtta var det. Min syster Marie-Laure dog det året, i influensa, samma vinter som jag föddes." Hon hötte i luften med ett krokigt finger. "Det var jag det, en svartårsbebis; förväntades aldrig överleva. Men det gjorde jag! Och om vi vill överleva det här borde vi göra något annat än fräsa som havssulor åt varandra." Hon kisade allvarligt mot Matthias.

"Lätt att säja, Toinette, men om vi inte har helgonet bakom oss –"

"Det var inte det jag menade, Matthias Guénolé, och det vet du."

Matthias ryckte på axlarna. "Det var inte jag som startade den där historien", sa han. "Om Aristide Bastonnet bara ville erkänna, för en gångs skull, att han hade fel..."

Toinette vände sig mot mig och blinkade. "Ser du hur det är? Vuxna karlar – *gamla* karlar – beter sej som barn. Inte undra på att helgonet visar sitt missnöje."

Matthias blev tvärilsken. "Det var inte *mina* pojkar som tappade helgonet." Capucine blängde på honom. Han såg förlägen ut. ”Förlåt”, sa han till mig. ”Ingen säjer att det var GrosJeans fel. Om det är någons fel så är det Aristides. Han lät inte sin sonson bära helgonet eftersom det då skulle ha varit två från familjen Guénolé och bara en Bastonnet. *Han* kunde förstås inte hjälpa till. Inte med sitt träben.” Han suckade. ”Jag har sagt det tidigare. Det kommer att bli ett svart år. Du hörde väl La Marinette klämta?”

”Det där var inte La Marinette”, sa Capucine. Automatiskt gjorde hon tecknet mot olycka med vänsterhanden. Jag såg Matthias göra likadant.

”Tro mej, vi kommer att drabbas, det är trettio år sen sist –”

Matthias gjorde tecknet igen. ”Sjuttiotvå. Det var ett dåligt år.”

Det visste jag; det året hade tre bybor dött, en av dem var min fars bror.

Matthias tog en klunk av sin *devinnoise*. ”Du vet, en gång trodde Aristide att han hittat La Marinette. Det var tidigt på våren, samma år som han förlorade sitt ben. Visade sej att det var en gammal mina som blivit kvar efter första kriget. Ironiskt, eller hur?”

Jag höll med om det. Jag lyssnade så artigt jag kunde, trots att det var en berättelse jag hört många gånger som barn. Ingenting hade förändrats, sa jag till mig själv med ett slags förtvivlan. Till och med berättelserna var gamla och trötta, precis som invånarna, slitna som stresskulor på ett snöre. Medömkan och otålighet vällde upp inom mig och jag suckade djupt. Matthias fortsatte, utan att märka något, som om händelsen inträffat igår.

”Föremålet var halvt begravt i en sandbank. Det klingade när man slog på det. Alla ungar kom dit med pinnar och stenar och försökte få det att klinga. Flera timmar senare, när tidvattnet tog det med sej ut igen, exploderade det, alldeles av sej självt, hundra meter från där La Jetée ligger nu. Dödade så gott som varenda fisk därifrån och till Les Salants. Ha!" Matthias sög på sin pipa med sorgset välbehag. "Désirée gjorde hinkvis med bouillabaisse eftersom hon inte stod ut med tanken på att all den där fisken skulle gå till spillo. Förgiftade halva byn." Han såg på mig med röda ögon. "Jag kunde aldrig avgöra om det skett ett mirakel eller inte."

Toinette nickade bifall. "Vad det än var så förde det otur med sej. Aristides son Olivier dog det året, och – ja – du vet." Hon såg på mig när hon sa det.

"P'titJean."

Toinette nickade igen. "Ha! Dom där bröderna! Du skulle ha hört dom förr i världen", sa hon. "Dom var ena riktiga pratkvarnar, båda två. Prat, prat, prat."

Matthias tog en munfull *devinnoise*. "Det Svarta Året tog GrosJeans hjärta, så sant som det tog husen vid La Goulue. Tidvattnet *kan* ha varit högre det året, men inte särskilt mycket." Han suckade av dyster tillfredsställelse och gestikulerade mot mig med pipskaftet. "Jag varnar dej, flicka lilla. Slå dej inte till ro här. För blir det ytterligare ett år som det där..."

Toinette reste sig och kikade ut genom fönstret mot himlen. Bortanför udden ruvade den dunkla brandgula horisonten, nu full av avlägsna blixtar.

"Dåliga tider på väg", sa hon utan någon uppenbar oro. "Precis som sjuttiotvå."

7

JAG SOV I MITT GAMLA RUM med ljudet av havet i öronen. När jag vaknade var det ljust, men fortfarande inget spår efter min far. Jag gjorde kaffe och drack det i lugn och ro, kände mig löjligt nedstämd. Vad hade jag väntat mig? Öppna famnen för den förlorade dottern? Men den obehagliga atmosfären vid högtiden hängde fortfarande över mig, och det skick som huset befann sig i gjorde inte saken bättre. Jag bestämde mig för att gå ut.

Himlen var mulen och jag hörde måsar skria borta vid La Goulue. Jag antog att tidvattnet var på väg ut. Jag tog på mig jackan och gick för att se efter.

Man kan känna lukten av La Goulue innan man ser platsen. Den är alltid starkare vid ebb; en tångaktig, fisklik doft som en främling skulle kunna uppleva som otrevlig, men som medför komplicerade, nostalgiska associationer för mig. När jag kom upp från ösidan såg jag den öde havsbottnen glittra i silverljuset. Den gamla tyska bunkern, halvt begravd i sanddynen, såg ut som en övergiven byggkloss mot himlen. På grund av röken som steg upp ur tornet gissade jag att Flynn höll på att laga frukost.

Om man såg till hela Les Salants var det La Goulue som hade drabbats hårdast genom åren. Delar av öns mage hade eroderat bort, och stigen som jag mindes från min barndom hade rasat ner i havet, lämnande ett rörigt stenskred efter sig. En rad gamla badhytter som jag mindes hade spolats bort; en enda överlevande stod kvar, som en långbent insekt ovanför stenarna. Inloppet till bäcken hade vidgats, även om det var uppenbart att man lagt ner möda på att skydda det – en ojämn stenmur som murats ihop stod fortfarande krokig på västra sidan, även om den också flyttat sig med tiden och gjort bäcken utsatt för tidvattnet. Jag började förstå Matthias Guénolés pessimism; ett högt tidvatten med vinden i ryggen rusar förstås uppför bäcken, rinner över vallen vid sidan av och upp på vägen. Men den största skillnaden vid La Goulue var något mycket mer avslöjande. Bröstvärnet av tång, som alltid fanns där på sommaren, var borta nu, och återstod gjorde endast ett område med bara stenar som inte ens var täckta av ett tunt lager lera. Det förbryllade mig. Hade vindarna vänt? Enligt traditionen återvänder allting alltid till La Goulue. Idag fanns här ingenting: ingen tång, inget vrakgods, inte ett endaste stycke drivved. Måsarna verkade också inse detta; de skrek ilsket åt varandra där de ryttlade i luften men slog sig aldrig ner tillräckligt länge för att äta. I fjärran syntes La Jetées cirklar som krusningar mot det mörka vattnet. Det fanns inga spår av min far vid vattenbrynet. Han kanske hade gått till La Bouche, intalade jag mig själv; kyrkogården låg en liten bit från byn längs bäcken. Jag hade varit där några få gånger men inte särskilt ofta; på Le Devin är det männen som har hand om de döda.

Långsamt blev jag medveten om att någon fanns i närheten. Det var kanske något med fiskmåsarnas sätt att röra sig; han förde definitivt inte något oväsen. Jag vände mig om och såg Flynn stå några meter bakom mig och titta ut över samma del av havet. Han bar på två hummertinor och hade en sjömanssäck över axeln. Tinorna var fulla, och på båda var det målat B som i Bastonnet med röd färg.

Tjuvfiske är det enda brott som tas på allvar på Le Devin. Att stjäla från en annan mans tinor är lika illa som att ligga med hans fru.

Flynn log ett obotfärdigt leende mot mig. ”Fantastiskt vad havet ger”, sa han muntert, och gestikulerade mot udden med en av tinorna. ”Jag tänkte att jag skulle ut tidigt och kolla upp saker och ting, innan halva byn dyker upp för att söka efter helgonet.”

”Helgonet?”

Han skakade på huvudet. ”Hon har inte synts till vid udden ännu, tyvärr. Hon måste ha rullat iväg med tidvattnet. Strömmarna här är så starka att hon kan vara halvvägs till La Goulue vid det här laget.”

Jag sa ingenting. Det krävs mer än ett häftigt tidvatten för att spola upp en hummertina. När jag var liten brukade familjerna Guénolé och Bastonnet ligga och lurpassa på varandra i sanddynerna, beväpnade med hagelbössor laddade med bergsalt, och båda hoppades kunna ta den andra på bar gärning.

”Du har tur”, sa jag.

Hans ögon glittrade. ”Jag klarar mej.”

Ett ögonblick senare hade han redan uppmärksamheten riktad åt annat håll, och med sina bara fötter vände han på små kulor av vild vitlök som växte i sanden. När han hittat några stycken böjde han sig ner och stoppade dem i en av fickorna. Jag kände den starka doften när den drog förbi i den salta vinden. Jag mindes att jag själv plockat dem till mors fiskgryta.

”Det brukade gå en stig här”, sa jag och såg ut över bukten. ”Jag brukade följa den ner till strandängarna. Nu är den borta.”

Flynn nickade. ”Toinette Prossage minns en hel gata med hus här, en pir och en liten strand och allt. Alltihop rasade ut i havet för många år sedan.”

”En strand?” Jag förmodar att det var logiskt. Vid ebb hade La Jetées sandbankar legat på gångavstånd från La Goulue; med åren hade de flyttat sig, som gula valar, med de ombytliga strömmarna. Jag tittade på den ensamma badhytten, oanvändbar nu, uppstyltad högt över klipporna.

”Ingenting är säkert på en ö.”

Jag sneglade åter på de två tinorna. Han hade bundit ihop humrarnas klor så att de inte skulle slåss.

”Guénolés *Eleanore* slet sej från sina förtöjningar under natten”, fortsatte Flynn. ”Dom tror att Bastonnets är skyldiga. Men det måste ha varit vinden.”

Uppenbarligen hade Alain Guénolé, hans son Ghislain och hans far Matthias varit uppe sedan gryningen och letat efter spår av den saknade *Eleanore*. Eftersom hon var en stadig, flatbottnad fiskebåt kunde hon ha rullat på vågorna och ligga intakt någonstans därute på havsbottnen. Det var optimistiskt tänkt, men värt ett försök.

”Vet min far om det?” frågade jag.

Flynn ryckte på axlarna. Jag såg på hans min att han redan räknade *Eleanore* som förlorad. ”Han kanske inte vet. Han kom väl inte hem igår kväll, eller hur?” Min förvåning måste ha synts i ansiktet, för han log. ”Jag sover lätt”, sa han. ”Jag hörde honom gå ner till La Bouche.”

La Bouche. Då hade jag rätt.

Tystnad, endast bruten av måsarnas skrin. Jag kände att han väntade på att jag skulle säga något; undrade igen hur mycket GrosJean hade berättat för honom. Jag tänkte på brevlådan med dess oöppnade post, det lemlästade födelsedagsfotografiet.

”Han är en komplicerad människa”, sa jag till sist. ”Man måste lära sej att se saker ur hans perspektiv. Man får lägga manken till.”

”Du har varit borta länge.”

”Jag känner min far.”

En paus, under vilken Flynn lekte med korallpärlan om halsen. ”Du har inte varit där, eller hur?”

”Nej. Det är inte en av mina favoritplatser. Hur så?”

”Kom”, sa han, släppte hummertinorna och sträckte fram handen mot mig. ”Det är något du måste se.”

La Bouche gör alltid ett överraskande första intryck på besökare. Kanske är det storleken; gångarna och gränderna av gravstenar, alla med namn från Les Salants, hundratals, kanske tusentals Bastonnet, Guénolé, Prossage, till och med vårt eget Prasteau, som sträcker ut sig sida vid sida som trötta solbadare; alla meningsskiljaktigheter glömda.

Det andra som förvånar en är *storleken* på dessa stenar; ärrade och vindpolerade jättar av ögranit står som monoliter, förankrade i den oroliga jorden genom sin blotta tyngd. Till skillnad från de levande i Les Salants är de döda ett sällskapligt gäng; de har en tendens att besöka varandra från en grav till en annan, i takt med att sanden rör sig, obundna av familjekonflikter. För att hålla dem på plats använder vi de tyngsta stenar vi kan. P'titJeans sten är ett massivt block gråskär ögranit som täcker graven helt och hållet, som om P'titJean aldrig kan begravas tillräckligt djupt.

Flynn vägrade svara på mina frågor när vi gick mot den

gamla begravningsplatsen. Jag följde honom motvilligt och försiktigt över den steniga marken. Nu kunde jag se de första gravstenarna som reste sig högre än ryggen på den dyn som skyddade dem. La Bouche hade alltid varit fars privata ställe. Till och med nu kände jag mig underligt skyldig, som om jag höll på att snoka i någons hemligheter.

"Kom upp på toppen av dynen", sa Flynn när han såg min tvekan. "Härifrån ser du allting."

En lång stund stod jag bara på dynens kam och tittade ner på La Bouche. "Hur länge har det varit så här?" sa jag till sist.

"Sen vårstormarna."

En del försök hade gjorts att skydda gravarna. Sandsäckar hade lagts utefter stigen närmast bäcken, och lös jord hade skottats upp mot en del stenar, men det var tydligt att skadorna var för omfattande för att sådana enkla reparationer skulle vara effektiva. Gravstenar stack upp från sina socklar som dåliga tänder, en del fortfarande upprätta, andra på sned i ohälsosamma vinklar i det grunda vattnet, där bäcken svämmat över sin låga sluttning. Här och där stack en vas med döda blommor upp ovanför ytan; i övrigt fanns inom femtio meter eller mer inget annat än stenarna och himlens släta bleka spegling.

Jag stod kvar en lång stund, iakttog under tystnad.

"Han har gått hit varenda dag i flera veckor", förklarade Flynn. "Jag har sagt åt honom att det är hopplöst. Men han tror mej inte."

Nu såg jag P'titJeans grav, inte långt från den översvämmade stigen. Min far hade dekorerat den med röda blommor och korallpärlor, som en hyllning till Sainte-Marine. De små offergåvorna såg lustigt patetiska ut på sin ö av sten.

Far måste ha tagit det hårt. Djupt vidskeplig som han var kunde inte ens klangen från La Marinette ha inneburit ett lika kraftfullt budskap som detta.

Jag tog ett steg mot stigen.

"Låt bli", varnade Flynn.

Jag struntade i honom. Far hade ryggen mot mig, så upptagen av det han höll på med att han inte hörde mig förrän vi nästan var så nära att vi kunde röra vid varandra. Flynn stod kvar där han var, rörde sig inte, nästan osynlig mellan de gräsbevuxna dynerna om det inte varit för den dämpade glöden i hans röda hår.

"Far?" sa jag och han vände sig mot mig.

Så här i dagsljus såg jag hur mycket GrosJean hade åldrats. Han verkade mindre än föregående kväll, hopkrympt i sina kläder, det stora ansiktet sjaskigt av en gammal mans grå skäggstubb. Ärmarna var nerstänkta med lera, som om han hade grävt, och han hade lera upp till kragen på sjöstövlarna. En Gitane hängde i mungipan.

Jag tog ett steg framåt. Far iakttog mig under tystnad, hans blå ögon – permanent rynkade av solen – lyste. Han reagerade inte på min närvaro; han kunde lika gärna ha betraktat ett flöte som snurrade i vattnet, eller räknat ut avståndet mellan en båt och bryggan, noggrant för att undvika ett missöde.

"Far?" sa jag igen och mitt leende kändes stelt och konstigt. Jag strök tillbaka håret för att visa honom mitt ansikte. "Det är jag."

GrosJean visade fortfarande inget tecken på att ha hört. Jag såg hans fingrar röra sig mot halsen, mot berlocken som hängde där. Nej, inte en berlock. En medaljong. Den där sorten man gömmer minnen i.

”Jag skrev till dej. Jag tänkte – om du behövde...” Inte heller rösten verkade vara min egen. GrosJean iakttog mig, uttryckslöst. Tystnad, som svarta fjärilar, överallt.

”Du skulle kunna försöka säja något”, sa jag.

Tystnad. Vingslag.

”Säj nåt då!”

Tystnad. På sanddynen bakom honom stod Flynn och tittade, orörlig.

”Säj nåt”, upprepade jag. Fjärilarna fanns i min röst nu, fick den att darra. Jag kunde nästan inte andas. ”Jag har kommit tillbaka. Tänker du inte säja nånting alls?”

För ett ögonblick tyckte jag att jag såg en glimt i hans ögon. Jag kan ha inbillat mig det. Hur som helst så var den borta nästan genast. Sedan, innan jag hann reagera, hade far vänt sig om och var på väg tillbaka mot dynerna utan ett ord.

8

JAG BORDE HA VÄNTAT MIG DET. På sätt och vis hade jag gjort det, hade levt mig igenom den här avvisningen många år tidigare. Ändå gjorde det ont; nu när mor var död och Adrienne borta hade jag väl rätt att vänta mig lite respons.

Det hade nog varit annorlunda om jag varit en pojke. GrosJean, som de flesta män på ön, hade velat ha söner; söner som kunde arbeta på varvet, sköta familjegraven. Döttrar, med alla kostnader det innebar, var ointressanta för GrosJean Prasteau. En första dotter hade varit illa nog, ytterligare en, fyra år senare, hade slutgiltigt tagit död på den lilla intimitet som fanns kvar mellan mina föräldrar. Under min uppväxt försökte jag gottgöra den besvikelse jag orsakat, klippte mig kort för att behaga honom, undvek att umgås med andra flickor för att vinna hans uppskattning. Till viss del hade det lyckats; ibland lät han mig följa med och fiska havsabborre i bränningarna, eller tog mig med till ostronbankarna med högafflar och korgar. Detta var dyrbara ögonblick för mig, stulna när min mor och Adrienne gav sig av till La Houssinière tillsammans; jag samlade på dem och frossade i dem i hemlighet.

Vid de där tillfällena pratade han med mig; till och med när han inte pratade med min mor. Han brukade visa mig fiskmåsbona och de sandiga ställena utanför La Jetée dit sälarna återvände år efter år. Ibland hittade vi saker som spolats upp på stranden och tog dem med hem. Vid enstaka tillfällen berättade han historier och gamla ordspråk från öarna. *Allting återvänder*. Det var hans favorit.

"Jag beklagar." Det var Flynn. Han måste ha smugit upp bakom mig där jag stod vid P'titJeans grav.

Jag nickade. Halsen värkte, som om jag hade skrikit.

"Han pratar egentligen inte med nån", sa Flynn. "För det mesta använder han teckenspråk. Jag tror inte att jag har hört honom säga mer än ett dussin ord sen jag kom hit, och då har det för det mesta bara varit Hm eller Nä."

Det flöt en röd blomma i vattnet precis intill stigen. Jag såg på den, kände mig illamående. "Så han pratar med dej, då?" sa jag.

"Ibland."

Jag kände honom vid min sida, bekymrad, redo att trösta, och för ett ögonblick ville jag bara sjunka in i det. Jag visste att jag kunde vända mig till honom – han var precis lagom lång för att jag skulle kunna lägga huvudet mot hans axel – och han skulle lukta ozon och hav och som det obehandlade yllet i hans tröja. Jag visste att han skulle vara varm därunder.

"Mado, jag beklagar –"

Jag såg rakt förbi honom, uttryckslöst, hatade hans medömkan, hatade min egen svaghet ännu mer. "Den gamla skitgubben", sa jag. "Spelar fortfarande sitt spel." Jag tog ett djupt, skälvande andetag. "Ingenting förändras."

Flynn gav mig ett försiktigt ögonkast. "Mår du bra?"

"Jag mår bra."

Han promenerade tillbaka till huset med mig, plockade upp hummertinorna och väskan på vägen. Jag sa inte mycket;

han småpratade oavbrutet utan att jag hörde på, men jag var ändå tacksam för det på något sätt. Ibland rörde jag vid brevet i fickan.

"Vart ska du ta vägen nu?" frågade Flynn när vi kom in på stigen till Les Salants.

Jag berättade för honom om den lilla lägenheten i Paris. Brasseriet utanför. Kaféet dit vi brukade gå om sommarkvällarna. Avenyn med lindar.

"Det låter bra. Kanske flyttar jag dit en dag."

Jag såg på honom. "Jag trodde du tyckte om det här stället."

"Kanske det, men jag har inte tänkt bli kvar. Ingen har någonsin gjort sej en förmögenhet genom att gräva ner sej i sand."

"En förmögenhet? Är det vad du är ute efter?"

"Självklart. Är inte alla det?"

Det blev tyst. Vi gick tillsammans, han ljudlöst, jag med små krasande ljud med stövlarna mot de snäckbitar som dynen var full av.

"Saknar du aldrig *ditt* hem?" sa jag till sist.

"Herregud, nej!" Han gjorde en grimas. "Det var en återvändsgränd, Mado. Ett ingenstans. Inga jobb, inga pengar, inget liv. Det lilla vi hade fick alltid min bror. Jag gav mej av så snart jag bara kunde."

"Din bror?"

"Ja. John. Pojken med guldbyxorna." Leendet var hårt, syrligt, som jag antar att mitt eget var när jag tänkte på Adrienne. "Familjer. Vem har egentligen behov av dom?"

Jag undrade om det var så GrosJean tänkte; om det var därför han hade skurit ut mig ur sitt liv. "Jag kan inte bara lämna honom", sa jag tyst.

”Det är klart att du kan. Det är uppenbart att han inte vill –”

”Vad spelar det för roll vad han vill? Du har väl sett varvet? Du har sett huset? Var kommer pengarna ifrån? Och vad händer med honom när dom tar slut?”

Det finns ingen bank i Les Salants. En bank, lyder ett talesätt på ön, lånar ut ett paraply när solen skiner och tar tillbaka det när det börjar regna. Istället samlas tillgångarna i skokartonger och under diskbänkar. Lånar gör man, för det mesta, genom privata överenskommelser. Jag kunde inte föreställa mig att GrosJean skulle låna pengar; jag kunde heller inte föreställa mig en förmögenhet gömd under golvet.

”Han klarar sej”, sa Flynn. ”Han har vänner här. Dom tar hand om honom.”

Jag försökte föreställa mig Omer La Patate ta hand om min far; eller Matthias; eller Aristide. Istället såg jag GrosJeans ansikte den dag vi reste hemifrån; det där nollställda uttrycket som likaväl kunde ha inneburit förtvivlan som likgiltighet eller någonting helt annat; den nästan omärkliga bekräftande nicken när han vände sig bort. Båtar som skulle byggas. Ingen tid för avsked. Ropet från taxifönstret: ”Jag skriver. Jag lovar.” Mor som kämpade med våra väskor med ansiktet hoptryckt under bördan av outtalade ord.

Vi närmade oss huset. Jag såg det röda tegeltaket ovanför dynerna. En tunn strimma rök steg ur skorstenen. Flynn gick bredvid mig, huvudet böjt, utan att prata, ansiktsuttrycket dolt bakom hårgardinen.

Så stannade han plötsligt. Det var någon i huset; någon stod vid köksfönstret. Jag kunde inte urskilja hans drag, men kroppshyddan var omisskännelig: en stor, björnlik figur med ansiktet tryckt mot rutan.

”GrosJean?” viskade jag.

Flynn skakade på huvudet med vaksamma ögon. ”Brismand.”

9

HAN HADE INTE FÖRÄNDRATS. Han var äldre. Gråare. Bredare om midjan, men gick fortfarande i espadriller och fiskarmössa som jag mindes honom från min barndom, de tjocka fingrarna tunga av ringar, skjortan fläckig av svett i armhålorna trots att det var en kylig dag. Han stod vid fönstret när jag kom in, med en ångande mugg i ena handen. En tung doft av armagnackaffe fyllde rummet.

”Åh, det är lilla Mado.” Hans röst bar; den hade en djup, rullande ton. Hans leende var uppriktigt och smittande. Även om hans mustasch nu var grå så såg den mer bombastisk ut än någonsin, han liknade en bondkomiker eller en kommunistdiktator. Han tog tre snabba steg framåt och slog sina runda, fräkniga armar omkring mig. ”Mado, vad *underbart* härligt att se dej igen!” Hans kram, precis som allt annat som gällde honom, var massiv. ”Jag har gjort kaffe. Jag hoppas du inte misstycker. Vi är ju släkt, eller hur!” Jag nickade, halvkvävd i hans armar. ”Hur mår Adrienne? Och barnen? Min brorson skriver inte så ofta som han borde.”

”Det gör inte min syster heller.”

Han skrattade åt det, ett ljud lika fylligt som kaffet. ”Ungdomar, va! Men du – *du!* Får jag se på dej. Du har vuxit! Du får mej att känna mej hundra år gammal, men det är det värt när man ser ditt ansikte, Mado. Ditt söta ansikte.”

Jag hade nästan glömt den – hans charm. Den tar en med

överraskning på något sätt, lämnar en försvarslös. Jag såg intelligensen också, bakom det översvallande yttre; hans ögon var erfarna, skiffergrå, nästan svarta. Ja, som barn hade jag gillat honom. Det gjorde jag ännu.

"Är det fortfarande översvämning i byn? Illa." Han suckade djupt. "Du måste tycka att den har förändrats nu. Men det passar inte alla, eller hur? Livet på en ö. Unga människor vill ha mer nöjen än en stackars gammal ö kan erbjuda."

Jag var medveten om Flynn, som fortfarande stod alldeles utanför dörren med hummertinorna. Han såg inte ut som om han ville komma in, men på samma gång anade jag nyfikenhet, och en ovilja att lämna mig ensam med Brismand.

"Kom in", sa jag. "Ta en kopp kaffe."

Flynn skakade på huvudet. "Vi ses."

"Glöm honom." Brismand, som bara kastat en blick på Flynn, vände sig mot mig igen, la en arm kamratligt om mina axlar. "Han betyder inget. Jag vill veta allt om dej."

"Monsieur Brismand –"

"Claude, snälla Mado." Hans vänlighet var nästan överväldigande, som om han var jultomten. "Men varför har du inte berättat att du skulle komma? Jag hade nästan gett upp hoppet."

"Jag kunde inte komma tidigare. Mor var sjuk."

För ett ögonblick återupplevde jag alltihop: lukten i hennes rum; respiratorns väsande; tonen i hennes röst när jag nämnde idén om att återvända, bara för att hälsa på.

"Jag vet." Han hällde upp lite kaffe åt mig. "Jag beklagar. Och nu den här historien med GrosJean." Han satte sig på en stol som knakade under tyngden, och klappade på platsen bredvid. "Jag är glad att du kom, Mado lilla", sa han enkelt. "Jag är glad att du litade på mej."

De första åren efter att vi lämnat Le Devin var värst. Det var tur att vi var starka. Men mors romantiska natur hade stelnat till en stram, oerhörd praktiskhet som kom väl till pass. Hon kunde inte få något kvalificerat arbete men hade en liten inkomst som städerska. Trots det var vi fattiga.

GrosJean skickade inga pengar. Mor accepterade detta med bitter tillfredsställelse, en känsla av att ha fått rätt. I skolan, ett stort läroverk i Paris, gjorde mina medfarna kläder mig ännu mer utanför.

Men Brismand hade hjälpt oss på sitt sätt. Vi var trots allt släkt nu, även om vi inte hade samma efternamn. Han skickade inga pengar, men det kom paket med kläder och böcker till jul, och askar med färger till mig när han upptäckt mitt intresse. I skolan hade jag funnit en tillflykt i den estetiska avdelningen, som påminde mig lite om min fars verkstad med dess små, livliga ljud och lukten av färskt sågspån. Jag började se fram emot lektionerna. Jag hade fallenhet för ämnet. Jag ritade bilder av stränder och fiskebåtar och låga vitmålade hus med ruvande skyar ovanför. Min mor avskydde dem förstås. Senare blev de vår främsta inkomstkälla, men hon ogillade inte motiven mindre för det. Hon misstänkte, fast hon aldrig sa något, att det var mitt sätt att bryta vårt avtal.

Under hela min universitetstid fortsatte Brismand att skriva. Inte till mor – hon hade omfamnat Paris med allt dess glitter och prålighet och ville inte bli påmind om Le Devin – utan till mig. Det var inga långa brev, men de var allt jag hade, och jag slukade varenda uns information. Ibland kom jag på mig själv med att önska att han, och inte GrosJean, varit min far.

Men så, för ett år sedan, kom den första antydan om att

allt inte stod rätt till i Les Salants. Först nämnde han i förbigående att han inte sett GrosJean på ett tag – sedan blev det mer. Min fars excentriska drag, som varit synliga även under min barndom, hade blivit alltmer framträdande. Det gick rykten om att han hade varit mycket sjuk, men han hade vägrat att gå till doktorn. Brismand var orolig.

Jag svarade inte på de där breven. Mor krävde redan all min uppmärksamhet. Hennes emfysem, som påverkats av luftföroreningarna i staden, blev värre och läkaren hade försökt övertala henne att flytta. Han föreslog något ställe vid havet, där luften skulle vara hälsosammare. Men mor vägrade att lyssna. Hon avgudade Paris. Hon älskade butikerna, biograferna, kaféerna. Hon var märkligt nog inte det minsta avundsjuk på de rika kvinnor vars lägenheter hon städade utan gladde sig istället åt deras kläder, deras möbler, de liv de levde. Jag anade att det var det hon önskade mig.

Brismands brev fortsatte att komma. Han var fortfarande orolig. Han hade skrivit till Adrienne men inte fått något svar. Det förstod jag; jag hade ringt när mor blev inlagd på sjukhus, men fick bara veta av Marin att Adrienne var gravid igen och omöjligt kunde resa. Fyra dagar senare hade mor dött och en gråtmild Adrienne hade sagt till mig i telefon att läkaren hade förbjudit henne att anstränga sig. Efter två pojkar önskade hon sig desperat en liten flicka, och kände att mor skulle ha förstått.

Jag gjorde mig ingen brådska med kaffet. Brismand väntade tålmodigt, med sin stora arm om mina axlar. ”Jag vet, Mado. Du har haft det svårt.”

Jag torkade ögonen. ”Jag borde ha förstått att det skulle bli så.”

”Du skulle ha kommit till mej.” Han tittade sig omkring; jag såg honom betrakta det smutsiga golvet, tallrikstravarna, de oöppnade breven; vanskötseln.

”Jag ville se med egna ögon.”

”Jag förstår.” Brismand nickade. ”Han är din far. Familjen betyder allt.”

Han reste sig, verkade plötsligt uppfylla rummet, och grävde med händerna i fickorna. ”Jag hade en son, vet du. Min fru tog honom med sej när han var tre månader gammal. I trettio år väntade jag, hoppades – visste – att han en dag skulle komma tillbaka.”

Jag nickade. Jag hade hört historien. I Les Salants trodde folk självklart att det var Brismand som bar skulden.

Han skakade på huvudet, såg plötsligt gammal ut, allt det teatraliska som bortblåst. ”Dåraktigt, eller hur? Hur vi bedrar oss själva. Hullingarna som vi lämnar kvar i varann.” Han såg på mig. ”GrosJean älskar dej, Mado. På sitt sätt gör han det.”

Jag tänkte på mitt födelsedagsfotografi och det sätt på vilket fars arm vilat på Adriennes axel. Brismand tog försiktigt min hand. ”Jag vill inte att du ska känna någon press”, sa han.

”Jag vet. Det är okej.”

”Det är ett fint ställe, Mado. Les Immortelles. Sjukhusutrustning, en läkare från fastlandet, stora rum; och han skulle få träffa sina vänner när han ville. Jag skulle se till det.”

Jag tvekade. Syster Thérèse och syster Extase hade redan berättat om Brismands långsiktiga vårdhemsplaner. Det lät dyrt och det sa jag.

Han skakade avvisande på huvudet. ”Det tar jag hand om. Försäljningen av marken skulle täcka alla hans kostnader. Kanske mer. Jag förstår hur du känner det, Mado. Men man måste vara realistisk."

Jag lovade att tänka på saken. Det var en idé som Brismand antytt tidigare i sina brev, även om det aldrig hade varit så öppet som nu. Det verkade vara ett bra erbjudande; till skillnad från mor hade GrosJean aldrig trott på sjukförsäkringar, och jag hade inte råd att lägga hans ekonomiska problem ovanpå min egna. Han behövde vård, det var säkert. Och jag hade ett liv i Paris som jag kunde – som jag *borde* – återvända till. Vilka drömmar jag än haft så hade Les Salants visat en dystrare verklighet. Det var för mycket som hade förändrats.

10

NÄR JAG LÄMNADE HUSET träffade jag Alain Guénolé och hans son Ghislain, som kom tillbaka från byn. Båda var andfådda och såg upprörda ut under den tillbakadragenhet som var kännetecknande för ön. De var väldigt lika, med öns typiska skarpa anletsdrag, men medan fadern var klädd i sin traditionella *vareuse* av segelduk hade Ghislain en giftgul t-tröja som lyste som neon mot hans bruna hud. När han såg mig log han och började springa ryckigt uppför den stora dynen.

”Madame GrosJean”, flämtade han och gjorde en paus för att hämta andan. ”Vi behöver låna traktorvagnen från varvet. Det är bråttom.”

För ett ögonblick var jag övertygad om att han inte känt igen mig. Det här var Ghislain Guénolé, som var två år äldre än jag; som jag hade lekt med som barn. Hade han verkligen kallat mig madame GrosJean?

Alain nickade en hälsning mot mig. Han var också orolig, men det var uppenbart att han inte ansåg att det fanns något som var så brådskande att det skulle få honom att springa. ”Det är *Eleanore*”, ropade han över dynen. ”Hon har siktats ute vid La Houssinière, precis utanför Les Immortelles. Vi ska gå ut dit och hämta in henne, men vi behöver din fars släpvagn. Är han hemma?”

Jag skakade på huvudet. ”Jag vet inte var han är.”

Ghislain såg bekymrad ut. ”Det kan inte vänta”, sa han. ”Vi måste ta den nu. Du kanske – om du berättar för honom vad den ska vara till –”

”Det är klart att ni kan ta den”, sa jag och fattade ett snabbt beslut. ”Jag följer med er.”

När Alain, som hunnit fram, hörde det såg han tveksam ut. ”Jag tror inte –”

”Min far byggde den där båten”, sa jag bestämt. ”För många år sen, innan jag var född. Han skulle aldrig förlåta mej om jag inte hjälpte till. Ni vet hur fäst han är vid henne.”

GrosJean var mer än fäst vid henne, det mindes jag. *Eleanore* hade varit den första av hans ”damer”; inte den vackraste av hans skapelser, men kanske den käraste. Tanken på att hon kanske skulle gå förlorad nu gjorde mig bestört.

Alain ryckte på axlarna. Båten var hans levebröd, helt enkelt. Det fanns inget utrymme för känslor när pengar stod på spel. Medan Ghislain sprang mot traktorn blev jag medveten om en känsla av lättnad, som om krisen gav något slags tillfällig lindring.

”Är du säker på att du vill göra dej besvär?” sa Alain medan hans son hakade på vagnen på den gamla maskinen. ”Det är inte precis något nöje.”

Jag blev sårad av hans lättvindiga antagande. ”Jag vill hjälpa till.”

”Om du vill så.”

* * *

Eleanore hade strandat på några klippor cirka femhundra meter utanför La Houssinière. Hon hade kilats fast av det stigande tidvattnet, och även om vattnet fortfarande var relativt lågt så var vinden frisk och den pressade det skadade skrovet ytterligare mot klipporna för varje våg. En liten grupp salantsbor, inklusive Aristide, hans sonson Xavier, Matthias, Capucine och Lolo, tittade på från stranden. Jag svepte ivrigt med blicken över ansiktena men far fanns inte bland dem. Men jag såg Flynn, i fiskarstövlar och tröja, med sjömanssäcken över axeln. De fick snart sällskap av Lolos vän Damien; nu när jag såg honom bredvid Alain och Ghislain såg jag att han hade Guénolé-drag.

"Håll dej borta, Damien", sa Alain när han såg honom närma sig. "Jag vill inte att du ska vara i vägen."

Damien gav honom en tjurig blick och satte sig på en klippa. När jag tittade dit igen några ögonblick senare såg jag att han hade tänt en cigarett som han rökte på, med huvudet trotsigt bortvänt. Alain, som hade ögonen fästa på *Eleanore*, tycktes inte märka något.

Jag satte mig bredvid honom. En stund struntade han i mig. Sedan gav han efter för nyfikenheten och vände ansiktet mot mig. "Jag har hört att du bor i Paris", sa han tyst. "Hur är det där?"

"Precis som vilken annan stad som helst", sa jag. "Stort, bullrigt, trångt."

För ett ögonblick såg han nedslagen ut. Sedan sken han upp och sa: "Europeiska städer, kanske. Amerikanska städer är annorlunda. Min bror har köpt en amerikansk tröja. Han har den på sej nu."

Jag log och vände bort blicken från Ghislains självlysande överkropp.

"Dom äter ingenting annat än hamburgare i Amerika", sa Alain, utan att ta blicken från *Eleanore*, "och alla flickor är feta."

Pojken såg förnärmad ut. ”Hur vet du det? Du har aldrig varit där.”

”Inte du heller.”

På den närbelägna kajen, som skyddar den lilla hamnen, stod också ett antal houssinbor och betraktade den skadade båten. Jojo-le-Goëland, en gammal houssinbo med en sjömans manér och med liderlig blick, hälsade på oss med en vinkning. ”Har ni kommit för att titta på?” flinade han.

”Ur vägen, Jojo”, fräste Alain. ”Dom här karlarna har jobb att göra.”

Jojo skrattade. ”Du kommer att få fullt sjå med att försöka ta dej ut till henne härifrån”, sa han. ”Tidvattnet är på väg in, och det blåser från havet. Det skulle inte förvåna mej om du fick problem.”

”Strunta i honom”, rådde Capucine. ”Han har pratat så där ända sen vi kom hit.”

Jojo såg plågad ut. ”Jag skulle kunna ta ner henne till stranden åt dej”, föreslog han. ”Dra bort henne från klipporna med min *Marie Joseph.* Det är enkelt att köra ner traktorn på sanden. Lätt att lasta på henne.”

”Hur mycket?” sa Alain misstänksamt.

”Låt mej se, det är båten. Arbetet. Tillträde... säj ettusen.”

”*Tillträde?*” Alain var rasande. ”Till vad?”

Jojo smålog. ”Les Immortelles, förstås. Privat strand. Monsieur Brismands instruktioner.”

”Privat strand!” Alain sneglade på *Eleanore* och blängde hotfullt. ”Sen när då?”

Jojo tände omsorgsfullt en Gitane-fimp. ”Endast hotellgäster”, sa han. ”Man kan ju inte låta kreti och pleti driva omkring på området.”

Det var en lögn och det visste alla. Jag såg Alain överväga svårigheterna med att flytta *Eleanore* för hand.

Jag blängde på Jojo. ”Jag känner Monsieur Brismand”, sa jag, ”och jag tror inte att han skulle ta betalt för tillträde till sin strand.”

Jojo smålog. ”Du kan väl gå och fråga honom?” föreslog han. ”Se vad han säjer. Ta god tid på dej. *Eleanore* flyttar sej inte.”

Alain tittade på *Eleanore* igen. ”Klarar vi det?” frågade han Ghislain.

Ghislain ryckte på axlarna. ”Gör vi det, Rouget?”

Flynn, som under ordväxlingen försvunnit med sin sjömanssäck i riktning mot kajen, dök nu åter upp utan den. Han tittade på båten och skakade på huvudet. ”Jag tror inte det”, sa han. ”Inte utan *Marie Joseph*. Bättre att göra som han säjer innan tidvattnet stiger ännu mer.”

Eleanore var tung, en ostronbåt typisk för öarna, med liten köl så att man lätt skulle komma till bankarna och med blyklädd undersida. Med tidvattnet i ryggen skulle det snart bli omöjligt att lyfta henne från klipporna. Att vänta på ebb – en väntan på tio timmar eller mer – skulle bara innebära ytterligare skador. Jojos småleende blev bredare.

”Jag tror vi klarar det”, sa jag. ”Vi måste vrida fören åt det hållet, mot vinden. Vi skulle kunna använda släpvagnen när vi väl är på grunt vatten.”

Alain tittade på mig, sedan på de andra salantsborna. Jag såg honom överväga vår uthållighet, beräkna hur många armar som behövdes för uppgiften. Jag sneglade bakåt i hopp om att upptäcka GrosJeans ansikte bland de övriga, men han syntes inte till.

”Jag hänger på”, sa Capucine.

”Jag med”, sa Damien.

Alain rynkade pannan. ”Ni pojkar håller er undan”, sa han. ”Jag vill inte att ni ska råka illa ut.”

Han sneglade mot mig igen, sedan på de andra. Matthias var för gammal för att vara med på en så pass farlig operation, men med Flynn, Ghislain, Capucine och mig skulle vi nog kunna klara det. Aristide höll sig hånfullt på avstånd, men jag såg Xavier titta på med en längtansfull blick.

Jojo väntade, flinade. ”Ja, vad säjer ni?” Den gamle sjömannen var uppenbart road av att Alain brydde sig om vad jag tyckte. Lättviktigt som kvinnoprat. Det var ett ordspråk på ön.

”Gör ett försök”, uppmanade jag. ”Vad har du att förlora?”

Men Alain tvekade fortfarande.

”Hon har rätt”, sa Ghislain otåligt. ”Håller du på att bli gammal, eller vad? Det är mer stake i Mado än det är i dej!”

”Okej”, beslutade Alain till sist. ”Vi gör ett försök.”

Jag såg Flynn betrakta mig. ”Jag tror att du har fått en beundrare.” Han flinade, hoppade mjukt ner på den våta sanden.

Jag gav honom ett ogillande ögonkast. ”Så du har sålt din fångst?” sa jag.

”Äsch, kom igen”, sa Flynn. ”Som om inte du skulle ha gjort samma sak om du varit i mina kläder.”

”Det skulle jag verkligen inte. Det kallas tjuvfiske.”

”Javisst, ja.” Hans flin smittade av sig.

”Precis”, sa jag bestämt och så gick vi under tystnad över de hala klipporna mot *Eleanore*.

Det var nästan kväll och tidvattnet hade redan stigit med trefjärdedelar när vi till sist erkände oss besegrade, och vid det laget hade priset stigit med ytterligare tusen franc. Vi frös, hade domningar i armar och ben och var utmattade. Flynn var inte så kaxig längre, och jag hade varit nära att krossas mellan *Eleanore* och en klippa när vi kämpade med att vända henne. Ett oväntat sug av det stigande tidvattnet fick förstäven att svänga hastigt med vinden och *Eleanores* skrov att krasa mot min axel med ett otäckt ljud, knuffa mig åt sidan och slå upp en svart vattenkaskad i ansiktet på mig. Jag kände klippan bakom mig och det uppstod ett ögonblick av panik då jag trodde att jag skulle klämmas fast, eller ännu värre. Fruktan – och lättnaden över att jag kommit undan med blotta förskräckelsen – gjorde mig ursinnig. Jag vände mig mot Flynn, som fanns alldeles bakom mig.

”Du skulle ju hålla fast stäven! Vad i helvete var det som hände?”

Flynn hade släppt repen som vi använde för att säkra båten. Hans ansikte var suddigt i det avtagande ljuset. Han var halvt bortvänd från mig, och jag hörde honom svära, ovanligt flytande för att vara utlänning.

Det hördes ett långt kvidande ljud när *Eleanores* skrov ännu en gång flyttade sig över klipporna, och så krängde hon tillbaka igen. Ett hånfullt jubel steg från houssinborna på kajen.

Alain ropade sammanbitet till Jojo över vattnet. ”Okej. Du vinner. Hämta *Marie Joseph*.” Jag såg på honom och han skakade på huvudet mot mig. ”Det går inte. Nu klarar vi det aldrig. Det är väl lika bra att få ett slut på det, va?”

Jojo flinade. Han hade tittat på hela tiden, kedjerökt cigarettfimpar utan att säga någonting. Motvilligt började jag ta mig in mot stranden. De övriga följde efter, stretade i sina blöta kläder. Flynn var närmast, med huvudet nerböjt och händerna instoppade i armhålorna.

"Vi hade henne nästan", sa jag. "Det kunde ha gått. Om vi bara hade lyckats hålla den där förbannade *stäven* på plats."

Flynn muttrade något.

"Vad sa du?"

Han suckade. "När du har slutat skälla på mej kanske du kan hämta traktorn. Dom kommer att behöva den vid Les Immortelles."

"Jag tror inte vi ska någonstans på ett tag."

"Låt inte det här gå ut över mej. Som du kanske minns sa jag redan från början –"

"Javisst. Du gav mej verkligen en chans, eller hur?"

Besvikelsen gjorde min röst hård. Alain såg snabbt upp när han hörde det och tittade sedan bort. Jag såg att han skämdes över att ha lyssnat på mig. Den lilla gruppen houssinbor som tittade på började applådera ironiskt. Salantsborna var sammanbitna. Aristide, som sett på från kajen, gav mig en ogillande blick. Xavier, som stått bredvid sin farfar under hela det misslyckade räddningsförsöket, log ett besvärat leende bakom sina stålbågade glasögon.

"Jag hoppas att du tycker det var värt besväret", sa Aristide med vass röst.

"Det kunde ha gått", sa jag.

"Medan du hade fullt upp med att bevisa att du är lika tuff som alla andra höll Guénolé på att förlora sin båt."

"Jag gjorde i alla fall ett försök", sa jag förnärmat.

Den gamle mannen ryckte på axlarna. "Varför skulle vi hjälpa en Guénolé?" Och kraftigt stödd på sin käpp började han gå nerför kajen, med Xavier i tyst släptåg.

Det tog två timmar att få i land *Eleanore*, och ytterligare en halvtimme för oss att manövrera henne från den våta sanden upp på vagnen. Vid det laget stod tidvattnet som högst, och natten föll. Jojo rökte sina fimpar, tuggade på tobaksflagor och spottade då och då i sanden mellan sina fötter. Eftersom Alain insisterat betraktade jag den långsamma räddningsprocessen från en plats ovanför tidvattenlinjen och väntade på att jag skulle få tillbaka känseln i min blåslagna arm.

Till slut var jobbet avklarat och alla pustade ut. Flynn satte sig i den torra sanden med ryggen mot traktorhjulet. Capucine och Alain tände varsin Gitane. På den här sidan av ön kunde man klart se fastlandet, upplyst av en brandgul glöd. Då och då blinkade en *balise* – en varningsfyr – ut sitt enkla budskap. Den kalla himlen var lila, mjölkaktig vid horisonten, och stjärnor började framträda mellan molnen. Vinden från havet skar genom mina blöta kläder och fick mig att skaka. Flynns händer blödde. Till och med i detta svaga ljus såg jag var de blöta repen skurit in i hans handflator. Jag ångrade lite att jag skrikit åt honom. Jag hade glömt att han inte haft handskar.

Ghislain kom och ställde sig bredvid mig. Jag hörde hans andetag nära min hals. ”Mår du bra? Du fick ett helvetes slag av båten därborta.”

”Jag mår fint.”

”Du fryser. Du darrar. Är det något jag –”

”Strunt i det. Jag mår fint.”

Jag antar att jag inte borde ha snäst av honom. Han menade väl. Men det var någonting i hans röst – något fruktansvärt beskyddande. En del män reagerar så mot mig. Från traktorhjulets skugga tyckte jag mig höra Flynn skratta tyst och retfullt. Jag la märke till att ingen frågade hur det var med honom.

Jag hade varit så säker på att GrosJean förr eller senare skulle dyka upp. Nu, sent omsider, funderade jag över varför han hållit sig borta. Han måste trots allt ha hört om *Eleanore*. Jag torkade mig i ögonen, kände mig ledsen.

Ghislain tittade fortfarande på mig över sin Gitane. I halvmörkret glödde hans självlysande tröja sjukligt. "Är det säkert att du är okej?"

Jag log matt mot honom. "Förlåt. Vi skulle ha räddat *Eleanore*. Om vi bara haft mer folk." Jag gnuggade armarna för att bli varm. "Jag tror att Xavier skulle ha hjälpt till om inte Aristide varit där. Jag märkte att han ville det."

Ghislain suckade. "Xavier och jag brukade komma bra överens", sa han. "Naturligtvis är han en Bastonnet. Men det verkade inte spela så stor roll då. Men nu släpper Aristide honom inte ur sikte och –"

"Den där otäcka gamla gubben. Vad är det med honom egentligen?"

"Jag tror han är rädd", sa Ghislain. "Xavier är allt han har kvar nu. Han vill att han ska stanna på ön och gifta sej med Mercédès Prossage."

"Mercédès? Hon är söt."

"Det är inget fel på henne." Det var för mörkt för att avgöra, men att döma av tonen i Ghislains röst rodnade han.

Vi såg himlen bli allt mörkare. Ghislain rökte upp sin cigarett medan Alain och Matthias tog sig en titt på *Eleanores* skador. De var värre än vi befarat. Klipporna hade skalat av hennes botten. Rodret var sönderslaget och motorn borta. Den lyckobringande röda pärla som min far satte på alla sina båtar hängde från det som återstod av masten. Jag följde efter när männen drog upp henne på vägen, kände mig urlakad och illamående. Jag la märke till att den gamla vågbrytaren längst bort på stranden hade förstärkts med stenblock till en bred vall som sträckte sig ut mot La Jetée.

"Det där är väl nytt?" sa jag.

Ghislain nickade. "Brismand lät bygga det. Svåra tidvatten dom senaste åren. Höll på att spola bort sanden. Dom där stenarna ger lite skydd."

"Det är vad som skulle behövas i Les Salants", kommenterade jag och tänkte på skadorna i La Goulue.

Jojo flinade. "Gå och prata med Brismand om det. Han vet säkert vad som borde göras."

"Som om vi skulle be *honom*", muttrade Ghislain.

"Ni är ett envist släkte, ni salantsbor", sa Jojo. "Ni ser hellre att hela stället spolas ut i havet än betalar ett rimligt pris för reparationer."

Alain såg på honom. Jojos flin blev bredare för en kort stund och blottade hans tandstumpar. "Jag har alltid sagt åt din far att han behöver en försäkring", sa han. "Men han lyssnade aldrig." Han sneglade på *Eleanore*. "Hur som helst så är det dags att hugga upp det där skrovet. Skaffa något nytt. Modernt."

"Det är inget fel på henne", sa Alain utan att nappa på betet. "Dom här gamla båtarna är i stort sett oförstörbara. Det ser värre ut än det är. Hon behöver lappas ihop lite grann, en ny motor..."

Jojo skrattade och ruskade på huvudet. "Typiskt salantsbor", sa han. "Envisa som synden. Javisst, lappa ihop henne bara. Det kommer att kosta dej tio gånger mer än hon är värd. Och sen då? Vill du veta vad jag tjänar på bara en dag genom att ordna båtutflykter?"

Ghislain tittade elakt på honom. ”Det skulle kunna vara du som har tagit motorn”, sa han utmanande, ”för att sälja den under en av dina resor till fastlandet. Du säljer alltid prylar. Ingen ställer några frågor.”

Jojo visade tänderna. ”Jag märker att ni Guénolés fortfarande pratar skit”, sa han. ”Din farfar var precis likadan. Säj, vad hände egentligen med den där stämningen mot familjen Bastonnet? Hur mycket fick ni ut av den, va? Och hur mycket kostade den er, tror du? Och din far? Och din bror?”

Ghislain sänkte skamset blicken. Det är ett välkänt faktum i Les Salants att den rättsliga striden mellan familjerna Guénolé och Bastonnet varade i tjugo år och ruinerade båda parter. Orsaken – en nästan bortglömd strid om ostronbankar vid La Jetée – blev akademisk långt innan slutet, i och med att drivande sandbankar uppslukade det omstridda territoriet, men fientligheterna upphörde aldrig utan fördes vidare från generation till generation som något slags kompensation för det förslösade arvet.

”Din motor spolades förmodligen ut genom bukten”, sa Jojo med en sävlig gest mot La Jetée. ”Antingen det eller också hittar du den nere vid La Goulue, om du gräver tillräckligt djupt.” Han spottade en buss blöt tobak i sanden. ”Jag har hört att ni förlorade helgonet igår kväll också. Ni är allt ett slarvigt gäng.”

Alain hade svårt att hålla sig lugn. ”Lätt för dej att skratta, Jojo”, sa han. ”Men lyckan vänder, säjs det, till och med här. Om ni inte hade den här stranden…”

Matthias nickade. ”Just det”, morrade han. Den gamle mannens *devinnois*-accent var så kraftig att till och med jag hade svårt att förstå vad han sa. ”Den här stranden är er smala lycka. Glöm inte det. Den kunde ha varit vår."

Jojo frustade av skratt. "Er!" sa han spydigt. "Om den varit er hade ni slarvat bort den för länge sen, på samma sätt som ni slarvar bort allt annat."

Matthias tog ett steg framåt, hans gamla händer darrade. Alain la en varnande hand på sin fars arm. "Nu räcker det. Jag är trött. Och vi har arbete som väntar imorgon."

Men det var något med den där meningen som fastnade i mitt huvud. Någonting som hade med La Goulue att göra, tänkte jag, och La Bouche, och doften av vild vitlök på dynerna. *Den kunde ha varit vår*. Jag försökte känna efter vad det var, men jag var för trött och utpumpad för att kunna tänka klart. Och Alain hade rätt; inget av detta hade förändrat någonting. Jag hade fortfarande jobb att göra imorgon.

II

NÄR JAG KOM HEM HITTADE JAG FAR I SÄNGEN. På sätt och vis kände jag mig lättad; jag var inte i stånd att påbörja en diskussion som skulle kunna bli hätsk. Jag la mina våta kläder att torka vid öppna spisen, drack ett glas vatten och gick till mitt rum. När jag släckte ljuset la jag märke till att någon ställt en liten burk med vilda blommor bredvid min säng – strandglim och martorn och harsvansgräs. Det var en absurt rörande gest från min inte särskilt öppenhjärtige far, och jag låg vaken en stund och försökte bringa reda i det tills sömnen slutligen tog överhanden, och ett ögonblick senare var det morgon.

När jag vaknade upptäckte jag att GrosJean redan gått ut. Han hade alltid varit morgonpigg och brukade vakna vid fyratiden på sommaren och ta långa promenader utmed stranden. Jag klädde på mig, åt frukost och följde hans exempel.

När jag kom fram till La Goulue vid niotiden var där redan fullt av salantsbor. Ett kort ögonblick undrade jag varför; sedan mindes jag den försvunna Sainte-Marine, som tillfälligt ställts i skuggan av den förlorade *Eleanore* under gårdagen. Den här morgonen hade sökandet efter det förlorade helgonet påbörjats så snart tidvattnet tillät, men hittills hade man inte sett till henne.

Halva byn verkade ta del i sökandet. Alla fyra i familjen

Guénolé var där, finkammade havsbottnen, och en grupp åskådare hade samlats på remsan med småsten nedanför stigen. Far hade gått en bra bit utanför tidvattenlinjen, beväpnad med en lång träräfsa, och han svepte över havsbottnen med metodisk långsamhet, stannade till ibland för att ta bort en sten eller en klump tång.

På ena sidan av stenremsan såg jag Aristide och Xavier, som iakttog men inte deltog i sökandet. Bakom dem solbadade Mercédès och läste en tidning, medan Charlotte såg på med sin vanliga bekymrade uppsyn. Jag la märke till att Xaviers blick undvek de flesta, men Mercédès undvek han särskilt ihärdigt.

Aristide såg bistert munter ut, som om någon annan hade fått dåliga nyheter. ”Otur med *Eleanore*, va? Alain säjer att dom räknar med att det kostar sextusen franc att reparera henne, i La Houssinière.”

”Sextusen?” Det var mer än båten var värd; definitivt mer än Guénolés hade råd med.

”Japp.” Aristide log syrligt. ”Till och med Rouget säjer att hon inte är värd att repareras.”

Jag såg förbi honom upp på himlen; ett gult streck mellan molnen lyste upp havsbottnen med ett sjukligt skimmer. Tvärs över mynningen till tidvattenbäcken hade några fiskare spritt ut sina nät och höll mödosamt på att plocka dem rena från sjögräs. De hade dragit *Eleanore* längre upp på strandbanken och hon vilade i leran, hennes spant syntes som revbenen på en död val. Bakom mig rullade Mercédès elegant över på sidan. ”Efter vad jag har hört”, sa hon med klar stämma, ”skulle det ha varit bättre om *hon* inte lagt näsan i blöt.”

”*Mercédès*”, stönade hennes mor. ”Så säjer man inte!”

Flickan ryckte på axlarna. ”Men det är väl sant? Om dom inte hade slösat bort så mycket tid –”

”Sluta genast!” Charlotte vände sig upprört mot mig. ”Du får ursäkta. Hon är överspänd.”

Xavier såg besvärad ut. ”Otur”, sa han tyst till mig. ”Hon var en fin båt.”

”Det var hon. Min far byggde henne.” Jag såg ut över havsbottnen där GrosJean fortfarande höll på. Han måste ha varit nästan en kilometer ut; en envis liten figur som var nästan osynlig i diset. ”Hur länge har dom hållit på?”

”Två timmar, kanske. Sen tidvattnet började dra sej tillbaka.” Xavier ryckte på axlarna och såg mig inte i ögonen. ”Hon kan vara var som helst vid det här laget.”

Familjen Guénolé kände uppenbarligen ett ansvar. Förlusten av deras *Eleanore* hade fördröjt sökandet, och tvärströmmarna från La Jetée hade gjort resten. Alain ansåg att Sainte-Marine var begravd någonstans på andra sidan bukten och att bara ett mirakel kunde föra henne tillbaka.

”La Bouche, *Eleanore*, och nu detta.” Det var Aristide, som fortfarande iakttog mig med ett uttryck av farligt gott humör. ”Säj mej, har du berättat för din far om Brismand ännu? Eller ska det bli ytterligare en överraskning?”

Jag såg förvånat på honom. ”Brismand?”

Den gamle mannen visade tänderna. ”Jag undrade hur länge det skulle dröja innan han kom och snokade. En plats på Les Immortelles i utbyte mot mark? Är det vad han erbjöd dej?”

Xavier sneglade på mig, sedan på Mercédès och Charlotte. Båda två lyssnade uppmärksamt. Mercédès försökte inte längre låtsas att hon läste och betraktade mig över sin tidning med munnen aningen på glänt.

Jag stirrade den gamle mannen i ögonen, ville inte tvingas ljuga. "Om jag har några affärer med Brismand så är det min ensak. Jag tänker inte diskutera dom med dej."

Aristide ryckte på axlarna. "Då hade jag rätt", sa han med bitter tillfredsställelse. "Du står på houssinbornas sida."

"Det här handlar inte om houssinbor och salantsbor", sa jag.

"Nä, det handlar om vad som är bäst för GrosJean. Det är så det heter, va? Att det handlar om vad som är bäst."

Jag har alltid haft temperament. Lång stubin, men är det uppdämt och glödande kan det bli våldsamt. Nu kände jag hur det steg. "Och vad vet du om det?" sa jag fränt. "Ingen har väl kommit tillbaka för att ta hand om dej, eller hur?"

Aristide stelnade till. "Det har inte med saken att göra", sa han.

Men jag kunde inte sluta. "Du har hackat på mej sen jag kom", sa jag. "Vad du inte förstår är att jag älskar min far. Du älskar ingen!"

Aristide ryckte till som om jag slagit honom, och i det ögonblicket såg jag honom sådan han var: inte längre ett elakt troll utan en trött gammal man, bitter och rädd. Jag kände plötsligt medlidande och sorg för hans skull – och min egen. Jag hade återvänt så full av goda intentioner, tänkte jag hjälplöst. Varför hade det gått galet?

Men det var fortfarande tåga i Aristide; han mötte mig med en utmaning i blicken, trots att han visste att jag hade vunnit. "Varför skulle du annars komma tillbaka?" sa han lågt. "Varför skulle man göra det om det inte var något man ville ha?"

"Fy skäms, Aristide, din gamla havssula." Det var Toinette

som tyst smugit upp från stigen bakom oss. Under brättena på hennes *quichenotte* gick ansiktet knappt att se, men jag såg hennes ögon, pigga som en fågels, lysande. ”Lyssnar du på skvaller i din ålder? Du borde veta bättre.”

Aristide vände sig förvånad om. Toinette var, enligt egen utsago, nästan hundra år gammal; han var, med sina sjuttio, en ungdom i jämförelse. Jag såg en motvillig respekt i hans ansikte, och ett slags skam. ”Toinette, Brismand var vid huset –”

”Och varför skulle han inte få vara det?” Den gamla kvinnan tog ett steg framåt. ”Flickan är en släkting. Ha! Tror du att *hon* bryr sej om era gamla fejder? Är det inte dom som har slitit sönder Les Salants under dom senaste femtio åren?”

”Jag säjer fortfarande –”

”Du ska inte säja någonting.” Toinettes ögon gnistrade som fyrverkeripjäser. ”Och om jag får höra att du spritt ut något mer elakt prat, så…”

Aristide såg trumpen ut. ”Det här är en ö, Toinette. Man kan inte låta bli att höra saker. Det kommer inte att vara mitt fel om GrosJean får reda på det.”

Toinette såg ut över havsbottnen, sedan på mig. Hon såg orolig ut, och då insåg jag att det var för sent. Aristide hade redan sått sitt gift. Jag undrade vem som berättat för honom om Brismands besök; hur han hade kunnat gissa så mycket.

”Oroa dej inte, du. Jag ska ordna upp det här. Han kommer att lyssna på mej.” Toinette tog min hand mellan sina båda; de var torra och bruna som drivved. ”Kom då”, sa hon hurtigt och drog med mig uppför stigen. ”Du gör ingen nytta genom att hänga här. Följ med mej hem.”

Hemma var en liten stuga med ett enda rum i slutet av byn. Det var gammaldags även med ömått mätt, väggar av flinta och ett lågt tak av mossiga tegelpannor som hölls uppe av röksvärtade bjälkar. Dörr och fönster var små, nästan i barnstorlek, och toaletten var ett skraltigt skjul vid sidan av huset, bakom vedstapeln. När vi närmade oss såg jag en ensam get som betade gräset som växte på taket.

”Så du har gjort det nu, va?” sa Toinette när hon sköt upp ytterdörren.

Jag var tvungen att huka mig för att inte slå i dörrkarmen. ”Jag har inte gjort nånting.”

Toinette tog av sig sin *quichenotte* och såg allvarligt på mig. ”Försök inte med mej, flicka lilla”, sa hon. ”Jag vet allt om Brismand och hans planer. Han försökte samma sak med mej, förstår du; en plats på Les Immortelles i utbyte mot huset. Han lovade till och med att ordna med begravningen. Begravningen!” Hon kacklade till. ”Jag sa åt honom att jag planerade att leva i evighet!” Hon vände sig mot mig, behärskad igen. ”Jag vet hurdan han är. Han skulle kunna charma underbyxorna av en nunna om han hade en köpare. Och han har planer för Les Salants. Planer som inte inbegriper nån av oss.”

Det där hade jag hört tidigare på Angélos. ”Om han har det, förstår jag inte vad dom går ut på”, sa jag. ”Han har varit snäll mot mej, Toinette. Snällare än dom flesta salantsbor.”

”Aristide.” Den gamla kvinnan rynkade pannan. ”Döm honom inte för hårt, Mado.”

”Varför inte?”

Hon petade på mig med ett finger som påminde om en pinne. ”Din far är inte den ende här som har haft det svårt”, sa hon allvarligt. ”Aristide har förlorat två söner, en till havet, den andre på grund av sin egen envishet. Det har gjort honom vresig.”

Hans äldste son, Olivier, hade omkommit i en fiskeolycka 1972. Den yngste, Philippe, hade tillbringat nästan tio år i ett hus som förvandlats till en tyst helgedom tillägnad Olivier. ”Det är klart att han spårade ur.” Toinette skakade på huvudet. ”Han fick ihop det med en flicka – från La Houssinière. Du kan föreställa dej vad Aristide tyckte om det.”

Hon hade varit sexton. När hon insåg att hon var gravid hade Philippe drabbats av panik och de hade rymt till fastlandet och lämnat Aristide och Désirée med flickans arga föräldrar. Att nämna Philippe hade varit förbjudet i familjen Bastonnets hus efter det. Oliviers änka hade dött i hjärnhinneinflammation några år senare och lämnat Xavier, den ende sonen, i farföräldrarnas vård.

”Xavier är deras enda hopp nu”, förklarade Toinette som ett eko av Ghislains ord. ”Xavier får allt han vill ha. Vad som helst, bara han stannar här.”

Jag tänkte på Xaviers bleka, uttryckslösa ansikte; hans rastlösa ögon bakom glasögonen. Ghislain hade sagt att Xavier säkert skulle stanna kvar om han gifte sig. Toinette läste mina tankar. ”Javisst, han har varit halvt bortlovad till Mercédès sen dom var små”, sa hon. ”Men mitt barnbarn är en egensinnig person. Hon har sina idéer.”

Jag tänkte på Mercédès; hennes buttra uppsyn, tonen i Ghislains röst när han pratade om henne.

”Och hon skulle aldrig gifta sej med en fattig man”, sa Toinette. ”I samma stund som familjen Guénolé förlorade sin båt förlorade deras pojke chansen att få henne.”

Jag funderade över det. ”Menar du att det var familjen Bastonnet som förstörde *Eleanore?*”

”Jag menar ingenting. Jag sprider inte skvaller. Men vad som än hände med henne så ska du, av alla människor, inte blanda dej i.”

Jag tänkte åter på min far. ”Han älskade den där båten”, sa jag envist.

Toinette såg på mig. ”Det kanske han gjorde. Men det var *Eleanore* som P'titJean tog ut på sin sista resa, det var *Eleanore* som hittades på drift den dagen han försvann, och varje gång din far sett på henne sedan dess måste han ha hört sin bror ropa på honom. Tro mej, han kommer att må bättre utan henne.” Toinette log och tog min hand, hennes små fingrar torra och lätta som döda löv.

”Oroa dej inte för din far, Mado”, sa hon. ”Han klarar sej. Jag ska prata förstånd med honom.”

12

JAG KOM HEM EN HALVTIMME senare och upptäckte att GrosJean hade varit där före mig. Dörren stod på glänt, och så fort jag närmade mig förstod jag att något var på tok. En stark doft av alkohol nådde mig från köket och när jag gick in i rummet krasade glaset från en trasig flaska *devinnoise* under mina fötter.

Det var bara början.

Han hade slagit sönder vartenda porslins- och glasföremål han fått tag i. Varenda kopp, tallrik, flaska var trasig. Min mors Jean de Bretagne-servis; teservisen; den lilla raden med likörglas i skåpet. Dörren till mitt rum stod öppen; kläderna och böckerna från mina kartonger låg utspridda. Vasen bredvid sängen var krossad, blommorna nertrampade i det pulvriserade glaset. Tystnaden var spöklik, genljöd fortfarande av kraften i hans ilska.

Det här var inte nytt för mig. Fars raseriutbrott hade varit få men fruktansvärda och alltid åtföljts av en tystnad som varit i dagar, ibland i veckor. Mor sa att det var hans tystnad som tärt mest på henne; de långa perioderna av tomhet, de gånger då han verkade frånvarande från allt utom sina ritualer – besöken i La Bouche, dryckesslagen på Angélos bar, de ensamma promenaderna längs med stranden.

Jag satte mig på sängen, kände mig plötsligt knäsvag. Vad

hade orsakat detta nya utbrott? Förlusten av helgonet? Förlusten av *Eleanore?* Något annat?

Jag funderade över det som Toinette berättat om P'titJean och *Eleanore.* Det hade jag inte haft en aning om. Jag försökte föreställa mig vad far måste ha känt när han hörde nyheten. Sorg, kanske, över att hans äldsta skapelse gått förlorad? Lättnad över att P'titJean äntligen fått frid? Nu började jag förstå varför han inte hade varit med vid räddningsaktionen. Han *ville* att hon skulle gå förlorad; och jag, som den idiot jag var, hade försökt rädda henne.

Jag tog upp en bok – en av dem jag lämnat kvar – och slätade till omslaget. Hans ilska verkade särskilt ha gått ut över böckerna; en del hade fått sidor utrivna, andra hade blivit trampade på. Jag hade varit den enda av oss som tyckt om böcker; mor och Adrienne hade föredragit tidskrifter och teve. Jag kunde inte låta bli att tro att den här vandaliseringen var ett direkt angrepp på mig.

Det dröjde bara några minuter innan jag fick för mig att kolla Adriennes rum. Det var förstås orört. GrosJean verkade inte ens ha tittat in. Jag stack handen i fickan, såg på födelsedagsfotot som låg där. Det var fortfarande kvar. Adrienne log mot mig över den plats där jag hade funnits, hennes långa hår dolde ansiktet till hälften. Jag kom ihåg att hon alltid hade fått en present på min födelsedag. Det där året hade det varit klänningen hon bar på bilden – en vit tunn klänning med röda broderier. Jag hade fått mitt första metspö. Visst tyckte jag om det, men ibland undrade jag varför aldrig någon köpte en klänning till mig.

Jag låg länge på Adriennes säng med lukten av *devinnoise* i näsborrarna och det blekta rosa överkastet mot ansiktet. Sedan reste jag mig. Jag betraktade mig själv i garderobsspegeln: blek, svullna ögon, stripigt hår. Jag tittade noga. Sedan lämnade jag huset, gick försiktigt över det krossade glaset. Vad det än var för fel på GrosJean, sa jag till mig själv – vad det än var för fel på Les Salants – så var jag inte rätt person att ställa allt till rätta. Det hade han gjort väldigt klart. Här tog mitt ansvar slut.

Jag begav mig mot La Houssinière med större lättnad än jag kunde erkänna för mig själv. Jag hade försökt, upprepade jag. Det hade jag verkligen. Om jag hade haft något slags stöd – men fars tystnad, Aristides oförställda fientlighet, till och med Toinettes tvetydiga vänlighet gjorde klart för mig att jag var ensam. Även Capucine skulle, när hon upptäckte mina planer, med största sannolikhet ta fars parti. Hon hade alltid tyckt om GrosJean. Nej, Brismand hade rätt. Någon måste ta sitt förnuft till fånga. Och det var inte troligt att salantsborna, som desperat klamrade sig fast vid sin vidskeplighet och sina gamla traditioner medan havet tog mer från dem för varje år, skulle förstå. Det måste bli Brismand. Om inte jag kunde få GrosJean att ta reson så kanske Brismands läkare kunde.

Jag tog den långa vägen mot Les Immortelles, förbi La Bouche, där tidvattnet var på väg in igen med ett avlägset vitt brusande. Bortanför, på öns smalaste punkt, kan man se tidvattnet stiga från två sidor samtidigt. En dag kommer det att gå hål på den midja som håller ihop Le Devins två delar, och Les Salants skärs av från La Houssinière för gott. När det inträffar, tänkte jag, betyder det slutet för invånarna i Les Salants.

Jag var så uppslukad av mina tankar att jag var nära att missa Damien Guénolé, som satt och rökte alldeles stilla mot en klippa ovanför mig. Pojken hade på sig en skinnjacka som var igendragen upp till halsen, och fiskarstövlar. Hans fiskeväska och spö låg bredvid honom.

”Förlåt”, sa han när han såg hur jag hoppade till. ”Det var inte meningen att skrämma dej.”

”Det gör inget. Jag förväntade mej inte att stöta på nån här.”

”Jag tycker om det här stället”, sa Damien. ”Det är tyst. Folk lämnar mej ifred.” Han såg ut över havet, de blågröna skiftningarna speglades i hans ögon. ”Jag tycker om att se tidvattnet stiga härifrån. Som en armé på marsch.” Han drog ett djupt bloss på cigaretten, höll den i sin kupade hand för att skydda den för vinden. Han såg inte på mig utan stirrade förbi mot La Jetées vitkransade sandbankar och gråheten därbortom, ända till fastlandet. Hans ansiktsuttryck var mångtydigt; barnsligt och överraskande hårt på samma gång.

”Om ett litet tag kommer vi alla att vara borta, eller hur?” sa han tyst. ”Alla salantsbor. Borta, och lika bra är det för oss allihop.” Han lyfte cigaretten igen och för ett ögonblick såg jag hans ansikte i ljusskenet. ”Dom där houssinborna har rätt”, sa han bestämt. ”Asfaltera alltihop och börja om från början. För egen del kan jag inte vänta.”

* * *

Jag var halvvägs till Les Immortelles när jag mötte Flynn som var på väg åt motsatt håll. Jag hade inte väntat mig att möta någon – kuststigen var smal och användes inte särskilt ofta – men han verkade inte förvånad över att stöta ihop med mig. Hans uppförande verkade förändrat den här morgonen, den muntra bekymmerslösheten hade ersatts av en försiktig neutralitet, ögonen var nästan uttryckslösa. Jag undrade om det berodde på det som hänt kvällen innan med *Eleanore*, och jag kände hur hjärtat snörptes ihop.

”Inga spår efter helgonet, va?” Till och med i mina egna öron lät käckheten falsk.

”Du är på väg till La Houssinière.” Det var ingen fråga, även om jag såg att han förväntade sig ett svar. ”För att träffa Brismand”, fortsatte han i samma neutrala ton.

”Alla verkar väldigt intresserade av vad jag har för mej”, sa jag.

”Det borde dom vara.”

”Vad ska det betyda?” Jag hörde den vassa tonen i min röst.

”Ingenting.” Han verkade beredd att fortsätta, steg åt sidan för att göra plats för mig, blicken redan någon annanstans. Plötsligt kändes det viktigt att hindra honom från att gå iväg. Han, om någon, borde förstå mitt sätt att se på det hela.

”Snälla du. Du är hans vän”, började jag. Jag visste att han förstod vem jag menade.

Han gjorde en paus. ”Vadå då?”

”Ja, du kanske kan prata med honom. Övertala honom, på något sätt.”

”Va?” sa han. ”Övertala honom att ge sej iväg?”

”Han behöver vård. Jag måste få honom att inse det. Någon måste ta ansvar.” Jag tänkte på huset – det krossade glaset, de ituslitna böckerna. ”Han kan göra sej själv illa”, sa jag till sist.

Flynn såg på mig, och jag blev förvånad över att se ett så hårt uttryck i hans ögon. ”Det låter förnuftigt”, sa han mjukt. ”Men du och jag vet bättre, eller hur?” Han log, men inte vänligt. ”Det handlar om *dej*. Det här pratet om ansvar – det är vad det handlar om till syvende och sist. Vad som passar dej.”

Jag försökte tala om för honom att det inte alls var på det viset. Men de ord som verkat så naturliga när Brismand uttalade dem lät bara konstlade och hjälplösa i min mun. Jag märkte att Flynn tyckte det; att jag gjorde detta för min egen skull, för min egen trygghet, eller till och med som något slags hämnd på GrosJean för alla de där åren av tystnad. Men så var det inte, försökte jag förklara för honom. Jag var övertygad om att det inte var så.

Men Flynn var inte intresserad längre. En axelryckning, en nick, och så försvann han utmed stigen lika snabbt och tyst som en tjuvfiskare, och lät mig stå där och stirra efter honom, arg och förvirrad. Vem i helvete trodde han att han var? Vilken rätt hade han att döma mig?

När jag kom fram till Les Immortelles märkte jag att ilskan hade vuxit istället för att avta. Jag litade inte på mig själv när det gällde att prata med Brismand – jag var rädd att ett första vänligt ord skulle få dammluckorna att öppnas för tårarna som hotat att bryta fram ända sedan jag anlände. Istället hängde jag nere vid piren, njöt av vattnets lågmälda ljud och de små båtarna som flög fram över bukten. Det var för tidigt för turister; det låg bara några få människor längst uppe på stranden nedanför esplanaden, där en rad nymålade badhytter hukade i sanden.

På andra sidan gatan la jag märke till en ung man som iakttog mig från sadeln på en häftig japansk motorcykel. Långt hår som hängde i ögonen, en cigarett löst mellan fingrarna, tajta jeans, skinnjacka och motorcykelkängor. Det tog en stund innan jag kände igen honom. Joël Lacroix, den stilige och mycket bortskämde sonen till öns ende polis. Han lät motorcykeln stå vid trottoarkanten och gick över gatan mot mig.

”Du är väl inte härifrån?” frågade han och drog ett bloss på cigaretten. Det var uppenbart att han inte kom ihåg mig. Och varför skulle han det, egentligen? Senast jag hade pratat med honom var i skolan, och han var ett par år äldre än jag.

Han betraktade mig uppskattande och flinade. ”Jag skulle kunna visa dej runt om du vill”, föreslog han. ”Några sevärdheter, det som finns att se. Det är inte mycket.”

”Tack, men kanske en annan gång.”

Joël knäppte iväg cigaretten över gatan. ”Var bor du då? Les Immortelles? Eller har du släkt här?”

Av någon anledning – kanske var det på grund av den där beräknande blicken – tvekade jag att avslöja vem jag var. Jag nickade. ”Jag bor i Les Salants.”

”Du måste gilla att ha det lite primitivt, va? Därborta i väster med getterna och saltängarna. Hälften av dom har sex fingrar på varje hand, vet du. Släktkääära.” Han himlade med ögonen och betraktade mig sedan närmare, och kände sent omsider igen mig. ”Men visst känner jag dej”, sa han till slut. ”Du är Prasteau-tjejen. Monique – Marie –”

”Mado”, sa jag.

”Jag hörde att du återvänt. Jag kände inte igen dej.”

”Det är väl inte så konstigt? Vi var väl aldrig vänner, eller hur?”

Joël slängde självmedvetet håret bakåt. ”Så du har återvänt till Les Salants? Ja, folk är ju olika.” Min likgiltighet hade gjort att hans intresse svalnat. Han tände en ny cigarett med en silverfärgad Harley-Davidson-tändare som nästan var lika stor som Gitane-paketet. "Jag, jag väljer stan. En dag kommer jag att bara hoppa på motorcykeln och ge mej av, förstår du. Vad som helst är bättre än det här. Du kommer inte att se mej gå och skräpa på Le Devin resten av livet." Han stoppade tändaren i fickan och släntrade över gatan mot den väntande Hondan och lämnade mig ensam framför badhytterna igen.

Jag hade tagit av mig skorna och sanden kändes redan varm mot tårna. Än en gång blev jag medveten om hur tjockt sandlagret var. Traktorspåren från gårdagskvällen syntes fortfarande på ett ställe. Jag mindes hur vagnshjulen hade fastnat i sanden när vi kämpade för att dra den skadade *Eleanore* mot vägen, hur den gett vika under vår sammantagna vikt; och doften av vild vitlök över dynerna...

Jag stannade till. Den där doften. Jag hade tänkt på den då också. Av någon anledning hade jag vid den tidpunkten förknippat den med Flynn; och med något som Matthias Guénolé sagt medan händerna darrade av ilska över någon kommentar från Jojo-le-Goëland – någonting om en strand.

Just det. *Den kunde ha varit vår.*

Varför? Lyckan vänder, hade han sagt. Men varför hade han nämnt stranden? Jag kunde fortfarande inte sätta fingret på det; doften av timjan och vild vitlök och dynernas saltsmak. Strunt i det, det spelade ingen roll. Jag gick ner till vattnet, som var på väg in nu men tog god tid på sig, sipprade varsamt genom rännorna i sanden, pressade sig upp genom håligheterna under stenarna. Till vänster om mig, inte långt från kajen, fanns vallen, som nyligen förstärkts med stenblock till en bred vågbrytare som var hundra meter lång. Två barn klättrade redan där; jag hörde deras skrik, så lika fiskmåsarnas, genom den klara luften. Jag försökte föreställa mig vad en strand kunde ha gjort för Les Salants, den kommers den kunde ha fört med sig, tillförseln av liv. Stranden för lycka med sig, hade Matthias sagt. Räven Brismand hade än en gång levt upp till sitt namn.

Stenarna som utgjorde vågbrytaren var fortfarande släta och ännu inte missprydda av tång. På hitsidan var den nästan två meter hög; på andra sidan var den mycket lägre. Där hade sand hopats, ditförd av strömmen. Jag hörde de två barnen leka där, kasta nävar med tång på varandra under gäll upphetsning. Jag tittade bakåt mot badhytterna. Den enda överlevande hytten i La Goulue stod högt över marken; jag kom ihåg dess långa insektsben, förankrade i klippan. Hytterna i Les Immortelles låg nära marken, det fanns knappt utrymme att krypa under dem.

Stranden hade fått mer sand, sa jag till mig själv.

Plötsligt slog det mig; doften av vild vitlök blev intensivare och jag hörde Flynn berätta att Toinette mindes ”en pir och en strand och allt” vid La Goulue. Jag hade tittat på badhytten och undrat vart all sand tagit vägen.

Barnen kastade fortfarande tång. Det fanns massor av tång på den bortre sidan av vågbrytaren; inte lika mycket som det en gång funnits vid La Goulue, men i Les Immortelles var det förmodligen någon som kom och tog bort den varje dag. Jag gick närmare och såg att det fanns röda fläckar mellan det bruna och gröna – en röd färg som påminde om någonting. Jag petade på det med foten, tog bort lagret av tång som täckte det.

Då kände jag igen det. Det hade farit illa av tidvattnet,

sidenet var fransigt och broderierna hade repats upp, och alltihop var täckt av blöta sandklumpar. Men det gick inte att ta miste. Sainte-Marines ceremoniella dräkt som gått förlorad under högtiden hade spolats upp, inte vid Den Giriga, som vi hade förväntat oss, utan här, vid Les Immortelles, La Houssinières vanliga tur. Uppspolad av tidvattnet.

Tidvattnet.

Plötsligt märkte jag att jag darrade, men inte på grund av kylan. Vi hade anklagat sydvinden för alla våra olyckor, när det i själva verket var tidvattnet som hade förändrats; tidvattnet som en gång fört fisken till La Goulue och som nu berövade den allt den hade; tidvattnet som drev rakt upp i den lilla bäcken in i byn, där Pointe Griznoz en gång skyddat oss.

Jag stirrade på sidenstycket en lång stund, vågade knappt andas. Så många associationer; så många bilder. Jag tänkte på badhytterna, sanden, den ursprungliga vågbrytaren. När hade den byggts? När hade stranden och piren vid La Goulue spolats bort? Och nu den här nya konstruktionen, så nyligen byggd på den gamla att tången inte hunnit fastna.

Det ena leder till det andra; små kopplingar, små förändringar. Tidvatten och strömmar kan förändras snabbt på en ö så liten och så sandig som Le Devin; och följderna av sådana förändringar kan bli förödande. Svåra tidvatten som spolar bort sanden, hade Ghislain sagt samma natt som *Eleanore* räddades. Brismand skyddade sina investeringar.

Brismand hade varit snäll mot mig, bekymrad över översvämningarna. Och han hade uttryckt intresse för Gros-Jeans mark. Han hade erbjudit sig att köpa Toinettes hus. Hur många andra hade han också frågat?

Tidvattnet vänder utan att fråga om lov. Så lyder ett ordspråk på ön. Men havet är inte helt och hållet en godtycklig makt. Det kan ibland förutsägas – till och med, till viss del, kontrolleras. Salantsborna är emellertid förvånansvärt ointresserade av orsak och verkan i deras omgivningar. De tycker att det är bortkastad tid att studera tidvattnet. Kanske var det därför de inte insett det på så lång tid. Jag betraktade ännu en gång det trasiga sidenstycket som varit en del av Sainte-Marines ceremoniella skrud. En sådan liten ledtråd hade lett mig till en så pass betydelsefull insikt. Men nu när jag gjort denna koppling i mitt sinne kunde jag inte lägga tanken åt sidan. Kunde Brismands försvarsåtgärder på något sätt ha vänt tidvattnet mot Les Salants? Och om så var fallet, hade han varit medveten om det?

13

MIN FÖRSTA INGIVELSE var att genast gå och söka upp Brismand. Men vid närmare eftertanke beslutade jag mig för att inte göra det. Jag kunde se hans förvånade ansiktsuttryck framför mig, den humoristiska glimten; jag kunde höra hans bullrande skratt när jag försökte förklara mina misstankar. Och han hade varit snäll mot mig, nästan som en far. Jag kände mig avskyvärd för att jag ens misstänkte honom.

Men övertygelsen om att arbetet vid La Houssinière hade förorsakat skadorna vid Les Salants var för starka för att jag skulle kunna strunta i den. Det var en enkel ekvation när man väl tänkte på det; och så uppenbart när man såg hur det fungerade.

Capucine och Toinette verkade mindre intresserade av min upptäckt. Det hade åter varit översvämning under natten, och stämningen var ännu lägre än vanligt på Angélos, där salantsborna dränkte sina sorger under dyster tystnad.

”Men om du hittat själva helgonet...” flinade Toinette och visade sina tandstumpar. ”*Hon* är den som ger Les Salants tur, inte någon strand som kanske har funnits här för trettio år sedan. Och du menar väl ändå inte att Sainte-Marine tagit sej hela vägen till Les Immortelles? *Det* skulle sannerligen vara ett mirakel.”

Det fanns förstås fortfarande inga spår efter det förlorade helgonet vid udden eller ens vid La Goulue. Det troligaste var att hon begravts, sa Toinette, sjunkit ner i ebbleran utanför La Griznoz, för att bli upptäckt om tjugo år av något barn som gräver efter musslor – om hon nu överhuvudtaget skulle återfinnas.

Den allmänna känslan i byn var att helgonet övergivit Les Salants. De mer vidskepliga pratade om att det skulle komma ett svart år; till och med de yngre byborna var nedslagna över förlusten. ”Sainte-Marines högtid var det enda vi hade gemensamt som by”, förklarade Capucine och hällde ett väl tilltaget mått *devinnoise* i sin kaffekopp. ”Det var det enda tillfälle då vi verkligen försökte samla våra krafter. Nu håller allt på att falla sönder. Och vi kan inte göra någonting åt det.”

Hon gestikulerade mot fönstret, men jag behövde inte titta ut för att förstå vad hon menade. Varken vädret eller fisket hade blivit bättre. Augustis höga tidvatten gick mot sitt slut, men det skulle bli ännu värre i september, och höstdagjämningen i oktober skulle innebära stormar som svepte in från Atlanten och tvärs över ön. Rue de l'Océan var skummande lera. Förutom *Eleanore* hade flera flatbottnade *platts* spolats ut till havs, trots att de dragits långt ovanför tidvattengränsen. Värst av allt var att makrillen nu verkade ha försvunnit helt och hållet, och fisket var dött. Och för att göra saker och ting ännu svårare upplevde fiskarna i La Houssinière en period av makalös framgång.

”Det är en jävla förbannelse”, förklarade Aristide vid ett bord intill. ”Dom där förbannade houssinborna, va. Dom har tagit över allting. Hamnen, staden och nu till och med fisket. Snart har vi inget annat än klipporna att klamra oss fast vid." Han flyttade träbenet till en bekvämare ställning och drack djupt av sin *devinnoise.*

"Inget fel på affärerna i La Houssinière", sa Omer från andra sidan bordet. "Min dotter Mercédès säjer att dom packar fisk i lastbilslass. En del människor har all tur."

"Tur?" Det var Matthias Guénolé som dystert satt och drack för sig själv vid sidan av baren. "Tur har inget med det att göra. Pengar är vad dom har; hårdvaluta och säkra vallar. Vi skulle behöva bådadera."

"Kom inte med det där igen", fräste Aristide. "Du låter som en gammal kärring." Han slängde en mörk blick mot mig; Aristide gjorde ingen hemlighet av sin uppfattning att kvinnor inte borde släppas in på Angélos. "Och vem behöver tur? Om det är kontanter du är ute efter kan du alltid få ett lån av dina vänner i La Houssinière."

Detta var gammalt groll dem emellan, båda två anklagade varandra för att vara i maskopi med fienden.

Matthias reste sig. Hans långa mustasch darrade. "Så du tror att jag skulle ta emot Brismands pengar, va? Du tror att jag skulle sälja mej till *honom?*"

"Det var du som nämnde vallar, inte jag!"

De två gamla männen – båda stod upp nu – blängde på varandra som rivaliserande profeter. Omer, som hade hört på, gick emellan. "Nu räcker det, hörni." Hans vänliga ansikte var ovanligt spänt. "Ni är inte dom enda som har problem."

Aristide såg en aning generad ut; trots Omers försök att skydda det med sandsäckar hade familjen Prossages hus varit ett av dem som drabbats värst av översvämningarna.

"Just det", sa Toinette. "Ni två gamla havssulor skulle hellre se hela Les Salants dränkas än glömma era meningsskiljaktigheter för en enda minut."

Aristide satte sig ner igen och försökte se likgiltig ut. ”Det kan du säja till Guénolé”, sa han torrt. ”Han är den som pratar om att sälja sej, inte jag.”

Jag borde ha vetat bättre än att lägga mig i. Men jag kunde inte låta bli. Det jag kommit på vid Les Immortelles stod fortfarande så klart för mig att jag ville att alla andra också skulle förstå. Jag tyckte att det var vårt hopp; klara bevis på att vi kunde skapa vår egen lycka.

”Jag förstår inte hur det kan räknas som att sälja sej om man vill skydda Les Salants”, sa jag så milt jag kunde.

Aristide gav mig ett föraktfullt ögonkast. ”Nu börjar hon”, sa han högt, och slog med käppen mot bordsbenet. ”Hack, hack, hack. Jag förstod att det inte skulle dröja länge!”

Jag var besluten att inte bli arg på honom. ”Man skulle kunna tro att du inte bryr dej om vad som händer här”, sa jag, ”bara inte houssinborna får in en fot.”

”Ha.” Den gamle mannen vände sig om. ”Vad bryr du dej om det? Du klarar dej, du har ju Brismand som tar hand om dej.”

Jag kände mig olustig över att Brismand nämndes. Jag var säker på att han inte förstått konsekvenserna för Les Salants när skyddsvallarna byggdes vid Les Immortelles, och ändå tvekade jag att nämna kopplingen för Aristide, som omedelbart skulle tro det värsta.

”Du har gjort Brismand till något slags demon”, sa jag. ”Det kanske är dags att du skaffar dej lite perspektiv på saker och ting. Accepterar hans hjälp istället för att slåss mot honom.”

”Han kan inte hjälpa oss”, sa Aristide utan att se sig om. ”Det kan ingen.”

”Jag förstår mej inte på er!” utbrast jag. ”Vad har hänt med Les Salants? Allting är en enda röra, vägen är halvt översvämmad, båtar bortspolade, hus fallfärdiga. Varför gör ingen någonting åt det? Varför sitter ni bara och låter det ske?”

Aristide svarade över axeln. ”Vad ska vi göra då? Vända tidvattnet, som Knut den store?”

”Man kan alltid göra *något*”, sa jag. ”Vad säjs om sådana skyddsvallar som dom har i La Houssinière? Sandsäckar, om inte annat, för att skydda vägen.”

”Värdelöst”, fräste den gamle mannen och flyttade otåligt på sitt träben. ”Man kan inte kontrollera havet. Att försöka är lika hopplöst som att spotta mot vinden.”

Vinden kändes skön i ansiktet när jag missmodigt gick över Rue de l'Océan. Vad var det för mening med att försöka hjälpa till? Vad var det för mening med någonting, om Les Salants vägrade förändras? Det är den här envisa stoicismen som karaktäriserar salantsborna, en egenskap som inte fötts ur självsäkerhet utan ur fatalism, ja, till och med ur vidskeplighet. Vad var det han hade sagt? *Att försöka är lika hopplöst som att spotta mot vinden.* Jag tog upp en sten från vägen och kastade den så långt jag kunde mot blåsten; den föll i en klump *oyat* och försvann. För ett ögonblick tänkte jag på min mor; hur all hennes värme och alla goda föresatser hade eroderats bort och gjort henne hård och nervös och fylld av bittra tankar. Hon hade också älskat ön. Ett tag.

Men jag har fars envishet inom mig. Det påpekade hon ofta, under våra kvällar i den lilla parislägenheten. Adrienne var mer lik henne, sa hon; en kärleksfull, vänskaplig flicka. Jag hade varit ett besvärligt barn, tillbakadragen, trumpen. Om bara inte Adrienne varit tvungen att flytta till Tanger...

Jag svarade inte på dessa klagomål. Det var meningslöst att ens försöka. Jag hade för länge sedan slutat att påpeka det uppenbara, att Adrienne nästan aldrig skrev eller ringde, och att hon inte en enda gång bjöd henne att komma och hälsa på. Adrienne hade inte varit tvungen att flytta någonstans – det var som om hon och Marin ville lägga ett så stort avstånd som möjligt mellan sig och Le Devin. Men för min mor var Adriennes tystnad helt enkelt ett bevis på att hon var hängiven sin nya familj. De få brev vi fick sparades girigt; en polaroidbild av barnen intog hedersplatsen ovanför öppna spisen. Adriennes nya liv i Tanger – romantiserat till en oigenkännlig saga med souker och tempel – var det nirvana som vi båda borde sträva efter, och till vilket vi så småningom skulle kallas.

Jag skakade av mig de otrevliga tankarna. För ögonblicket var jag ensam med mina slutsatser, det enda jag hade som bevis var en sidentrasa. Men jag behövde mer bevis – för min egen såväl som de andras skull – bevis som jag skulle kunna ställa Claude Brismand inför, och som, förhoppningsvis, skulle få honom att hjälpa till. Säkerligen, tänkte jag, skulle han bli tvungen att agera om jag kunde visa vad han omedvetet ställt till med, påpeka hans ansvar.

Först gick jag hem. Huset såg fortfarande ut som samma förödande slagfält och för ett ögonblick tappade jag nästan modet. Brismand hade sagt att jag kunde flytta till Les Immortelles precis när jag ville. Jag behövde bara säga till. Jag föreställde mig en ren säng, vita lakan, varmvatten. Jag tänkte på min lilla lägenhet i Paris med parkettgolv och den lugnande doften av färg och polish. Jag tänkte på kaféet mittemot och *moules-frites* på fredagskvällarna och kanske bio efteråt. Varför var jag kvar här? frågade jag mig själv. Varför tvingade jag mig att gå igenom detta?

Jag plockade upp en av mina böcker, slätade ut de skrynkliga sidorna. En frikostigt illustrerad saga om en prinsessa som genom ondskefull trolldom förvandlas till en fågel, och en jägare... Som barn hade jag haft livlig fantasi, mitt inre liv kompenserade öns lugna rytm. Jag hade antagit att min far var likadan. Nu var jag inte så säker på att jag ville ha reda på vad, om något, som låg bakom hans tystnad.

Jag plockade upp några böcker till, avskydde att se dem så vårdslöst utspridda med ryggarna brutna på det krossade glaset. Mina kläder var inte så viktiga – jag hade inte tagit med mig så mycket och jag hade i alla fall tänkt köpa en del i La Houssinière – men jag plockade upp dem och stoppade dem i tvättmaskinen. Mina få papper, ritgrejerna jag haft som barn – en platta med spruckna vattenfärger, en pensel – la jag tillbaka i kartongen bredvid sängen. Det var då jag upptäckte något vid sängens fotända; något blankt och halvt nertrampat i mattan som täckte stengolvet. Det glittrade för mycket för att vara glas och lyste med mjuk glans i en vilsekommen fläck av solljus mellan fönsterluckorna. Jag tog upp det.

Det var min fars medaljong, den som jag lagt märke till tidigare, lite bucklig nu och med en del av den trasiga kedjan dinglande från öglan. Han måste ha tappat den under sin bärsärkagång, tänkte jag; kanske drog han i kragen för att knäppa upp, drog av kedjan och märkte inte när den gled ut under skjortan. Jag tittade närmare på den. Den var försilvrad, ungefär lika stor som ett femfranc-mynt, och det fanns en liten hake på sidan där man kunde öppna och stänga den. Egentligen ett kvinnosmycke. Av någon anledning kom jag att tänka på Capucine. En minnessak.

Jag öppnade den, kände mig absurt skyldig, som om jag spionerade på min fars privatliv, och någonting föll ut i min hand; en luftig hårlock. Den var brun, som hans hår en gång varit, och min första tanke var att det kunde ha varit hans brors. GrosJean verkade inte lagd åt det romantiska hållet, och hade aldrig, så vitt jag visste, kommit ihåg min mors födelsedag eller deras bröllopsdag, och tanken på att han nu skulle gå och bära på en lock av min mors hår var så långsökt att jag log besvärat. Sedan öppnade jag medaljongen lite mer och såg bilden.

Den hade klippts ut ur ett större fotografi; ett ungt ansikte som log ett stort leende i den förgyllda ramen, kort hår som stod rakt upp i pannan och stora runda ögon... Jag betraktade bilden misstroget, studerade den som om jag genom att göra det kunde förvandla min egen bild till bilden av någon som gjort sig mer förtjänt av det. Men visst var det jag; fotot av mig från födelsedagsbilden, ena handen frusen runt tårtspaden, den andra utsträckt ur bilden mot min fars axel. Jag drog upp originalet ur fickan där det började bli kantstött och tummat. Där såg min systers ansikte trumpet ut nu, avundsjukt, ansiktet grinigt bortvänt så där som ett barn gör när det inte får all den uppmärksamhet det är vant vid...

Jag kände hur känslorna vällde upp och färgade ansiktet rött och fick hjärtat att slå fortare. Det var mig han hade valt, trots allt, min bild han burit om halsen med en lock av mitt babyhår intill. Inte mor. Inte Adrienne. Mig. Jag hade föreställt mig att jag var bortglömd, men under hela den här tiden var det mig han kommit ihåg på det här sättet, burit med sig i hemlighet, som en amulett. Vad spelade det för roll att han inte svarat på mina brev? Vad spelade det för roll att han inte ville prata?

Jag reste mig, höll medaljongen hårt i handen, alla tvivel var som bortblåsta. Nu visste jag precis vad jag måste göra.

Jag väntade tills det blev kväll. Tidvattnet var nästan inne då, en bra tidpunkt för det jag skulle göra. Jag tog på mig stövlarna och min *vareuse* och gav mig ut på de vindpinade dynerna. Utanför La Goulue såg jag det matta ljuset från fastlandet, med fyren som blinkade sina röda varningssignaler med jämna mellanrum; på andra ställen var havet upplyst av det där blågröna ljuset som är speciellt för Jadekusten, ibland flammade det starkare när molnen skingrades framför någon bit av månen.

Jag fick syn på Flynn där han stod på taket till sitt blockhus och tittade ut över bukten; jag såg hans silhuett mot himlen. Jag iakttog honom en stund, försökte se vad han höll på med, men han var för långt borta. Jag skyndade mig mot La Goulue, där tidvattnet snart skulle vända.

I väskan som hängde över min axel hade jag ett antal brandgula flöten som fiskarna använde till sina makrillnät. Som barn hade jag lärt mig simma med hjälp av ett livbälte tillverkat av sådana flöten, och vi hade ofta använt dem för att märka ut hummertinor och krabbkorgar utanför La Goulue, samlat in dem bland klipporna vid ebb och bundit ihop dem till jättelika halsband. På den tiden hade det varit en lek, men en allvarlig sådan; alla fiskare betalade en franc för varje återlämnat flöte, och det var ofta de enda fickpengar vi fick. Leken, och flötena, skulle hjälpa mig ikväll.

Jag stod på stenarna under klippan och slängde ut dem i havet, trettio stycken allt som allt, och bemödade mig om att kasta dem utanför vågsvallet och ut i den öppna strömmen. En gång i tiden, för inte så länge sedan, skulle flötena ha spolats tillbaka in i bukten med nästa tidvatten. Nu – men det var det som var experimentet.

Jag stod kvar i några minuter och tittade. Trots vinden var det varmt, en sista sommarfläkt, och när molnen skingrades ovanför mitt huvud såg jag Vintergatans breda fält på himlen. Jag kände mig plötsligt mycket lugn och väntade, under en stjärnhimmel som gnistrade vild och jättelik, på att tidvattnet skulle vända.

14

GENOM ATT DET LYSTE I KÖKSFÖNSTRET visste jag att GrosJean kommit tillbaka. Jag såg hans kontur där, en cigarett mellan läpparna, den böjda figuren som en stenstod mot det gula ljuset. Jag bävade. Skulle han prata? Skulle han få ett raseriutbrott?

Han vände sig inte om när jag steg in. Det hade jag inte väntat mig; istället förblev han orörlig i den förödelse han orsakat, en kopp kaffe i ena handen och en Gitane mellan de gula fingrarna i hans kupade hand.

"Du tappade din medaljong", sa jag och la den på bordet bredvid honom.

Jag tyckte mig ana en förändring i hans hållning, men han såg inte på mig. Han verkade orubblig; likgiltig och tung som statyn av Sainte-Marine.

"Jag ska ta itu med stället imorgon", sa jag. "Det krävs lite arbete, men jag ska se till att det snart är bekvämt för dej igen."

Fortfarande inget svar. Istället för att bli arg tyckte jag plötsligt mycket synd om honom, om hans ömkliga tystnad, hans trötta ögon.

"Det blir bra", sa jag. "Det kommer att ordna sej." Och jag gick fram och slog armarna om hans hals, kände hans gamla doft av salt och svett och färg och fernissa, och vi satt så i ungefär en minut tills cigaretten brunnit ner till en fimp och föll ur hans hand ner på stengolvet i en kaskad av gnistor.

Morgonen därpå steg jag upp tidigt och gick iväg för att leta efter mina flöten. Jag såg inga spår av dem vare sig vid La Goulue eller längre upp i bäcken mot Les Salants; men det hade jag inte väntat mig heller. Detta var magra tider för Den Giriga.

Jag var i La Houssinière före sex; himlen var klar och blek, och det var bara ett fåtal människor – mest fiskare – som syntes till. Jag tyckte jag såg Jojo-le-Goëland gräva ute i sanden och ett par figurer långt ute vid tidvattenlinjen med de stora fyrkantiga nät som houssinborna använder för att fånga räkor. I övrigt låg platsen öde.

Jag hittade mitt första brandgula flöte under kajen. Jag tog upp det och gick vidare mot vågbrytaren, stannade då och då för att vända på en sten eller en tångruska. När jag var framme vid vågbrytaren hade jag plockat upp minst ett dussin flöten och sett ytterligare tre inkilade mellan klipporna, precis utom räckhåll.

Allt som allt sexton flöten. En god fångst.

”Är det en lek?”

Jag vände mig för snabbt och tappade väskan i den blöta sanden så att innehållet föll ut. Flynn tittade nyfiket på flötena. Hans hår blåste som en varningsflagga i vinden.

”Nå, är det det?”

Jag mindes den kyla han visat dagen innan. Idag verkade han avspänd, nöjd med sig själv, explosiviteten var borta ur hans ögon.

Jag svarade inte med en gång. Istället tvingade jag mig själv att plocka upp flötena och stoppa tillbaka dem, mycket långsamt, i väskan. Sexton av trettio. Lite mer än hälften. Men det var tillräckligt för att bekräfta det jag redan visste.

"Jag hade aldrig riktigt föreställt mej dej som strandletare", sa Flynn medan han fortfarande iakttog mig. "Hittat något intressant?"

Jag undrade hur han *hade* föreställt sig mig. En stadsflicka på semester? Ett störande moment? Ett hot?

Jag satte mig vid foten av muren och berättade vad jag kommit på med hjälp av ritningar i sanden. Jag huttrade – morgonbrisen var sval – men jag var klar i huvudet. Bevisen var tydliga, så lätta att upptäcka när man väl började se efter. Brismand måste ta sig i akt nu när jag hade hittat dem. Han skulle bli tvungen att lyssna på mig.

Flynn tog det hela med en irriterande brist på förvåning. Jag undrade varför jag valt att berätta min nyhet för honom, en utlänning, en främling. Det var klart att han inte brydde sig. Alla ställen var likadana för honom. "Bryr du dej inte? Är du överhuvudtaget intresserad av vad som händer här?"

Flynn betraktade mig med ett besynnerligt ansiktsuttryck. "Det här är en vändpunkt för dej, eller hur? Sist vi pratades vid tvådde du mer eller mindre dina händer när det gällde alla i Les Salants. Inklusive din far."

Jag kände hur ansiktet blev hett. "Det är inte sant", sa jag. "Jag försöker hjälpa till."

"Jag vet. Men du slösar bara tid."

"Brismand kommer att hjälpa mej", sa jag envist. "Han är tvungen."

Han log utan humor. "Tror du?"

"Om han inte gör det så får vi tänka ut något på egen

hand. Det finns gott om folk i byn som vill hjälpa till. Nu när jag har bevis."

Flynn suckade. "Du kan inte bevisa någonting för dom här människorna", sa han tålmodigt. "Din logik övergår deras förstånd. Dom sitter hellre och ber och klagar tills vattnet stiger över deras huvuden. Tror du verkligen att några av dom kommer att lägga sina meningsskiljaktigheter åt sidan till förmån för det gemensamma? Tror du att dom skulle lyssna om du föreslog det?"

Jag blängde på honom. Han hade naturligtvis rätt. Jag hade sett tillräckligt. "Jag kan försöka", sa jag. "Någon är tvungen."

Han flinade. "Du vet väl vad dom kallar dej i byn? La Poule. Kacklar alltid om nånting."

La Poule, Hönan. För ett ögonblick stod jag tyst, för arg för att kunna prata. Arg på mig själv för att jag brydde mig. På hans glättiga defaitism. På deras korkade, tröga likgiltighet.

"Se det från den ljusa sidan", sa Flynn skadeglatt. "Nu har du åtminstone ett önamn."

15

JAG SA TILL MIG SJÄLV att jag aldrig skulle ha pratat med honom. Jag litade inte på honom, jag gillade honom inte; varför hade jag förväntat mig att han skulle förstå? Medan jag marscherade över den öde stranden mot det vita huset med samma namn kände jag hur vågor av värme och kyla omväxlande drog genom kroppen. Dåraktigt nog hade jag sökt hans bifall därför att han var en främling, en fastlänning, en man som hittade lösningar på tekniska problem. Jag hade velat imponera på honom med mina egna slutsatser; bevisa för honom att jag inte var den viktigpetter han trodde. Och han hade bara skrattat. Sanden knastrade under stövlarna när jag gick uppför trappan till esplanaden; jag hade sand under naglarna. Jag skulle aldrig ha brytt mig om Flynn, upprepade jag ilsket. Jag skulle ha litat på Brismand.

Jag hittade honom i lobbyn på Les Immortelles, i färd med att gå igenom några register. Han verkade glad att se mig och för ett ögonblick kände jag en sådan lättnad att jag var farligt nära att brista i gråt. Hans armar omslöt mig; hans eau-de-cologne doftade starkt, rösten var ett muntert rytande. ”Mado! Jag tänkte precis på dej. Jag har köpt dej en present.” Jag hade släppt min väska med flöten på klinkergolvet. Jag försökte andas i hans enorma omfamning. ”Ett ögonblick bara. Jag ska hämta den åt dej. Jag tror att det är din storlek.”

För ett ögonblick var jag ensam i lobbyn medan Brismand försvann in i ett av de bakre rummen. Sedan dök han upp igen och bar på något som var inslaget i silkespapper. ”Kom igen, *chérie*, öppna det. Rött är din färg. Det ser jag.”

Mamma hade alltid utgått ifrån att jag, till skillnad från Adrienne och henne själv, helt enkelt inte var intresserad av vackra saker. Med mina hånfulla kommentarer och mitt påtagliga ointresse för mitt yttre hade jag fått henne att tro det, men sanningen var att jag föraktat min syster och hennes affischer och skönhetsprodukter och hennes fnittrande tjejkompisar eftersom jag insåg att det var meningslöst att visa något intresse. Bättre att låtsas att jag inte ville ha sådana saker. Bättre att inte bry sig.

Silkespappret gav ifrån sig små spröda ljud under mina fingrar. För ett ögonblick tappade jag talförmågan.

”Du tycker inte om den”, sa Brismand och mustaschen hängde som på en ledsen hund.

Överraskningen gjorde mig mållös. ”Jo”, fick jag fram till sist. ”Den är underbar.”

Han hade gissat min storlek på pricken. Och klänningen var vacker: klarröd crêpe de chine som glödde i det kyliga morgonljuset. Jag såg mig själv klädd i den i Paris, kanske med högklackade sandaler och håret utsläppt…

Brismand såg ut att vara komiskt belåten med sig själv. ”Jag tänkte att den skulle få dej att tänka på annat. Muntra upp dej.” Hans ögon sökte sig mot väskan med flöten vid mina fötter. ”Vad är det där, Mado lilla? Strandfynd?”

Jag ruskade på huvudet. ”Efterforskningar.”

Det hade varit lätt för mig att berätta för Flynn om mina slutsatser. Jag tyckte det var mycket svårare med Brismand, trots att han lyssnade utan att visa tecken på att han fann det lustigt, och emellanåt nickade på ett intresserat sätt när jag beskrev mina resultat med hjälp av många gester.

"Det här är Les Salants. Du ser huvudströmmarnas riktning från La Jetée. Det här är den förhärskande vinden västerifrån. Det här är Golfströmmen, här. Vi vet att La Jetée skyddar öns östra sida, men sandbanken *här*" – jag betonade ordet genom att knacka med fingret – "leder bort strömmen *här* som går förbi Pointe Griznoz och slutar *här* vid La Goulue."

Brismand nickade tyst uppmuntran.

"Eller gjorde åtminstone det en gång. Men nu har det förändrats. Istället för att sluta här går den förbi La Goulue, och slutar *här*."

"Vid Les Immortelles, ja."

"Det var därför *Eleanore* missade den lilla viken och hamnade på andra sidan ön. Det är därför makrillen har flyttat på sej."

Han nickade igen.

"Men det är inte allt", fortsatte jag. "Varför ändras förhållandena nu? *Vad* är det som har förändrats?" Han verkade fundera över detta ett ögonblick. Hans blick svepte över strandkanten, speglade solljuset. "Titta." Jag pekade över stranden mot de nya vallarna. Från den plats där vi satt såg vi dem tydligt, vallens trubbiga näsa stack ut åt öster, vågbrytare i vardera änden.

"Du ser hur det har blivit så. Ni har förlängt vallen tillräckligt för att göra detta till en skyddad plats. Vågbrytarna hjälper till att hindra sanden från att spolas bort. Och vallen skyddar stranden och flyttar strömmen en liten bit åt det *här* hållet och för sand från La Jetée – från *vår* sida av ön – mot Les Immortelles."

Brismand nickade igen. Jag sa till mig själv att han inte kunde ha förstått hela innebörden.

"Förstår du vad som har hänt?" frågade jag. "Vi måste göra något. Det måste stoppas innan det går ännu längre."

"Stoppas?" Han höjde på ena ögonbrynet.

"Javisst. Les Salants – översvämningarna –"

Brismand la sina händer medkännande på mina axlar. "Mado lilla. Jag vet att du försöker hjälpa till. Men Les Immortelles måste skyddas. Det var därför vågbrytaren byggdes en gång. Jag kan knappast ta bort den nu bara för att några strömmar har ändrats. Dom skulle kunna ha ändrats ändå." Han släppte ut en av sina monumentala suckar. "Föreställ dej ett par siamesiska tvillingar", sa han. "Ibland är det nödvändigt att skilja dom åt så att en kan överleva." Han kikade på mig för att förvissa sig om att jag förstod vad han sa. "Och ibland måste man fatta ett svårt beslut."

Jag stirrade på honom, kände mig plötsligt bortdomnad. Vad var det han sa? Att Les Salants måste offras så att La Houssinière kunde överleva? Att det som höll på att hända var något oundvikligt?

Jag tänkte på alla de år han hade hållit kontakten med oss; de pratsamma breven, bokpaketen, presenterna som kom då och då. Hålla alla vägar öppna, hålla kontakten. Försvara sin investering.

"Du visste det, eller hur?" sa jag långsamt. "Du har vetat hela tiden att det här skulle inträffa. Och du sa aldrig ett ord."

Hans hållning, böjda axlar och händerna nerstoppade i fickorna, lyckades förmedla hur djupt sårad han kände sig av den grymma anklagelsen. "Mado lilla. Hur kan du påstå det? Visst är det olyckligt. Men sånt händer. Och om jag får säja det så förstärker det bara min oro för din far, och min fasta övertygelse att han i slutänden kommer att bli lyckligare någon annanstans."

Jag såg på honom. "Du sa att far var sjuk", sa jag tydligt. "Vad exakt är det för fel på honom?" För ett kort ögonblick såg jag honom tveka. "Är det hjärtat?" framhärdade jag. "Levern? Lungorna?"

"Mado, jag känner inte till detaljerna, och ärligt talat –"

"Är det cancer? Skrumplever?"

"Som jag sa, Mado, så känner jag inte till några detaljer." Nu var han mindre jovialisk, och käkarna var spända. "Men jag kan tillkalla min läkare när som helst om du vill, så får han ge sin balanserade, professionella åsikt."

Min läkare. Jag tittade ner på Brismands present i dess kokong av silkespapper. Solskenet svepte över det eldiga sidenet. Han hade rätt, tänkte jag; rött var min färg. Jag visste att jag skulle kunna lägga allt i hans händer. Resa tillbaka till Paris – den nya säsongen skulle just sätta igång på gallerierna – arbeta på mina nya verk. En del stadsbilder den här gången; kanske några porträtt. Kanske var jag redo att byta motiv efter tio år.

Men jag visste att jag inte skulle göra det. Saker och ting hade förändrats; ön hade förändrats, och samtidigt någonting inom mig. Den hemlängtan jag känt till Les Salants under hela den tid jag varit borta hade blivit mer fysisk, hårdare. Och hemkomsten: illusionerna, stämningen, besvikelserna, glädjen – jag insåg nu att inget av detta verkligen hade inträffat. Inte förrän nu hade jag kommit hem.

"Jag visste väl att jag kunde lita på dej." Han hade uppfattat min tystnad som att jag höll med. "Du skulle kunna flytta in på Les Immortelles tills vi rett ut saker och ting. Jag tycker inte om att du ska bo på det där stället med Gros-Jean. Du ska få min finaste svit. Gratis."

Till och med nu, trots att jag var säker på att han dolde sanningen för mig, kände jag mig absurt tacksam. Jag skakade det av mig. "Nej tack", hörde jag mig själv säga. "Jag tänker bo hemma."

16

VECKAN SOM FÖLJDE förde med sig ytterligare ett utbrott av dåligt väder. Saltängarna bakom byn svämmade över och därmed omintetgjordes två års återvinningsarbete. Sökandet efter helgonet fick skjutas upp på grund av de höga tidvattnen, men det var bara en handfull optimister som fortfarande trodde på att det skulle gå att hitta henne. Ytterligare en fiskebåt gick förlorad; Matthias Guénolés *Korrigane*, den äldsta båten på ön som var i bruk, gick på grund i hårda vindar alldeles utanför La Griznoz, och Matthias och Alain lyckades inte rädda henne. Till och med Aristide tyckte det var synd.

"Hundra år gammal var hon", sörjde Capucine. "Jag minns när hon gick ut när jag var flicka. Underbara röda segel. På den tiden hade Aristide förstås sin *Péoch ha Labour*, och jag minns hur de gick ut tillsammans, den ene försökte få vind först så att han skulle skära av den andre. Det var förstås innan hans son Olivier omkom och Aristide miste benet. Efter det låg *Péoch* och blev förstörd i *l'étier* tills tidvattnet tog henne en vinter, och han lyfte inte ett finger för att rädda henne." Hon ryckte på sina runda axlar. "Man skulle inte ha känt igen honom på den tiden, Mado. Han var en annorlunda man då, i sina bästa år. Kom aldrig över Oliviers död. Nämner honom aldrig nuförtiden."

Det var en onödig olycka. Det är det alltid. Olivier och

Aristide undersökte en förlist trålare vid La Jetée under ebben; plötsligt kantrade den och Olivier blev instängd under vattenlinjen. Aristide försökte nå honom från *Péoch*, men halkade ner mellan båten och vraket och krossade benet. Han ropade på hjälp men ingen hörde. Tre timmar senare plockades Aristide upp av en passerande fiskare, men vid det laget hade tidvattnet vänt och Olivier drunknat.

”Aristide hörde alltihop”, sa Capucine och spetsade sitt kaffe med en skvätt *crème de cassis*. ”Sa att han hörde Olivier ropa på hjälp därinne, skrika och gråta medan vattnet steg.”

De hittade aldrig kroppen. Tidvattnet drog ner trålaren i Nid'Poule innan de hann söka igenom den, och den sjönk alldeles för snabbt. Hilaire, den lokale veterinären, amputerade Aristides ben (det finns ingen läkare i Les Salants och Aristide vägrade att låta sig behandlas av en houssinbo) men han säger att han fortfarande känner av det, det kliar och värker om nätterna. Han anser att det beror på att Olivier aldrig blev begravd. Men de begravde benet, däremot – Aristide insisterade på det – och man kan fortfarande se graven längst bort i La Bouche. Det står en trästolpe där, och på den har någon skrivit: *Här ligger gamle Bastonnets ben – på marsch mot härligheten!!* Under har någon planterat något som liknar blommor men som vid närmare betraktande visar sig vara en rad potatis. Capucine misstänker en Guénolé.

”Sedan rymde hans andre son, Philippe”, fortsatte hon. ”Och Aristide kastade sej in i en rättstvist med familjen Guénolé, och Désirée, som inte hade några egna barn kvar, tog hand om Xavier. Stackars gamle Aristide blev aldrig densamme efter det där. Inte ens när jag sa till honom att det inte var hans ben jag brydde mej om." Hon gnäggade med trött liderlighet. "Mer *café-cassis?*"

Jag skakade på huvudet. Utanför husvagnen hörde jag Lolo och Damien skrika åt varandra bland dynerna.

"På den tiden var han en stilig karl", mindes Capucine. "Jag antar att dom var stiliga allihop på den tiden, alla mina pojkar. Cigarett?" Hon tände den snabbt, drog in röken med ett njutningsfullt morrande. "Inte? Det borde du. Man blir lugn."

Jag log. "Tack, jag tror inte det."

"Du gör som du behagar." Hon ryckte på sina runda axlar som vickade under sidenmorgonrocken. "Jag behöver mina små laster." Hon knyckte på nacken mot asken med chokladkörsbär som stod vid fönstret. " Är du snäll och ger mej en till, gumman."

Asken var ny, hjärtformad, nästan full.

"En beundrare", sa hon och stoppade en sötsak i munnen. "Jag har fortfarande det som behövs, trots min ålder. Ta en."

"Nej, jag tror att du tycker mer om dom än jag gör", sa jag.

"Raring, jag tycker mer om *allting* än du", sa Capucine och himlade med ögonen.

Jag skrattade. "Du låter då inte översvämningarna bekymra dej."

"Åh." Hon ryckte på axlarna igen. "Jag kan alltid flytta om jag blir tvungen", sa hon. "Det skulle vara lite besvärligt att flytta den här gamla saken efter så många år, men det skulle jag klara." Hon skakade på huvudet. "Nej, det är inte jag som behöver bekymra mej. Men när det gäller dom övriga –"

"Jag vet." Jag hade redan berättat för henne om förändringarna i Les Immortelles.

”Men det verkar vara en sån struntsak”, protesterade hon. ”Jag förstår fortfarande inte hur några meter vågbrytare kan spela så stor roll.”

”Åh, det behövs inte mycket”, sa jag. ”Avled en ström med några meter. Det ser inte mycket ut för världen. Och ändå kan det förorsaka förändringar runt hela ön. Det är som dominobrickor som faller. Och det vet Brismand. Han kan till och med ha planerat det på det sättet.”

Jag berättade för henne om Brismands liknelse med de siamesiska tvillingarna. Capucine nickade och styrkte sig med ytterligare ett antal chokladkörsbär medan hon lyssnade. ”Raring, dom där jäkla houssinborna tror jag om vad som helst”, sa hon obekymrat. ”Hm. Du borde smaka på en av dom här. Jag har mängder.” Jag skakade otåligt på huvudet. ”Men varför vill han egentligen ha översvämmad mark?” fortsatte Capucine. ”Han har inte större användning för den än vi.”

Trots Flynns varningar hade jag försökt informera salantsborna under hela den där långa veckan. Angélos kafé verkade vara det bästa stället för att nå folk, och jag gick ofta dit i förhoppningen att väcka intresse hos fiskarna. Men det pågick alltid kortpartier, schackturneringar, fotbollsmatcher på satellitteve som var viktigare, och när jag framhärdade möttes jag av tomma blickar, artiga nickningar, muntra ögonkast som gjorde att mina goda intentioner frös och fick mig att känna mig löjlig och arg. Rösterna tystnade när jag kom in. Ryggar kröktes. Ansikten nollställdes. Jag hörde dem nästan viska, som pojkar när en sträng lärare kommer in. ”Här kommer La Poule. Fort. Se upptagna ut.”

Aristides fientliga inställning mot mig hade inte ändrats.

Det var han som gett mig öknamnet La Poule; och mina försök att upplysa salantsborna om tidvattnets rörelser hade bara förvärrat hans antagonism. Nu mötte han mig med bistra sarkasmer var gång jag korsade hans väg.

"Här kommer hon, La Poule. Har du nån ny idé om hur du ska rädda oss, va? Ska du föra oss till Det förlovade landet? Göra oss till miljonärer allihop?"

"Titta, det är La Poule. Vad har du för plan idag? Ska du vända tidvattnet? Stoppa regnet? Uppväcka dom döda?"

Capucine berättade att hans bitterhet delvis berodde på att sonsonen hade föga framgång hos Mercédès Prossage, trots hans rivals motgångar. Xaviers besvärande blyghet så fort flickan var i närheten verkade vara ett större handikapp än att familjen Guénolé förlorat sitt levebröd, och Aristides vana att hela tiden bevaka Mercédès och skälla på henne om hon så mycket som pratade med någon annan än Xavier gjorde inte situationen bättre. Ett resultat av detta var att Mercédès var trumpnare och hånfullare än vanligt; och trots att jag ofta la märke till att hon satt vid sidan av *l'étier* när båtarna kom in, verkade hon inte bry sig om någon av sina unga beundrare utan filade bara naglarna eller läste en tidning, klädd i alla möjliga slags utmanande kläder.

Ghislain och Xavier var inte ensamma om att dyrka henne. Med viss munterhet noterade jag att också Damien tillbringade ovanligt mycket tid vid bäcken, där han rökte cigaretter med kragen uppfälld mot vinden. Lolo lekte ensam i dynerna utan honom, och såg övergiven ut. Mercédès la förstås inte alls märke till Damiens förälskelse, och om hon gjorde det så visade hon det inte. När jag såg skolbarnen komma hem från La Houssinière i den lilla minibussen så satt Damien ofta ensam, tyst till och med bland sina vänner. Flera gånger såg jag blåmärken i hans ansikte.

"Jag tror att houssinbarnen är tuffa mot våra barn i skolan", sa jag till Alain samma kväll på Angélos. Men Alain var oförstående. Ända sedan hans fars *Korrigane* gått förlorad hade han varit sur och svår att få kontakt med, hörde en förolämpning i minsta kommentar.

"Pojken måste lära sej", sa han korthugget. "Det har alltid funnits översittare bland ungar. Han får lära sej att leva med det, helt enkelt, precis som vi andra fick göra."

Jag sa att jag tyckte det var en ganska hård inställning till en trettonårig pojke.

"Nästan fjorton", sa Alain. "Det är så saker och ting förhåller sej. Houssinbor och salantsbor. En korg med krabbor. Så har det alltid varit. Min far var tvungen att ge mej stryk för att jag skulle gå till skolan, så rädd var jag. Men jag överlevde, eller hur?"

"Att överleva är kanske inte tillräckligt", sa jag. "Vi kanske måste ge igen."

Alain flinade på ett otrevligt sätt. Bakom honom tittade Aristide upp och flaxade med armarna. Jag kände att ansiktet blev hett men jag struntade i honom.

"Du vet vad houssinborna håller på med. Du har sett vallarna vid Les Immortelles. Om vi hade haft något liknande vid La Goulue, så kanske –"

"Ha! Det där igen!" fräste Aristide. "Till och med Rouget säjer att det inte skulle fungera!"

"Ja, det där igen!" Nu var jag arg och flera personer tittade upp när de hörde min röst. "Vi hade kunnat vara trygga om vi gjort som houssinborna. Vi kan fortfarande bli trygga, om vi bara gör något nu, innan det är för sent."

”Göra något? Göra vadå? Och vem ska betala för det?”

”Vi allihop. Vi skulle kunna gå ihop. Vi skulle kunna lägga ihop våra resurser.”

”Struntprat! Det går aldrig!” Den gamle mannen hade rest sig och såg på mig över Alains huvud med vildsinta ögon.

”Brismand gjorde det”, sa jag.

”Brismand, Brismand.” Han stötte i marken med sin käpp. ”Brismand är rik. Och han har tur!” Han hostade fram ett hest skratt. ”Det vet alla på ön!”

”Brismand skapar sin egen tur”, sa jag förnuftigt. ”Och det skulle vi också kunna göra. Det vet du, Aristide. Den där stranden – den skulle ha kunnat vara vår. Om vi kan komma på ett sätt att vända på det som är gjort...”

För ett ögonblick möttes Aristides och mina blickar, och jag tyckte att något hände mellan oss; någonting som liknade förståelse. Sedan vände han sig bort igen.

”Dagdrömmar”, fräste han och hårdheten var tillbaka i rösten. ”Vi är salantsbor. Vad i helvete skulle vi med en strand till?”

17

MODFÄLLD OCH ARG koncentrerade jag min energi på att reparera huset. Jag hade ringt min hyresvärd i Paris och förvarnat om att jag tänkte vara borta ett par veckor till, och hade överfört lite pengar från mitt sparkonto, och nu ägnade jag mycket tid åt att städa, måla om och göra fint. Gros-Jean verkade ha lugnat ner sig lite, även om han fortfarande knappast sa något; han brukade se på mig under tystnad medan jag jobbade, och hjälpte ibland till med disken eller höll i stegen när jag ersatte takpannor som saknades. Ibland stod han ut med radion; sällan med samtal.

Ännu en gång var jag tvungen att tolka innebörden i hans tystnader, läsa hans kroppsspråk. Som barn hade jag kunnat det; jag lärde mig det på nytt, som att spela på ett nästan bortglömt musikinstrument. De små gesterna, omärkliga för en utomstående men fyllda av betydelser. De gutturala ljuden, som betydde tillfredsställelse eller trötthet. Det sällsynta leendet.

Jag insåg att det som jag tagit för trumpenhet eller avsmak i själva verket var en djup och tyst depression. Det var som om min far helt enkelt hade dragit sig undan från det dagliga livet, sjunkit, som en båt som gått i kvav, genom djupare och djupare lager av likgiltighet tills det nästan var omöjligt att nå honom. Inget jag gjorde för honom kunde tränga igenom den likgiltigheten; och hans dryckesslag på Angélos verkade bara förvärra det hela.

"Han repar sej så småningom", sa Toinette när jag gav uttryck för min oro. "Han blir så där ibland – i en månad, sex månader eller längre. Jag önskar bara att en del andra människor kunde göra detsamma."

Jag hade hittat henne i trädgården, där hon samlade sniglar från vedstapeln i en stor kastrull; hon verkade vara den enda av salantsborna som tyckte om dåligt väder.

"Det är i alla fall en sak som är bra med regnet", sa hon och böjde sig så djupt att det knakade i ryggraden. "Det tvingar fram sniglarna." Hon sträckte mödosamt på sig bakom vedstapeln och smällde en snigel i kastrullen med en grymtning. "Ha! Jag fick den lille jäkeln." Hon höll fram kastrullen och visade mig. "Det där är den bästa måltiden i världen. Dom bara kryper omkring och väntar på att bli plockade. Man lägger dom i salt ett tag för att dra ut slemmet. Sen lägger man dom i en kastrull med några schalottenlökar och rödvin. Evigt liv. Vet du vad", la hon plötsligt till, och räckte fram kastrullen mot mig, "ta några stycken till din far. Det borde locka fram honom ur skalet, va?" Hon kraxade belåtet åt skämtet.

Jag önskade att det var så enkelt. La Bouche var orsaken, det var jag säker på; GrosJean gick fortfarande dit varenda dag, trots att översvämningen knappast minskat. Ibland stannade han till skymningen, grävde halvhjärtat runt de vattensjuka gravarna, men oftast stod han bara vid åmynningen och såg vattennivån höjas och sänkas. La Bouche var nyckeln, upprepade jag för mig själv. Om det fanns något sätt att nå fram till min far så var det så jag skulle lyckas.

18

EN BLÖT AUGUSTI störtade in i en stormig september, och även om vinden åter vred mot väst så förbättrades inte förhållandena vid Les Salants. Aristide drog på sig en elak förkylning när han samlade skaldjur i det grunda vattnet vid La Goulue. Toinette Prossage blev också sjuk, men vägrade gå till Hilaire.

"Jag tänker inte låta den där veterinären säja åt mej vad jag ska göra", väste hon irriterat. "Låt honom ta hand om getterna och hästarna. Så desperat har jag inte blivit än."

Omer låtsades skämta om det, men jag såg att han var orolig. Luftrörskatarr vid nittio års ålder kan vara allvarligt. Och det var ännu värre väder att vänta. Det visste alla, och man tappade lätt behärskningen.

De flesta var överens om att La Bouche var det minsta problemet.

"Det har alltid varit ett dåligt ställe", sa Angélo, som kom från Fromentine och därför inte hade några släktingar på La Bouche. "Det är inte mycket man kan göra åt det."

Det var bara de äldre som var bedrövade vad gällde den översvämmade gravplatsen; bland andra Désirée Bastonnet, Aristides fru, som besökte sin sons minnessten med rörande punktlighet varje söndag efter mässan. Även om man visade förståelse för Désirées känslor, var den allmänna meningen att de levande måste prioriteras framför de döda.

Det var emellertid Désirée som satte igång nästa serie av händelser. Jag hade bara hälsat på henne som hastigast sedan jag kom tillbaka, och hon hade knappt ens varit hövlig i sin brådska att ge sig av, även om jag misstänkte att hennes blyghet mer berodde på rädsla att stöta sig med Aristide än ovilja mot att prata med mig. Nu kom hon ensam till fots på vägen från La Houssinière, svartklädd som vanligt. Jag log mot henne när hon gick förbi mig, hon hälsade med en förvånad blick och log sedan tillbaka, med en förstulen blick åt båda hållen. Hennes lilla ansikte guppade under den svarta öhatten. I ena handen hade hon en bukett gula blommor.

"Mimosa", sa hon när hon såg att jag tittade. "Det var Oliviers favoritblomma. Vi hade alltid såna på hans födelsedag – det är en så söt liten blomma med en underbar doft." Hon log tafatt. "Aristide säjer förstås att det är trams, och dom är så dyra så här års. Men jag tänkte –"

"Du är på väg till La Bouche."

Désirée nickade. "Han skulle ha fyllt femtiosex."

Femtiosex; kanske hade han varit pappa. Jag anade det i hennes ögon, någonting ljust och outsägligt sorgset; tanken på de barnbarn som kunde ha funnits.

"Jag ska köpa en plakett", fortsatte hon. "Till kyrkan i La Houssinière. '*Älskad son. Försvunnen till havs.*' Jag kan lägga blommorna under den när jag är i Les Immortelles, säjer Père Alban." Hon log sitt rara och smärtfyllda leende mot mig. "Din far kan skatta sej lycklig, Mado, oavsett vad Aristide säjer", sa hon. "Han kan skatta sej lycklig att du kommit hem."

Detta var det längsta tal jag någonsin hört från Désirée Bastonnet. Jag blev så förvånad att jag knappt fick fram ett ord; och när jag väl bestämt hur jag skulle svara hade hon gått förbi mig, med mimosabuketten fortfarande i handen.

Jag fann Xavier vid *l'étier*, i färd med att spola av några tomma hummertinor. Han såg ännu blekare ut än vanligt och glasögonen fick honom att se ut som en akademiker som gått vilse.

"Din farmor ser inte frisk ut", sa jag. "Du borde säja åt mej nästa gång hon vill gå till La Houssinière. Hon borde inte gå till fots, inte vid sin ålder."

Xavier såg besvärad ut. "Hon är bara förkyld", sa han. "Hon tillbringar för mycket tid på La Bouche. Hon tror att det ska inträffa ett mirakel om hon bara ber tillräckligt länge." Han ryckte på axlarna. "Jag tror att om helgonet tänkte utföra ett mirakel åt oss så hade hon gjort det vid det här laget."

På andra sidan bäcken såg jag Ghislain och hans bror vid *Eleanores* vrak. Mercédès satt, förutsägbart nog, i närheten och filade naglarna i en chockrosa t-tröja med texten GET IT HERE. Xavier hade ögonen på henne hela tiden medan vi pratade.

"Jag har blivit erbjuden ett jobb i La Houssinière", sa han. "Packa fisk. Bra betalt."

"Jaså?"

Han nickade. "Man kan inte stanna här för evigt", sa han. "Måste vara där pengarna finns. Alla vet att det är slut med Les Salants. Jag kan lika gärna ta det som erbjuds innan någon annan gör det.

På andra sidan vattnet hörde jag Ghislain skratta, aningen för högt, åt något Damien sagt. En lång rad multar slängdes nonchalant över *Eleanores* förstäv.

"Han köper den där fisken av Jojo-le-Goëland", anmärkte Xavier tyst. ”Han låtsas att han fångar den vid La Goulue. Som om *hon* skulle bry sej om hur mycket fisk han fångar.”

Mercédès tog fram en spegel och målade läpparna, som om hon märkt att vi pratade om henne.

”Om min farfar bara kunde ta reson”, sa Xavier. ”Huset är fortfarande värt en del. Båten också. Om han inte var så helt emot att sälja till houssinbor.” Han såg besvärad ut, som om han avslöjat sig själv.

”Han är en gammal man”, sa jag. ”Han gillar inte förändringar.”

Xavier skakade på huvudet. ”Han har försökt dränera La Bouche”, sa han och sänkte rösten lite. ”Han tror att ingen vet det.”

Det var därför han blivit sjuk, berättade Xavier; förkylde sig medan han grävde diken runt sin sons minnessten. Uppenbarligen hade den gamle mannen grävt tio meter dike utefter gångstigen innan han kollapsade. GrosJean hade hittat honom där, och hämtat Xavier. ”Den gamle idioten”, sa han, inte utan ömhet. ”Han trodde verkligen att han kunde uträtta något.”

Förvåningen måste ha synts i mitt ansikte, för Xavier skrattade. ”Han är inte så tuff som han låtsas”, sa han. ”Och han vet vad Désirée känner för La Bouche.”

Det där förvånade mig. Jag hade alltid sett på Aristide som en patriark som aldrig tog hänsyn till någon annans känslor.

Xavier fortsatte: ”Om han hade varit ensam hade han flyttat till Les Immortelles för flera år sen, när han fortfarande kunde ha fått hyfsat betalt för huset. Men han skulle aldrig göra så mot min farmor. Han har ansvar för henne också.”

Jag tänkte på det där på vägen hem. Skulle Aristide vara en beskyddande äkta man? Skulle Aristide vara sentimental? Jag undrade om min far också var sådan, om det en gång brunnit en eld under den trumpna passiviteten.

19

UNDER DE SENASTE DAGARNA tyckte jag att det hade varit lättare att få kontakt med Flynn, han var mera som han varit när jag träffade honom första gången i La Houssinière tillsammans med de två systrarna. Det kanske berodde på GrosJean; efter mitt beslut att avvisa Brismands erbjudande om att placera far på Les Immortelles hade jag märkt att fientligheten mot mig hade minskat i Les Salants, trots Aristides spefullhet. Jag insåg att Flynn verkligen tyckte om min far och skämdes lite över att jag missbedömt honom. Han hade uträttat en hel del arbete som tack för att han fick utnyttja blockhuset; till och med nu kom han förbi emellanåt med en fisk han fångat (eller stulit), eller några grönsaker, eller för att göra något jobb han lovat GrosJean. Jag började undra hur min far klarat sig överhuvudtaget innan Flynn kom.

”Äsch, han klarade sej bra”, sa Flynn. ”Han är tuffare än man kan tro, och mycket envis.” Jag hade hittat honom i blockhuset den kvällen, i färd med att arbeta med sitt vattenförråd. ”Sanden under stenarna filtrerar vattnet”, förklarade han. ”Kapillärkrafterna för upp det till ytan. Det enda jag behöver göra är att pumpa upp det genom det här röret.”

Det var en typiskt genial idé. Jag hade sett spår efter hans arbete överallt i byn: den gamla väderkvarnen som hade byggts om för att dränera vatten från åkrarna; generatorn i

GrosJeans hus; ett dussin skadade eller trasiga prylar som hade lagats, polerats, smorts, anpassats, byggts om och satts tillbaka i fungerande skick utan annan hjälp än skicklighet och några reservdelar.

Jag berättade om mitt samtal med Xavier, och frågade om man kunde bygga något liknande för att dränera vatten från La Bouche.

"Man kan kanske dränera", sa Flynn och tänkte över förslaget, "men man kan inte hålla det torrt. Det blir översvämning så fort tidvattnet är högt."

Jag funderade över detta. Han hade rätt; La Bouche behövde något mer än dränering. Vi behövde något liknande vågbrytaren i La Houssinière, en stabil barriär av sten som kunde skydda La Goulues inlopp och hindra tidvattnet från att attackera bäcken. Jag sa det till Flynn.

"Om houssinborna kunde bygga en vall", sa jag, "så kan vi det också. Vi skulle kunna bygga den med sten hämtad utanför La Goulue. Vi skulle kunna se till att det blev säkert igen."

Flynn ryckte på axlarna. "Kanske. Under förutsättning att du kan få tag i pengar på nåt sätt. Och övertala tillräckligt med folk att hjälpa till. Och räkna ut exakt var den ska vara. Några meter fel åt ena eller andra hållet så kommer alltihop att vara bortkastad tid. Man kan inte bara stapla upp hundra ton sten utanför spetsen på udden och hoppas att det ska fungera. Man behöver en ingenjör."

Jag lät mig inte nedslås. "Men det skulle kunna gå?" insisterade jag.

"Förmodligen inte." Han kikade på pumpmekanismen och justerade den. "Det skulle bara flytta problemet någon annanstans. Och det skulle inte förhindra erosionen heller."

”Nej, men det skulle kunna rädda La Bouche.”

Flynn såg road ut. ”En gammal kyrkogård? Vad är det för mening med det?”

Jag påminde honom om GrosJean. ”Allt det här har tagit honom hårt”, sa jag. ”Helgonet, La Bouche, *Eleanore*...” Och naturligtvis, sa jag tyst för mig själv, min egen återkomst och de upprörda känslor den fört med sig.

”Han ger mej skulden”, sa jag till sist.

”Nej. Det gör han inte.”

”Han tappade helgonet på grund av mej. Och nu det som hänt med La Bouche –”

”För Guds skull, Mado. Måste du alltid ta på dej ansvaret? Kan du inte låta saker ha sin gång?” Flynns röst var torr. ”Han skyller inte på dej. Han anklagar sej själv.”

20

I BESVIKELSEN ÖVER ATT HA MISSLYCKATS med att övertala Flynn, gick jag direkt till La Bouche. Det var ebb och vattennivån var låg, men trots det låg många gravar under vatten, och det fanns djupa pölar på stigen. Skadorna gick djupare nära bäcken; havsslam sipprade över den raserade kanten på den förstärkta banken.

Jag kunde se att detta var den svaga punkten; ett område som inte var större än tio till femton meter långt. När tidvattnet forsade uppför bäcken rann det över, precis som det gjorde i Les Salants, innan det la sig till ro på saltängarna bortanför. Om bara banken kunde höjas lite så vattnet fick mer tid på sig att rinna undan.

Någon hade redan försökt, med hjälp av sandsäckar som staplats upp mot bäckens brädd. Antagligen min far eller Aristide. Men det var tydligt att enbart sandsäckar inte räckte; det skulle behövas hundratals för att det skulle ge något som helst skydd. Jag funderade åter på en stenbarriär; inte vid La Goulue utan här. En temporär åtgärd, kanske, men ett sätt att skapa uppmärksamhet; göra salantsborna medvetna om möjligheterna...

Jag tänkte på fars traktor och släpvagnen på det övergivna varvet. Det fanns en lyftkran också, om jag bara kunde få den att fungera: en vinsch som var till för att flytta båtar i läge för inspektion eller reparation. Den var långsam, men jag visste att den kunde klara vilken fiskebåt som helst, till och med en sådan som Jojos *Marie Joseph*. Med hjälp av kranen, tänkte jag, skulle jag till och med kunna dra lösa stenar mot bäcken för att skapa ett slags barriär, en som sedan skulle kunna förstärkas med uppkastad jord och hållas på plats av stenar och presenningar. Det skulle kunna fungera, sa jag till mig själv. I vilket fall som helst var det värt ett försök.

Det tog mig nästan två timmar att få traktorn och lyftkranen till La Bouche. Då hade det redan blivit mitt på eftermiddagen, men solen lyste spöklik bakom en molnslöja, och vinden hade vänt ännu en gång, rätt mot söder. Jag hade fiskarstövlar och *vareuse* på mig, en stickad mössa och handskar, men det började ändå kännas kallt och vinden var fuktig; inte regn utan den sortens skum som kommer från det stigande tidvattnet. Jag kontrollerade solens läge; jag gissade att jag hade fyra eller fem timmar på mig. Inte mycket för att göra det som behövde göras.

Jag arbetade så snabbt jag kunde. Jag hade redan sett några stora lösa stenar, men de var inte så lösa som jag först trott, och jag var tvungen att gräva loss dem ur sanddynen. Vatten välde upp runt dem och jag använde traktorn för att dra fram dem ur deras håligheter. Lyftkranen rörde sig med irriterande långsamhet, manövrerade stenarna på plats med sin grova arm. Jag var tvungen att flytta dem flera gånger innan jag fick rätt läge, varje gång fick jag lägga de kraftiga kedjorna runt stenarna och gå tillbaka till lyften, sedan sänka armen så att stenen låg precis på kanten av bäcken, i rätt position för att jag skulle kunna ta bort kedjorna. Jag blev genomblöt direkt, trots fiskarutrustningen, men det märkte jag knappt. Jag såg vattennivån stiga; nivån var redan farligt hög vid den skadade banken och små vindpustar krusade vattnet. Men nu låg stenarna på plats, täckta av en presenning, och det enda jag nu behövde göra var att lägga på ett antal mindre stenar och lite jord för att förankra alltihop.

Det var då lyftkranen gick sönder. Jag är inte säker på om det var armen som utsatts för större påfrestningar än den klarade av, eller om det var något med motorn, eller kanske berodde det på de grunda vatten som jag dragit den igenom, men den stannade och vägrade röra sig igen. Jag slösade tid på att försöka hitta orsaken till felet, och när det visade sig omöjligt började jag flytta stenar för hand, valde de största jag klarade av och cementerade fast dem med spadlass av jord. Tidvattnet steg muntert, påhejat av sydvinden. I fjärran hörde jag bränningarna slå in över ängarna. Jag fortsatte gräva, körde den lösa jorden till banken med släpvagnen. Jag använde alla presenningar jag tagit med mig, förankrade dem med fler stenar så att jorden inte skulle spolas bort.

Jag hade täckt mindre än en fjärdedel av den nödvändiga sträckan. Men trots det höll mina provisoriska värn. Om bara inte lyftkranen hade gått sönder.

Nu började det skymma, trots att molnen skingrats en aning. Borta vid Les Salants var himlen röd och svart och olycksbådande. Jag stannade upp ett ögonblick för att sträcka på min värkande rygg, och såg silhuetten av någon som stod ovanför mig på dynen.

GrosJean. Jag kunde inte se hans ansikte, men jag såg på kroppshållningen att han iakttog mig. Under en kort stund fortsatte han att göra det, och när jag sedan började röra mig mot honom, klumpigt plaskande genom det leriga vattnet, vände han sig helt enkelt om och försvann bakom dynkrönet. Jag följde utmattad efter, men för långsamt, och insåg att när jag kom fram skulle han vara borta.

Nedanför mig såg jag strömmen röra sig uppför bäcken. Tidvattnet var inte högt ännu, men från min utsiktspunkt såg jag redan var de sårbara ställena i mina värn fanns, de ställen där sluga tentakler av brunt vatten skulle nöta på den lösa jorden och stenarna, och öppna vägen. Traktorn stod redan till magen i vatten; om det steg ytterligare skulle motorn dränkas. Jag svor och sprang tillbaka mot bäcken, startade traktorn, som stannade två gånger innan jag till sist kunde köra iväg – under oväsen och protester och i ett moln av oljiga ångor – till ett säkrare ställe.

Förbannade tidvatten. Förbannade otur. Ilsket kastade jag en sten i vattnet. Den föll mot sidan av banken med ett ironiskt plask. Jag drog upp resterna av en död azalea och kastade den också. Jag blev medveten om en plötslig apokalyptisk vrede som var på väg att explodera inom mig, och jag sträckte mig efter projektiler som jag kunde kasta, stenar och trä och skräp. Spaden som jag använt låg fortfarande på släpvagnen; jag grep tag i den och började gräva ursinnigt i den dyiga marken, kastade upp omöjliga skurar av jord och vatten. Mina ögon rann, halsen gjorde ont. För ett ögonblick tappade jag fattningen.

”Mado. Sluta. *Mado.*”

Jag måste ha hört honom, men jag vände mig inte om förrän jag kände hans hand på axeln. Mina handflator var fulla av blåsor innanför handskarna. Lungorna brände. Ansiktet var täckt av lera. Han stod bakom mig med vatten upp till fotknölarna. Hans vanliga ironiska uttryck saknades; nu såg han arg och orolig ut.

”För Guds skull, Mado. Ger du dej aldrig?”

”Flynn.” Jag stirrade oförstående på honom. ”Vad gör du här?”

”Jag letade efter GrosJean.” Han rynkade pannan. ”Jag har hittat något som spolats upp utanför La Goulue. Någonting som jag trodde skulle intressera honom.”

”Mer hummer?” föreslog jag beskt, och tänkte på den där första dagen vid La Goulue.

Flynn tog ett djupt andetag. ”Du är lika tokig som han”, sa han. ”Du tar död på dej härute.”

”Någon måste göra någonting”, sa jag och plockade upp spaden som jag tappat när han avbröt mig. ”Någon måste visa dom.”

”Visa vem? Visa vad?” Han försökte behärska sig men lyckades inget vidare; det fanns ett farligt skimmer i hans ögon.

”Visa dom hur man kämpar emot.” Jag blängde på honom. ”Hur man går samman.”

”Går samman?” Han lät hånfull. ”Har du inte redan försökt med det? Kom du nånstans?”

”Du vet varför jag inte kom nånstans”, sa jag. ”Om bara *du* hade engagerat dej – dom skulle ha lyssnat på dej.”

Han sänkte rösten med en kraftansträngning. ”Du verkar inte förstå. Jag *vill* inte engagera mej. Jag har ägnat större delen av mitt liv åt att ångra att jag engagerat mej i det ena efter det andra. Gör man en sak så leder det till en annan och sedan till ännu en.”

”Om Brismand kunde skydda Les Immortelles”, insisterade jag mellan sammanbitna käkar, ”så kan vi göra samma sak här. Vi skulle kunna bygga upp den gamla havsvallen igen, förstärka klippväggen vid La Goulue –”

”Visst”, sa Flynn ironiskt. ”Du och tvåhundra ton sten, en schaktmaskin, en kustingenjör och, javisst ja, ungefär en halv miljon franc.”

För ett ögonblick var jag skakad. ”Så mycket?” sa jag till slut.

”Minst.”

”Du verkar veta mycket om sånt.”

”Ja, så där. Jag lägger såna saker på minnet. Jag såg hur dom gjorde vid Les Immortelles. Det var inte enkelt, ska du veta. Och Brismand byggde på fundament som gjordes för trettio år sen. Du pratar om att börja från noll.”

”Om du ville skulle du kunna komma på nåt”, upprepade jag darrande. ”Du begriper dej på saker och ting. Du skulle kunna hitta på ett sätt.”

”Nej, det skulle jag inte”, sa Flynn. ”Och även om jag kunde det, vad vore det för mening? La Houssinière behöver stranden. Det görs affärer där. Varför rubba balansen?”

”Det har Brismand redan gjort”, sa jag häftigt. ”Han *visste* att han stal vår sand. Sanden från La Jetée, som skulle ha skyddat oss.”

Flynn stirrade mot horisonten som om det fanns något att se där. ”Du ger visst aldrig upp.”

”Nej”, sa jag bestämt.

Han såg inte på mig. De låga molnen bakom honom hade nästan samma ockrafärg som hans hår. Saltlukten från det stigande tidvattnet sved i ögonen.

”Och du kommer inte att ge dej förrän du nått resultat?”

”Nej.”

En paus. ”Är det verkligen värt det?” sa Flynn till sist.

”För mej är det det.”

”Jag menar, om en generation är dom borta allihop. Titta

på dom, för Guds skull. Alla med en gnutta förstånd har gett sej av för länge sen. Vore det inte bättre att bara låta naturen ha sin gång?"

Jag såg på honom utan att säga någonting.

"Samhällen dör ut hela tiden." Hans röst var låg och övertygande. "Det vet du. Det är en del av livet här. Det kan till och med vara bra för en del människor. Tvingar dom att tänka själva igen. Skapa nya liv åt sej. Se på dom, inavel till döds. Dom behöver nytt blod. Här klamrar dom sej bara fast vid ingenting."

"Det är inte sant", sa jag envist. "Dom har rättigheter. Och för många av dom är gamla. För gamla för att börja om någon annanstans. Tänk på Matthias Guénolé och Aristide Bastonnet, eller Toinette Prossage. Ön är det enda dom känner till. *Dom* skulle aldrig flytta till fastlandet, även om deras barn gjorde det."

Han ryckte på axlarna. "Ön är inte bara Les Salants."

"Va? Skulle vi vara andra klassens medborgare i La Houssinière? Hyra ett hus av Claude Brismand? Och var skulle pengarna komma ifrån? Du vet att inget av dom här husen är försäkrade. Dom ligger alldeles för nära havet."

"Les Immortelles finns ju alltid", påminde han mig försiktigt.

"Nej!" Jag förmodar att jag tänkte på far. "Det är inte acceptabelt. Detta är *hemma.* Det är inte perfekt, det är inte ens bekvämt, men det är så det är. Detta är hemma", upprepade jag. "Och vi tänker inte ge oss av."

Jag väntade. Den fylliga doften från det stigande havet var överväldigande. Jag hörde vågorna som ljudet av blod i huvudet, i ådrorna. Jag iakttog honom och väntade på att han skulle säga något, och kände mig plötsligt väldigt lugn.

Till sist såg han på mig och nickade. ”Du är envis. Som din far.”

”Jag är från Les Salants”, sa jag leende. ”Envis som synden.”

Det blev ännu en, längre, paus. ”Även om jag kunde komma på ett sätt, vet du, så kanske det inte skulle gå. Det är en sak att bygga om en väderkvarn, detta är något helt annat. Jag kan inte garantera något. Vi måste få dom att enas. Alla i Les Salants skulle behöva jobba för fullt. Det skulle krävas ett mirakel.”

Det där *vi*. Det fick mina kinder att hetta och hjärtat att slå vilt.

”Men det skulle kunna gå?” Jag lät andlös, idiotisk. ”Det finns ett sätt att stoppa översvämningarna?”

”Jag måste fundera på det. Men det finns ett sätt att få dom att enas.”

Han såg på mig på det där lustiga sättet igen, som om jag roade honom. Men nu var det något annat, en ivrig, fängslande blick, som om han såg mig för första gången. Jag var inte säker på att jag tyckte om den.

”Vet du”, sa han till sist, ”det är inte säkert att någon kommer att tacka dej för det här. Även om det skulle fungera så kan det hända att dom tar illa upp. Du har redan skaffat dej dåligt rykte.”

Det visste jag. ”Det bryr jag mej inte om.”

”Plus att vi kommer att bryta mot lagen”, fortsatte han. ”Man måste ansöka om tillstånd, lämna in handlingar, ritningar. Men det är uppenbarligen inte möjligt.”

”Jag har redan sagt att jag inte bryr mej.”

”Det kommer att krävas ett mirakel”, upprepade han, men jag märkte att han var full i skratt. Hans ögon, som en stund tidigare varit så kyliga, var fulla av ljus och reflexer.

”Än sen då?”

Då skrattade han rakt ut, och jag insåg att även om salantsborna ofta ler, fnissar och till och med skrockar i smyg så är det få som skrattar högt. Det lät exotiskt i mina öron, främmande, ett ljud från en fjärran plats.

”Okej då”, sa Flynn.

Del två

Strömkantring

21

OMERS HUS ÖVERSVÄMMADES UNDER NATTEN. Regnen hade fått bäcken att svälla och när tidvattnet närmade sig sprängde den åter skyddsvallarna, och eftersom Omers hus låg närmast drabbades det först.

"Numera bryr dom sej inte ens om att flytta möblerna", förklarade Toinette. "Charlotte öppnar bara alla dörrar och låter vattnet rinna ut på baksidan. Om jag hade plats skulle dom få bo här, men det går inte. Dessutom driver den där flickan dom har mig till vansinne. Jag är för gammal för flickor."

Mercédès gick igenom sin värsta period. Hon nöjde sig inte längre med Ghislain och Xavier, utan hade börjat hänga på Chat Noir i La Houssinière istället, där hon regerade som drottning över ett antal houssinbeundrare. Xavier skyllde det på Aristides dominanta uppförande. Charlotte, som hade behövt extra hjälp, visste inte vad hon skulle ta sig till. Toinette förutspådde en katastrof.

"Mercédès leker med elden", förklarade hon. "Xavier Bastonnet är en bra grabb, men innerst inne är han lika obstinat som sin farfar. Hon kommer att mista honom – och om jag känner min Mercédès rätt så är det i det ögonblicket som hon kommer att inse att det var honom hon ville ha hela tiden."

Men om hon hade väntat sig att hennes frånvaro skulle

provocera en reaktion, så blev Mercédès besviken. Ghislain och Xavier fortsatte att hålla ett öga på varandra från varsin sida av *l'étier*, som om det var de som var älskande. Små elaka incidenter inträffade, som de anklagade varandra för – ett sönderskuret segel på *Cécilia*, en hink metmask som på något mystiskt sätt hittat vägen ner i en av Ghislains stövlar – fast ingen av dem kunde bevisa något. Unge Damien hade helt försvunnit från Les Salants och tillbringade nu det mesta av sin tid med att hänga på esplanaden och mucka gräl.

Jag drogs också dit. Till och med under lågsäsong fanns det en vitalitet där, en känsla av möjligheter. Les Salants var dödare än någonsin; stillastående. Det gjorde ont att se det. Istället gick jag till Les Immortelles med skissblock och pennor, men mina fingrar var fumliga så jag kunde inte rita. Jag väntade; på vad – eller på *vem* – visste jag inte.

Flynn hade inte gett mig någon vink om vad jag kunde vänta mig. Det var bättre, sa han, om jag inte visste. Mina reaktioner skulle bli mer spontana. Han hade försvunnit ur sikte i flera dagar efter vårt samtal, och även om jag förstod att han planerade något så vägrade han berätta vad det var när jag till slut lyckades spåra upp honom.

”Du skulle inte gilla det.” Han verkade full av energi idag, ögonen var som krut, gråa och glittrande och livliga. Bakom honom stod dörren till blockhuset på glänt och jag såg någonting stå därinne insvept i ett lakan; någonting stort. Mot väggen stod en spade, fortfarande svart av lera från havsbottnen. Flynn såg att jag tittade och sparkade igen dörren. ”Du är så misstänksam, Mado”, klagade han. ”Jag har ju sagt att jag jobbar på ditt mirakel.”

”Hur ska jag veta när det sätter igång?”

”Det kommer du att märka.”

Jag sneglade mot blockhusdörren igen. ”Du har väl inte stulit något?”

”Självklart inte. Det finns ingenting därinne mer än några saker jag hittade när det var ebb.”

”Tjuvfiske igen”, sa jag ogillande.

Han flinade. ”Du låter mej aldrig glömma dom där hummarna, va? Vad är väl lite tjuvfiske vänner emellan?”

”Nån kommer att upptäcka dej endera dan”, sa jag och försökte att inte le, ”och det är rätt åt dej om dom skjuter dej.”

Flynn skrattade bara, men morgonen därpå upptäckte jag ett stort paket inslaget i presentpapper utanför bakdörren, med ett lila band omkring.

Inuti: en ensam hummer.

Inte långt därefter satte det igång, en kall och stormig natt. De här blåsiga nätterna var GrosJean ofta orolig. Han gick upp för att kontrollera fönsterluckorna, eller satt och drack kaffe i köket medan han lyssnade till havet. Jag undrade vad han lyssnade efter.

Den natten hörde jag honom mer än vanligt, eftersom också jag var rastlös. Vinden hade friskat i från syd och jag hörde hur den slet i dörrarna och tjöt i fönstren som plågade råttor. Kring midnatt slumrade jag in och drömde fragmentariskt om min mor, drömmar som jag glömde så gott som genast men som hade att göra med ljudet av hennes andhämtning där vi låg sida vid sida i ett av en lång rad billiga hyresrum; hennes andetag och hur de ibland upphörde i en halv minut innan hon väste sig tillbaka in i livet…

Klockan ett gick jag upp och gjorde kaffe. Genom fönsterluckorna såg jag det röda skenet från fyren på andra sidan La Jetée, och bortom det en brandgul horisont, taggig av blixtar från värmeåskväder. Havet var hest, vinden inte av orkanstyrka men tillräcklig för att vajrarna på de båtar som dragits upp på land skulle sjunga, och emellanåt skicka skurar av sand mot glaset. Medan jag lyssnade tyckte jag att jag hörde en ensam klocka klämta – *dång!* – med ett klagande ljud i vinden. Det kan ha varit inbillning, sa jag till mig själv, natten som spelade ett spratt, men så hörde jag det ännu en gång, sedan en tredje, allt tydligare genom vågorna och vinden.

Jag rös.

Det hade satt igång.

Ljudet av klockan blev allt starkare, kom från udden med vindbyarna. Det lät spöklikt, onaturligt, en klocka från en sjunken kyrka som förebådade en katastrof. När jag såg bort mot den klippiga udden tyckte jag att jag såg någonting, ett dansande blåaktigt sken, från havet. Det sköt upp från marken, en gång, två gånger, och bröts mot molnen i en dov orgie av blek eld.

Plötsligt blev jag medveten om att GrosJean stigit upp och stod bakom mig. Han var fullt påklädd, hade till och med *vareuse* och stövlar.

"Det är inget", sa jag. "Inget att oroa sej över. Det är bara en storm."

Far sa ingenting. Han stod stelt vid min sida, en träfigur, som de leksaker han brukade göra åt mig förr i tiden av skräpvirke från sin verkstad. Det fanns inget som tydde på att han hört mig. Men jag kände något starkt som kom från honom; någonting som tog tag i mig som en kattklo i en strumpa. Hans händer darrade.

”Allt kommer att ordna sej”, upprepade jag dåraktigt.

”La Marinette”, sa far.

Rösten lät hes och oanvänd. För ett ögonblick snubblade stavelserna över varandra i mitt huvud, omöjliga att tyda.

”La Marinette”, sa GrosJean igen, mer uppmanande nu, och la en hand på min arm. Hans blå ögon vädjade.

”Det är bara kyrkklockan”, sa jag lugnande. ”Jag hör den också. Det är bara vinden som för med sej ljudet från La Houssinière.”

GrosJean skakade otåligt på huvudet. ”La – Marinette”, sa han.

Flynn hade – jag var säker på att han låg bakom det här – valt en lämplig symbol vid en lämplig tidpunkt. Men fars reaktion på klockans ljud gjorde mig kall. Där stod han, framåtlutad som en kopplad hund, och kramade min arm så hårt att jag skulle få ett blåmärke. Hans ansikte var vitt.

”Snälla, vad är det?” frågade jag och lösgjorde försiktigt armen. ”Vad är det för fel?”

Men GrosJean hade åter förlorat målföret. Det var bara ögonen som talade, mörka av känslor, som ögonen hos ett helgon som vistats för länge i ödemarken och till slut förlorat förståndet.

”Jag ska gå och se vad det är”, sa jag. ”Jag kommer snart tillbaka.”

Jag lämnade honom där med ansiktet mot fönstret, drog på mig min vattentäta jacka och gick ut i den mörka natten.

22

LJUDET FRÅN VÅGORNA var öronbedövande men man hörde ändå klockan, domedagsklämtningar som tycktes skicka darrningar genom marken. När jag närmade mig sköt ännu en ljuskaskad upp bakom dynerna. Den kastades över himlen, lyste upp allting, och dog sedan bort lika snabbt. Jag såg ljus i fönstren, luckor som öppnades, figurer – knappt igenkännbara i överrockar och yllemössor – som nyfiket stod i dörrar och lutade sig över staket. Jag kände igen Omers oformliga silhuett under vägskylten, bredvid en person i fladdrande morgonrock som inte kunde vara någon annan än Charlotte. Där stod Mercédès i fönstret i pyjamas. Där fanns Ghislain och Alain Guénolé med Matthias alldeles bakom. En klunga barn – bland dem Lolo och Damien. Lolo hade en röd mössa och hoppade av glädje i det svaga ljuset från dörröppningen. Hans skugga skuttade. Hans röst hördes svagt över klockans *dång-dång*.

”Vad i helvete är det som pågår därborta?” Det var Angélo, påpälsad upp till ögonen i fiskarrock med kapuschong. Han höll en ficklampa i ena handen och lyste som hastigast på mitt ansikte, som om han tittade efter inkräktare. Han verkade lugnad när han kände igen mig.

”Jaså, är det du, Mado. Har du varit borta vid udden? Vad är det som händer där?”

”Jag vet inte.” Vinden ryckte i min röst och fick den att låta liten och osäker. ”Jag såg ljuset.”

”Ja, vem kunde missa det, va?” Vid det laget hade Guénolé-männen nått fram till dynen, de bar på fiskarlyktor och hagelgevär. ”Om det är nån jävel som håller på därute ...” Alain gjorde en menande åtbörd med bössan. ”Det skulle just vara likt Bastonnets att hålla på med såna där trick. Jag tänker gå ut till udden och se vad det är som försiggår, men jag lämnar pojken på vakt här. Dom måste tro att jag är född igår om jag skulle gå på nåt sånt här.”

”Vem det än är som ligger bakom, så inte är det Bastonnets”, förklarade Angélo och pekade. ”Jag ser Aristide därborta och Xavier stöder honom. Det ser ut som om han har bråttom också.”

Den gamle mannen haltade verkligen nerför Rue de l'Océan så fort han förmådde, med käppen som stöd på ena sidan och sonsonens arm på den andra. Det långa håret fladdrade vilt under fiskarmössan.

”Guénolé!” vrålade han så fort han kom inom hörhåll. ”Jag borde ha förstått att ni, era jävlar, låg bakom det här. Vad i helvete tror ni att ni håller på med, väcka alla den här tiden på dygnet?”

Matthias skrattade. ”Tro inte att du kan slå blå dunster i ögonen på mej”, sa han. ”Den som är skyldig gapar alltid högst. Du menar väl inte att *du* inte vet vad det här handlar om, va? Varför kom du annars ut så kvickt?”

”Min fru har försvunnit”, sa Aristide. ”Jag hörde dörren slå igen. Ute på klipporna i det här vädret – i hennes ålder. Hon kommer att dra döden på sej!” Han lyfte käppen, rösten sprucken av ilska. ”Kan du inte lämna henne utanför det här?” skrek han hest. ”Räcker det inte att din son – din *son* –” Han slog mot Matthias med käppen, och skulle ha ramlat om inte Xavier hjälpt honom. Ghislain höjde sitt hagelgevär. Aristide skrockade. ”Kom igen då!” tjöt han. ”Skjut mej då, som om jag skulle bry mej! Skjut en gammal enbent gubbe, kom igen, det är vad man kan vänta sej av en Guénolé. Kom igen, jag kan komma närmare om du vill, så att inte ens du kan missa – Santa Marina, varför kan inte den där förbannade klockan sluta klämta?” Han tog ett darrigt steg framåt, men Xavier höll honom tillbaka.

”Far säjer att det är La Marinette”, sa jag.

För ett ögonblick såg både Guénolés och Bastonnets på mig. Sedan skakade Aristide på huvudet. ”Det är det inte”, sa han. ”Det är bara nån som håller på och dummar sej. Ingen har hört La Marinette klämta sen –”

Någon instinkt gjorde att jag tittade bakåt just då, mot dynen. En man stod där i silhuett mot den oroliga himlen. Jag kände igen far. Aristide såg honom också, och svalde det han just tänkt säga med en grymtning.

”Far”, sa jag varsamt och gick mot honom. ”Kan du inte gå hem?”

Men GrosJean rörde sig inte. Jag la armen om honom och kände hur han darrade.

”Hörni, alla är trötta”, sa Alain med mjukare röst. ”Vi kan väl bara gå och se efter vad det är. Jag måste upp tidigt imorgon.” Sedan vände han sig med oväntad häftighet mot sin son: ”Och du – stoppa undan den där jävla bössan, för Guds skull. Tror du att du är i vilda västern?”

”Det är bara bergsalt”, började Ghislain.

”Stoppa undan den, sa jag!”

Ghislain sänkte vapnet med en trumpen min. Utanför udden sköt ytterligare två flammor upp och blå eld knastrade mot den stormiga himlen. Jag kände hur GrosJean ryckte till av ljudet.

”Elmseld”, förklarade Angélo.

Aristide såg inte övertygad ut. Vi gick mot Pointe Griznoz. Vi fick sällskap av Omer och Charlotte Prossage, och sedan Hilaire med sin promenadkäpp, Toinette och ett antal andra. *Dång-dång*, lät den sjunkna klockan, den blå färgen sprakade, och rösterna var gälla av en upphetsning som raskt skulle kunna förvandlas till ilska, rädsla eller något ännu värre. Jag sökte efter Flynn i folkmassan, men han syntes inte till någonstans. Jag kände ett styng av oro; jag hoppades att han visste vad han höll på med.

Jag hjälpte GrosJean uppför dynen medan Xavier sprang i förväg med lyktan, och Aristide följde efter oss med sitt släpande ben, tungt stödd på sin käpp. Folk gick snabbt om oss, med ojämna skutt i den drivande sanden. Jag såg Mercédès, hon hade det långa håret utsläppt och jackan oknäppt över sitt vita nattlinne, och jag förstod varför Xavier sprungit i förväg.

”Désirée”, muttrade Aristide.

”Det ordnar sej”, sa jag. ”Hon klarar sej.”

Men den gamle mannen lyssnade inte. ”Jag hörde den själv en gång, vet du”, sa han nästan för sig själv. ”La Marinette. Sommaren det Svarta Året, den dag Olivier drunknade. Intalade mej själv att det var ljudet från trålarens skrov, som knäppte och slog när havet drog ut det. Senare förstod jag. Det var La Marinette jag hörde klämta den dagen. Hon varnade för en katastrof, så som hon alltid gör. Och Alain Guénolé...” Tonen i hans röst förändrades abrupt. ”Alain var hans vän. Dom var jämnåriga. Fiskade tillsammans ibland, trots att vi inte tyckte om det.”

Han började bli trött, lutade sig tungt mot käppen när vi rundade den stora sanddynen. Bakom den låg Pointe Griznoz klippor; den kvarvarande väggen från Sainte-Marines kapell reste sig som en megalit mot himlen.

"Han skulle ha varit med", fortsatte Aristide i en mästrande ton. "Dom hade avtalat att träffas klockan tolv för att ta i land det som kunde räddas från det gamla fartyget. Om han hade kommit så kunde han ha räddat min son. *Om* han kommit. Men han var visst i sanddynerna med sin flickvän istället? Evelyne Gaillard var det, Georges Gaillards flicka från La Houssinière. Han glömde bort tiden. Glömde bort tiden!" upprepade han, nästan glättigt. "Knullade som fan, med en houssinflicka till råga på allt, medan hans vän, min son..."

Han flämtade när vi kommit över dynen. En grupp från Les Salants var redan framme och deras ansikten var upplysta av ficklampor och lyktor. Elmselden – om det nu var det – hade försvunnit. Klockan hade också slutat klämta.

"Det är ett tecken", skrek någon – jag tror det var Matthias Guénolé.

"Det är ett trick", muttrade Aristide.

Fler människor anlände medan vi stod och tittade. Jag gissade att halva byn redan var här, och vi skulle snart vara ännu fler.

Vinden skar i våra ansikten med salt och sand. Ett barn började gråta. Bakom mig hörde jag ljudet av böner. Toinette skrek något om Sainte-Marine, en bön eller en varning.

"Var är min fru?" ropade Aristide över oväsendet. "Vad har hänt med Désirée?"

"Helgonet", skrek Toinette. "Helgonet!"

"*Titta!*"

Vi tittade. Och där stod hon, ovanför oss, i den lilla nischen, högt uppe på kapellväggen. En primitiv figur, knappt synbar i det svaga ljuset, hennes grova drag etsade av eld. Ficklampornas och lyktornas rörelser fick henne att röra sig på sin omöjliga, upphöjda plats, som om hon funderade på att flyga iväg. Högtidskläderna stod ut runt henne och på huvudet satt Sainte-Marines förgyllda krona. Nedanför henne stod de två gamla nunnorna, syster Thérèse och syster Extase, i tillbedjande ställning. Bakom dem såg jag att något ristats eller skrivits på den nakna väggen till det raserade kapellet; något slags graffiti.

"Hur i helvete har hon kommit dit upp?" Det var Alain som stirrade upp mot det vacklande helgonet som om han inte trodde sina ögon.

"Och varför har dom där två skatorna kommit hit?" morrade Aristide och blängde på nunnorna. Men så slutade han. En figur i nattlinne knäböjde på gräset bredvid de två systrarna med knäppta händer. "Désirée!" Aristide haltade så fort han förmådde mot den knäböjande gestalten, som när hon såg honom närma sig vände sina uppspärrade ögon mot honom. Det bleka ansiktet strålade. "Åh, Aristide, hon har kommit tillbaka!" sa hon. "Det har skett ett under."

Den gamle mannen skakade. Han öppnade munnen, men ingenting kom ut på ett tag. Rösten var skrovlig när han sträckte ut handen mot sin fru och sa: "Du fryser, din tokiga gamla kärring. Vad skulle du hit ut och göra utan kappa, va? Jag måste väl ge dej min." Han tog av sig fiskarjackan och slängde den över hennes axlar.

Désirée tog emot den, nästan utan att märka det. "Jag hörde helgonet", sa hon, fortfarande med ett leende på läpparna. "Hon talade – åh Aristide, hon *talade* till mej."

Undan för undan samlades folk vid foten av väggen.

”Gode Gud”, sa Capucine och gjorde tecknet mot olycka. ”Är det verkligen helgonet däruppe?”

Angélo nickade. ”Men bara Gud vet hur hon har kommit dit.”

”Sainte-Marine!” skrek någon från andra sidan sanddynen. Toinette föll på knä. En suck gick genom folkmassan – *ahhhh*! Bränningarna slog regelbundet mot marken som ett hjärta.

”Hon är sjuk”, sa Aristide och försökte dra Désirée på fötter. ”Kan nån hjälpa mej?”

”Åh, nej”, sa Désirée. ”Jag är inte sjuk. Inte nu längre.”

”Hallå! Ni där!” Aristide vände sig till de två karmelitersystrarna, som fortfarande stod under helgonets nisch. ”Tänker ni hjälpa mej med henne eller hur blir det?”

De båda nunnorna stirrade på honom, utan att röra sig.

”Vi har mottagit ett budskap”, sa syster Thérèse.

”I kapellet. Som Jeanne d'Arc.”

”Nejnej, inte alls som Jeanne d'Arc, det var röster, *ma sœur*, inte visioner, och se hur det gick för henne.”

Jag ansträngde mig för att förstå vad de sa genom vindbruset.

”Marine-de-la-Mer, helt klädd i vitt med sin –”

”Krona och lykta, och en –”

”Slöja för ansiktet.”

”En slöja?” Jag trodde att jag började förstå.

Systrarna nickade. ”Och hon talade till oss, Mado lilla.”

”Talade. Till oss.”

”Är ni säkra på att det var hon?” Jag kunde inte låta bli att fråga.

Karmelitersystrarna såg på mig som om jag var korkad. ”Jamen, det är klart att det var, Mado lilla. Vem –”

"Skulle det annars ha varit? Hon sa att hon skulle komma tillbaka i kväll, och –"

"Här är hon."

"Däruppe."

Det sista sa de unisont, med glittrande ögon. Bredvid dem lyssnade Désirée Bastonnet hänfört. GrosJean, som hade åhört det hela utan att röra sig, tittade upp med ögonen fulla av stjärnor.

Aristide skakade otåligt på huvudet. "Drömmar. Röster. Inget av det där är värt att lämna en varm säng för. Kom nu, Désirée."

Men Désirée skakade på huvudet. "Hon talade till dom, Aristide", sa hon med bestämd röst. "Hon sa åt dom att komma. Dom kom hit – du sov – dom knackade på dörren, dom visade mej tecknet på kapellväggen –"

"Jag visste att det var dom som låg bakom!" exploderade Aristide ursinnigt. "Dom där skatorna –"

"Jag tycker inte att han ska kalla oss skator", sa syster Extase. "Det är otursfåglar."

"Vi gick hit", sa Désirée. "Och helgonet talade till oss."

Bakom oss sträcktes halsar. Ögon kisade mot den sandiga vinden. I smyg gjorde fingrar tecknet mot olycka. Jag hörde hur folk drog efter andan och höll den.

"Vad sa hon?" frågade Omer till slut.

"Hon var inte särskilt helgonlik", sa syster Thérèse.

"Nejnej", instämde syster Extase. "Inte ett dugg helgonlik."

"Det beror på att hon är från Les Salants", sa Désirée. "Inte nån skenhelig houssinbo." Hon log och tog Aristides hand. "Jag önskar att du varit med, Aristide. Jag önskar att du hört henne tala. Det har gått för lång tid sen vår son drunknade; trettio år är för lång tid. Sen dess har det inte varit annat än bitterhet och vrede. Du har inte kunnat gråta, inte kunnat be, du drev bort vår andre son med din ilska och dina översittarfasoner –"

"Håll mun", sa Aristide med ett ansikte av sten.

Désirée skakade på huvudet. "Inte den här gången", sa hon. "Du muckar gräl med alla. Du hackar till och med på Mado när hon föreslår att livet skulle kunna gå vidare istället för att ta slut här. Vad du verkligen vill är att se allt ta slut med Olivier. Du. Jag. Xavier. Alla borta. Allt slut."

Aristide tittade på henne. "Snälla Désirée –"

"Det är ett under, Aristide", sa hon. "Det är som om han själv talat till mej. Om du bara hade sett det." Och i det rosa ljuset lyfte hon sitt ansikte mot helgonet, och i samma ögonblick såg jag någonting falla mjukt mot henne från den höga, mörka alkoven; något som liknade parfymerad snö. Désirée Bastonnet föll på knä vid Pointe Griznoz, omgiven av mimosablommor.

Då vändes alla ögon mot helgonnischen. För ett ögonblick verkade det som om någonting rörde sig – en hoppande skugga, kanske, kastad av lyktorna.

"Det är någon däruppe!" fräste Aristide, ryckte geväret ur sin sonsons händer, siktade och avlossade båda piporna mot helgonet. Det hördes en ljudlig smäll, chockartad i den plötsliga tystnaden.

"Det är klart att Aristide ska skjuta på ett mirakel", sa Toinette. "Du skulle skjuta på jungfrun från Lourdes om du kunde, eller hur, tokstolle?"

Aristide såg skamsen ut. "Jag är *säker* på att jag såg nån."

Désirée hade rest sig till slut, händerna fortfarande fulla av blommor. "Det vet jag att du gjorde."

Förvirringen varade i flera minuter. Xavier, Désirée, Aristide och nunnorna stod i centrum och försökte värja sig mot alla frågor som kastades mot dem. Folk ville se de mirakulösa blommorna, höra helgonets ord, inspektera tecknen på kapellväggen. När jag tittade bortanför udden ett ögonblick tyckte jag mig se något som guppade på ytan långt därnere, och när det vändande tidvattnet gjorde en paus tyckte jag till och med att jag hörde ett plask, som om något träffade vattnet. Men det skulle ha kunnat vara vad som helst. Figuren i nischen – om den överhuvudtaget funnits där – var borta.

23

EN OMGÅNG DRINKAR PÅ ANGÉLOS BAR – öppnad på nytt för detta speciella tillfälle – hjälpte till att lugna ner oss. Tveksamheter och misstankar glömdes – *devinnoise* flödade fritt och en halvtimme senare hade scenen förändrats till något som nästan liknade karnevalsstämning. Barnen, förtjusta över denna förevändning att få vara uppe, spelade flipper i ena hörnet av baren. Det skulle inte vara någon skola nästa morgon, och det var i sig en tillräcklig anledning att fira. Xavier kastade blyga blickar mot Mercédès och fick för första gången ögonkast tillbaka. Mellan drinkarna förolämpade Toinette glatt så många hon kunde. Nunnorna hade till sist övertalat Désirée att gå och lägga sig igen, men Aristide var där och såg ovanligt dämpad ut. Flynn kom in i slutet av raden av människor, klädd i en svart stickad mössa som täckte hans hår. Han blinkade kort mot mig och satte sig sedan diskret vid bordet bakom mig. GrosJean satt bredvid mig med sin *devinnoise*, rökte en Gitane och log oavbrutet. Efter att ha oroat mig över att den underliga ceremonin skulle ha plågat honom på något sätt, insåg jag att min far, för första gången sedan min återkomst, var lycklig.

Han satt kvar vid min sida i över en timme, och gav sig sedan av så tyst att jag knappt märkte det. Jag försökte inte följa efter honom; jag ville inte rubba den sköra balansen mellan oss. Men genom fönstret såg jag honom gå hemåt, det var bara den svaga glöden från hans cigarett som syntes ovanför dynen.

Diskussionen fortsatte. Matthias, som satt vid det största bordet med de mest inflytelserika salantsborna omkring sig, var helt övertygad om att helgonets uppdykande var ett mirakel.

”Vad skulle det annars vara?” frågade han och smuttade på sin tredje *devinnoise*. ”Historien är full av exempel på hur det övernaturliga griper in i det dagliga livet. Varför skulle det inte hända här?”

Det fanns redan lika många versioner av det inträffade som det fanns vittnen. En del förklarade att de faktiskt sett helgonet *flyga* till sin högt belägna plats i det raserade tornet. Andra hade hört spöklik musik. Toinette, som fått äran att sitta bredvid Matthias och Aristide och högeligen njöt av uppmärksamheten, smuttade på sin drink och förklarade att hon varit den första som lagt märke till tecknen på kyrkväggen. Det rådde inget tvivel om att det var ett mirakel, sa hon. Vem skulle ha kunnat hitta det förlorade helgonet? Vem skulle ha kunnat bära henne hela vägen till Pointe Griznoz? Vem skulle ha kunnat lyfta upp henne i nischen? Definitivt ingen mänsklig varelse. Det var helt enkelt inte möjligt.

”Och så var det klockan”, förklarade Omer. ”Den hörde vi alla. Vad skulle det ha kunnat vara om inte La Marinette? Och märkena på kapellväggen...”

Det var definitivt något övernaturligt som inträffat, det var alla ense om. Men vad betydde det? Désirée hade tolkat det som ett meddelande från sin son. Aristide pratade inte om det, utan satt ovanligt tankfull med sitt glas. Toinette sa att det betydde att vår otur var på väg att vända. Matthias hoppades på bättre fiske. Capucine gick, och tog Lolo med sig, men hon verkade också dämpad, och jag undrade om hon tänkte på sin dotter på fastlandet. Jag försökte fånga Flynns blick men han verkade nöjd med att låta diskussionen ha sin gång. Jag förstod vinken och väntade.

”Du håller på att tappa greppet, Rouget”, sa Alain till honom. ”Jag trodde att du åtminstone skulle kunna tala om för oss hur helgonet flög upp till La Griznoz på egen hand.”

Flynn ryckte på axlarna. ”Ingen aning. Om jag kunde uträtta mirakel skulle jag lämna den här hålan och dricka champagne i Paris.”

Tidvattnet hade dragit sig tillbaka, och vinden mojnat. Molnen höll på att skingras och bakom dem var himlen röd av den annalkande gryningen. Någon föreslog att vi skulle gå tillbaka till kapellet och inspektera platsen i dagsljus. En liten grupp anmälde sig som frivilliga; resten gav sig av hemåt, lite vingliga på den ojämna vägen.

Efter en närgången inspektion av märkena på kapellväggen var vi inte mycket klokare. Det såg ut som om de *bränts* in i stenen på något sätt; men det var inga bokstäver som någon kunde tyda, bara något slags primitiv teckning och några siffror.

”Det ser ut som – någon sorts ritning”, sa Omer La Patate. ”Det skulle kunna vara mått som står där.”

”Det kanske har någon religiös innebörd”, föreslog Toinette. ”Ni borde fråga systrarna.” Men nunnorna hade följt med Désirée, och ingen ville missa något genom att gå och hämta dem.

”Rouget kanske vet”, föreslog Alain. ”Han ska föreställa den klipske här, eller hur?”

Huvuden nickade instämmande. ”Ja, ta hit Rouget. Kom igen, släpp fram honom.”

Flynn tog god tid på sig. Han tittade på de brända märkena ur alla vinklar. Hans ögon smalnade, han kisade, kände av vinden, gick ut till klippkanten och såg ut över havet, gick sedan tillbaka och kände på märkena med fingertopparna igen. Om jag inte vetat bättre skulle jag ha trott att han aldrig sett dem förut. Alla iakttog honom, vördnadsfullt och förhoppningsfullt. Bakom honom grydde det.

Till sist tittade han upp.

”Förstår du vad det betyder?” frågade Omer, som inte kunde kontrollera sin otålighet längre. ”Kommer det från helgonet?”

Flynn nickade, och trots att hans ansikte var allvarligt förstod jag att han flinade inombords.

24

ARISTIDE, MATTHIAS, ALAIN, OMER, TOINETTE, XAVIER och jag lyssnade under tystnad när Flynn förklarade. Sedan exploderade Aristide.

”En ark? Menar du att hon vill att vi ska bygga en *ark?*”

Flynn ryckte på axlarna. ”Inte precis. Det är ett konstgjort rev, en flytande mur. Oavsett vad man kallar det så kan man se hur det fungerar. Sanden här”, han pekade på en punkt ute vid La Jetée, ”återvänder hit till La Goulue, istället för att föras ut från kusten. En propp, så att säja, som hindrar Les Salants från att läcka ut i havet.”

Ytterligare en lång, förundrad tystnad följde.

”Och du tror att det är helgonet som gjort det här?” sa Alain.

”Vem annars?” frågade Flynn oskyldigt.

Matthias instämde. ”Hon är vårt helgon”, sa han långsamt. ”Vi bad henne rädda oss. Det här måste vara hennes sätt att göra det.”

Fler nickar. Det verkade vettigt. Uppenbarligen hade helgonets försvinnande misstolkats; hon hade behövt tiden för att göra undersökningar.

Omer såg på Flynn. ”Men vi har ingenting att bygga en mur av”, protesterade han. ”Se bara vad jag betalade för stenarna till väderkvarnen! Kostade mej en förmögenhet.”

Flynn skakade på huvudet. ”Vi kommer inte att behöva

sten", sa han. "Det här måste vara något som flyter. Och det här är *inte* en mur mot havet. En mur skulle förhindra erosion – i alla fall ett tag. Men det här är mycket bättre. Ett rev, på rätt ställe, bygger sitt eget skydd. Med tiden."

Aristide skakade på huvudet. "Du kommer aldrig att få det att fungera. Inte på tio år."

Men Matthias såg fängslad ut. "Jag tror att det skulle kunna gå", sa han långsamt. "Men vad ska det vara för material? Man kan inte bygga ett rev av papper och bark, Rouget. Det kan inte ens du."

Flynn tänkte efter ett ögonblick. "Däck", sa han. "Bildäck. Dom flyter, eller hur? Och man kan få dom gratis på en bilskrot. På en del ställen får man till och med betalt för att frakta bort dom. Man skeppar över dom, kedjar ihop dom..."

"*Skeppar* över dom?" avbröt Aristide. "Med vad? Du skulle behöva hundratals, kanske tusentals däck för det du föreslår. Vad –"

"*Brismand 1* finns ju alltid", föreslog Omer La Patate. "Vi kanske kunde hyra henne?"

"Betala dyra pengar till en houssinbo!" exploderade Aristide. "Ja, det skulle verkligen vara ett mirakel!"

Alain tittade på honom en lång stund under tystnad. "Désirée hade rätt", sa han till sist. "Vi har redan förlorat för mycket. För mycket av allting."

Aristide svängde runt på sin käpp, men jag såg att han fortfarande lyssnade.

"Vi kan inte få tillbaka allt vi förlorat", fortsatte Alain med låg röst. "Men vi kan försäkra oss om att vi inte förlorar mer. Vi kan försöka ta igen den tid vi gått miste om." Han såg på Xavier medan han pratade. "Vi borde slåss mot havet, inte mot varandra. Vi borde tänka på våra familjer. Dött är dött; men *allting återvänder*. Om man låter det göra det."

Aristide såg på honom utan att säga något. Omer, Xavier, Toinette och de övriga tittade förväntansfullt. Om familjerna Guénolé och Bastonnet accepterade planen så skulle alla andra följa efter. Matthias tittade på, outgrundlig bakom sin hövdingamustasch. Flynn log. Jag höll andan.

Så nickade Aristide den korta nick som på ön är ett tecken på respekt. Matthias nickade tillbaka. De skakade hand.

Vi skålade för deras beslut under stenblicken från Marine-de-la-Mer, skyddshelgon för sådant som gått förlorat till havs.

25

DET VAR REDAN MORGON när jag kom hem. GrosJean syntes inte till någonstans och fönsterluckorna var fortfarande stängda, så jag utgick ifrån att han hade gått och lagt sig igen och jag följde hans exempel. Jag vaknade vid halv ett av att någon knackade på dörren, och snubblade halvsovande ut i köket för att öppna.

Det var Flynn.

”Upp och hoppa”, retades han. ”Det är nu det hårda arbetet börjar. Är du redo?”

Jag kastade en snabb blick på mig själv. Barfota, fortfarande halvklädd i gårdagens fuktiga och skrynkliga kläder, det salta håret torrt och styvt som en borste. Han, å andra sidan, verkade lika munter som vanligt, håret prydligt hopsatt vid kragen på överrocken.

”Du behöver inte se så nöjd ut med dej själv”, sa jag.

”Varför inte?” Han flinade. ”Jag tyckte att det fungerade bra. Jag har fått Toinette att gå runt och samla in bidrag, plus att jag har rekvirerat några lårar från fiskfabriken för att bygga revmodulerna. Alain ska ta kontakt med bilverkstaden. Jag tänkte att du skulle kunna bidra med lite vajrar och kedjor till förankringarna. Omer ska blanda cement. Han har fortfarande en del material kvar från väderkvarnen. Om vädret håller i sej tror jag vi kan vara klara i slutet av månaden.” Han gjorde en paus när han såg mitt ansiktsuttryck. ”Jaha”, sa han, ”nånting säjer mej att du tänker ge mej en utskällning. Vad är det? Behöver du kaffe?”

”Du är inte lite fräck”, sa jag.

Han spärrade roat upp ögonen. ”Vad nu då?”

”Du kunde åtminstone ha varnat mej. Du och dina mirakel. Tänk om något hade gått snett? Tänk om GrosJean –”

”Men jag trodde du skulle bli nöjd”, sa Flynn.

”Det är ju löjligt. Innan vi vet ordet av kommer det att stå ett helgonaltare på udden – folk kommer att ta sej hit för att se platsen för underverket.”

”Det vore bra för affärerna om dom gjorde det”, sa Flynn.

Jag struntade i honom. ”Det var grymt. Dom föll för det allihop – stackars Désirée, Aristide, till och med min far. Så lättlurade, allihop. Desperata, vidskepliga människor. Du fick dom verkligen att tro på det, eller hur? Och du *njöt* av det.”

”Än sen då? Det fungerade ju!” Han såg ganska sårad ut. ”Det handlar väl om det, eller hur? Det här har inget med salantsborna och deras värdighet att göra. Det handlar om att jag gjorde det du inte klarade av. En utböling. Och dom lyssnade på mej.”

Jag antar att det skulle ha kunnat vara sant. Jag tyckte inte bättre om honom för att han påpekade det.

”Du hade inga invändningar igår kväll”, sa Flynn.

”Jag förstod inte vad det var som försiggick då. Den där klockan –”

”La Marinette.” Han flinade. ”Jag tyckte det var snyggt gjort. En bandslinga och ett par gamla högtalare.”

”Och helgonet?” Jag avskydde att spä på hans fåfänga, men jag var nyfiken.

”Jag hittade henne samma dag jag stötte på dej vid La

Bouche. Jag skulle berätta för GrosJean, minns du? Du utgick ifrån att jag hade tjuvfiskat."

Det mindes jag. Det teatraliska i det hela måste ha tilltalat honom; poesin. Helgonhögtiden, lyktorna, psalmerna; salantsbornas förkärlek för det pittoreska.

"Jag tog högtidsskruden och kronan från sakristian i La Houssinière. Père Alban kom nästan på mej, men jag lyckades smita i tid. Nunnorna var lättlurade."

Det var de naturligtvis. Detta var vad de väntat på hela livet.

"Hur fick du upp statyn dit?"

Han ryckte på axlarna. "Jag fixade lyftkranen från varvet. Körde upp på den våta sanden under ebb och vinschade henne på plats. När vattnet väl stigit såg det omöjligt ut. Snabbmirakel. Tillsätt endast vatten."

Det var uppenbart, när man väl tänkte på det. När det gällde det övriga, en massa blommor, några nödraketer; stegjärn inslagna på baksidan av kapellväggen, en kanot förtöjd i närheten för en snabb sorti. Alltihop var så enkelt när man hade lösningen. Så enkelt att det nästan var förolämpande.

"Det enda knepiga var när Aristide fick syn på mej på väggen", sa han och flinade. "Bergsalt gör inte så stor skada, men det svider. Tur att det mesta missade mej."

Jag log inte tillbaka. Han såg redan alldeles för nöjd ut med sig själv.

Men han ville inte spekulera om resultatet, förstås. Det var en knepig historia. Naturligtvis måste beräkningar göras – komplicerade matematiska formler baserade på hastigheten hos fallande sandkorn och strandens vinkel och de brytande vågornas fashastighet. Det mesta skulle bli rena gissningar. Men det var det bästa vi kunde åstadkomma på så kort varsel.

"Jag lovar ingenting", varnade Flynn. "Det är en tillfällig åtgärd. Ingen permanent lösning."

"Men om det fungerar?"

"I sämsta fall borde det fördröja skadorna ett tag."

"Och i bästa fall?"

"Brismand har skördat sand från La Jetée. Varför skulle inte vi göra det?"

"Sand från La Jetée", upprepade jag.

"Definitivt tillräckligt för ett sandslott eller två. Kanske mer."

"Mer", sa jag girigt. "Mer."

26

DET MÅSTE VARA SVÅRT FÖR EN FASTLÄNNING att förstå. Sand är ju, när allt kommer omkring, vanligtvis knappast en metafor för något beständigt. Det man skriver i sanden spolas bort. Kärleksfullt byggda slott jämnas med marken. Sanden är envis och undflyende. Den skrubbar stenar och sväljer murar under sina dyner. Den förblir aldrig likadan. På Le Devin är sand och salt allt. Vår mat växer färdigsaltad i en jord som knappt är värdig namnet; våra får och getter får ett läckert, salt kött av att beta på dynerna. Vi tillverkar tegel och murbruk av sand. Våra ugnar och brännugnar är byggda av sand. Den här ön har ändrat form tusen gånger. Den vacklar på randen av Nid'Poule, släpper ifrån sig bitar varje år. Sand som driver in från La Jetée återställer den, rullar sig runt ön som stjärten på en sjöjungfru, rör sig omärkligt från den ena sidan till den andra i ett långsamt skum, vrider sig runt sig själv, suckar, rullar runt. Oavsett vad som i övrigt förändras, kommer det alltid att finnas sand.

Jag säger detta för att fastlänningar ska förstå den upphetsning jag kände under de där veckorna och senare. Första veckan ägnades åt planering. Sedan arbete och mer arbete. Vi steg upp klockan fem på morgonen och slutade inte förrän sent på kvällen. När vädret var bra arbetade vi ända in på nästa dag; när vinden var för hård, eller när det regnade, arbetade vi inomhus – i båthangaren, Omers väderkvarn, ett övergivet potatisskjul – hellre än att förlora tid.

Omer åkte med Alain till La Houssinière för att hyra *Brismand 1*, under förevändning att de behövde henne för att leverera byggnadsmaterial. Claude Brismand var villig; det var lågsäsong och förutom om det gällde nödsituationer användes färjan bara en gång i veckan för matleveranser och sändningar från fiskfabriken. Aristide kände till en däckfirma på vägen till Pornic, och ordnade transporten till *Brismand 1* med samma åkeri som normalt levererade makrillkonserverna från fabriken. Det beslutades att Père Alban skulle ha hand om räkenskaperna – han var den ende som varken Bastonnets eller Guénolés hade några invändningar emot. Dessutom, sa Aristide, skulle till och med en fastlänning tänka sig för innan han lurade en präst.

Finansiering kom från de mest oväntade håll. Toinette dök upp med tretton guldlusidorer som hon hade haft gömda i en strumpa under madrassen, pengar som inte ens hennes familj visste något om. Aristide Bastonnet donerade tvåtusen franc av sitt sparkapital. För att inte vara sämre ställde Matthias Guénolé upp med två och ett halvt tusen franc. Andra gav mer blygsamma summor: ett par hundra franc från Omer, plus fem säckar cement; femhundra från Hilaire, ytterligare femhundra från Capucine. Inga pengar från Angélo, men ett löfte om fri öl till alla arbetare under tiden projektet varade. Detta försäkrade oss om en ständigt ökande arbetsstyrka, fast Omer fick flera reprimander för att han tillbringade mer tid på kaféet än med modulerna.

Jag ringde min hyresvärdinna i Paris och berättade att jag inte tänkte återvända. Hon gick med på att magasinera mina möbler och skicka de få saker jag kunde behöva – kläder, böcker, konstnärsmaterial – med järnväg till Nantes. Jag förde över mina sista tillgångar från sparkontot och avslutade det. I Les Salants skulle jag inte behöva något bankkonto.

Flynn sa att revet måste byggas i sektioner. Varje sektion bestod av hundrafemtio bildäck, fästa i varandra med flygplansvajrar – beställda från fastlandet – och hopstaplade. Det skulle bli totalt tolv sådana moduler, sammansatta på land, sedan uppbyggda vid La Jetée under ebb. Betongplattor, mycket lika dem som används som förtöjning för öns båtar, skulle sänkas i havsbottnen som förankringar, och ytterligare vajrar skulle säkra modulerna. Det var ett mödosamt arbete med bara lyftkranen från varvet att tillgå för att lyfta det tunga byggnadsmaterialet, och vid flera tillfällen gick arbetet i stå för att vi inte lyckades få tag på rätt material i tid, men alla gjorde vad de kunde.

Toinette kom med varm dryck till arbetarna på udden. Charlotte gjorde smörgåsar. Capucine satte på sig overall och en stickad mössa och deltog i cementblandningsavdelningen, och tvingade ett antal av de mer oföretagsamma männen att engagera sig. Mercédès satt i timtal på dynen, hon skulle föreställa budbärare, men hon verkade mer intresserad av att titta på männen som jobbade. Jag körde lyftkranen. Omer staplade däck medan Ghislain Guénolé svetsade samman dem i lårarna. Vid ebb grävde en styrka bestående av barn, kvinnor och äldre män djupa hål där ankarplattorna skulle ligga, och vi använde släpvagnen för att dra ut plattorna till La Jetée vid lågvatten, och markerade ställena med bojar. När det var flod gick Bastonnets båt *Cécilia* ut för att övervaka hur modulerna drev. Och under allt detta gick Flynn omkring med en bunt papper i händerna, mätte avstånd, beräknade vinklar och vindhastigheter, rynkade pannan åt strömmarna som gick i kors och krokar mot La Goulue. Helgonet vakade över oss från sin nisch på Pointe Griznoz, klippan under henne var nerstänkt av ljusvax. Offergåvor – salt, blommor, koppar med vin – var spridda över stenarna vid hennes fötter. Aristide och Matthias gick runt varandra, upprätthöll sitt vapenstillestånd och försökte överträffa varandra i kapplöpningen om att bli färdig. Med sitt träben var gamle Bastonnet oförmögen att uträtta något av det tyngre arbetet, och istället manade han sin olycksalige sonson – ensam mot två Guénolés – till allt större ansträngningar.

I takt med att jobbet fortskred såg jag min fars tillstånd förbättras alldeles oerhört. Han tillbringade inte längre så mycket tid på La Bouche; istället tittade han på byggnadsarbetet, även om han sällan tog aktiv del. Jag såg honom ofta, konturen som av en stenbumling mot toppen av sanddynen, envis och orörlig. Hemma log han allt oftare, och pratade enstavigt med mig flera gånger. Jag kände att till och med hans tystnad förändrats, och hans ögon var inte lika tomma. Ibland stannade han uppe om kvällarna, lyssnade på radio eller tittade på när jag gjorde snabba små skisser i mitt block. Vid ett eller två tillfällen tyckte jag mig lägga märke till en lätt oordning bland skisserna, som om någon tittat igenom dem. Efter det började jag lämna mitt skissblock där han kunde titta på det närhelst han ville, men han gjorde det aldrig när jag var närvarande. Det var en början, sa jag till mig själv. Till och med hos GrosJean verkade det som om något nästan var redo att dyka upp till ytan igen.

Och så var det förstås Flynn. Det hände innan jag visste ordet av, pö om pö, en gradvis erodering av mitt försvar som gjorde mig förbluffad och ouppmärksam. Jag kom på mig själv med att se på honom utan att jag visste varför, studera hans ansikte som om jag planerade ett porträtt, söka efter honom bland folk. Vi hade inte pratat mycket sedan den där morgonen efter miraklet, men ändå verkade saker och ting ha förändrats mellan oss. Det tyckte i alla fall jag. Det var en kombination av omständigheter. Jag la märke till saker som jag inte sett förut. Vi tvingades ihop av uppgiften som låg framför oss. Vi svettades tillsammans när vi staplade däck, blev genomblöta av det stigande tidvattnet när vi kämpade med att sätta modulerna på plats. Vi drack tillsammans på Angélos. Och vi hade en hemlighet. Det förenade oss. Det gjorde oss till konspiratörer; nästan till vänner.

Flynn var en god lyssnare när så krävdes, och var själv en rik källa fylld av roande anekdoter och skrönor, berättelser om England och Indien och Marocko. Mycket av det var trams, men han hade rest, han kände till platser och folk, maträtter och sedvänjor, floder och fåglar. Genom honom reste också jag jorden runt. Men jag kände alltid att det fanns en dold sida hos honom, ett ställe som jag var utestängd ifrån. Det borde inte ha bekymrat mig. Om han hade frågat vad jag väntade mig av honom hade jag kanske haft svårt att svara.

Det hem han skapat åt sig i det gamla blockhuset var bekvämt men provisoriskt. Ett stort inre rum, rent och vitmenat, ett fönster som vette mot havet, stolar, bord, säng, allt-ihop byggt av prylar från stranden. Intrycket var brokigt men ändå behagligt på något sätt, som mannen själv – snäckor instuckna i kittet runt fönstret, stolar tillverkade av bildäck täckta av segelduk. En hängmatta, som en gång varit ett gammalt fiskenät, hängde från taket. Utanför brummade generatorn.

”Det är otroligt vad du har gjort med det här stället”, anmärkte jag när jag såg det. ”Det här var en betongkub fylld med sand.”

”Ja, jag kunde inte bo hos Capucine i all evighet”, sa han. ”Folk började prata.” Eftertänksamt följde han med foten ett mönster av snäckor på betonggolvet. ”Jag skulle göra mej bra som skeppsbruten, eller hur?” sa han. ”Alla hemmets bekvämligheter.”

Jag tyckte det fanns en längtansfull ton i rösten när han sa det. ”Skeppsbruten? Är det så du ser på dej själv?”

Flynn skrattade. ”Glöm det.”

Jag glömde det inte, men jag visste att det var omöjligt att få honom att prata när han inte ville. Hans tystnad hindrade mig dock inte från att spekulera. Hade han kommit till Le Devin på flykt undan rättvisan? Det var möjligt; folk som Flynn tar alltid lite för stora risker, och jag hade undrat varför han hamnat på Le Devin överhuvudtaget, en ö som är så liten att den knappt syns på kartor.

”Flynn”, sa jag till sist.

”Ja?”

”Var är du född?”

”På ett ställe som liknar Les Salants”, sa han obekymrat. ”En liten by på Kerrys kust. Ett ställe med en strand och inte mycket mer.”

Så han var inte engelsman när allt kom omkring. Jag undrade vilka andra felaktiga slutsatser jag hade dragit om honom. ”Åker du aldrig tillbaka dit?” Jag antar att det var svårt för mig att föreställa mig att man inte brydde sig om den plats där man var född, och tänkte att han hade en motsvarande brevduveinstinkt som jag.

”Tillbaka? Herregud, nej. Varför skulle jag göra det?”

Jag såg på honom. "Vad kom du hit för?"

"Sjörövarskatten", sa Flynn med mystisk röst. "Miljoner franc – en förmögenhet – i dubloner. När jag väl grävt upp den sticker jag härifrån – *svisch!* – utan vidare spisning. Las Vegas nästa!" Han log brett. Men än en gång tyckte jag att jag hörde den där längtansfulla tonen, nästan saknad, i hans röst.

Jag såg mig omkring i rummet igen, och för första gången slog det mig att det trots det trivsamma intrycket inte fanns ett enda personligt föremål någonstans; inte ett fotografi, inte en bok, inte ett brev. Han skulle kunna ge sig av imorgon, tänkte jag, utan att lämna något spår efter sig om vem han var eller vart han var på väg.

27

DE FÖLJANDE VECKORNA blev tidvattnet högre och vindarna hårdare. Tre dagars arbete gick om intet på grund av det försämrade vädret. Månen mognade från skärva till tårtbit. Fullmåne vid höstdagjämningen innebär stormar. Det visste vi, och vi jobbade i kapp med månens förändrade utseende utan ett ord.

Efter mitt besök hos honom på Les Immortelles hade Brismand varit osedvanligt tyst. Men jag anade hans nyfikenhet; hans vaksamhet. Han hade skickat mig ett litet meddelande tillsammans med några blommor en vecka efter min visit, och ett öppet erbjudande om att bo på hotellet om det blev för svårt i Les Salants. Han verkade inte veta något om vårt arbete och antog att jag hade tillbringat tiden med att göra huset mer beboeligt för GrosJean. Han berömde min lojalitet, samtidigt som han lyckades förmedla att han var djupt sårad och beklagade min brist på förtroende för honom. Slutligen hoppades han att jag hade på mig gåvan, och uttryckte en önskan om att få se mig i den snart. Den röda klänningen låg i själva verket ouppackad på golvet i min garderob. Jag hade inte vågat prova den. Och dessutom, nu när revet nästan var färdigt, hade jag alldeles för mycket att göra.

Flynn hade helhjärtat kastat sig in i projektet. Oavsett hur hårt vi andra arbetade, fanns Flynn alltid mitt i – lastade av, testade, kollade sina ritningar och predikade för motsträviga arbetare. Han tröttnade aldrig; inte ens när tidvattnet började svälla nästan en vecka för tidigt, tappade han modet. Han skulle själv ha kunnat vara en salantsbo då, som kämpade mot havet för att rädda sin jordbit.

”Varför gör du det här egentligen?” frågade jag honom sent en kväll, när han åter stannade efter de övriga i båthangaren för att säkra kopplingarna på de färdiga modulerna. ”Du sa en gång till mej att det var meningslöst.”

Vi var ensamma i hangaren, det blinkande ljuset från ett ensamt lysrör var inte tillräckligt för det som skulle göras. Lukten av fett och gummi från däcken var mycket stark.

Flynn kisade ner mot mig från toppen av den modul han höll på att kontrollera. ”Är det där ett klagomål?”

”Naturligtvis inte. Jag undrar bara vad som fick dej att ändra uppfattning.”

Flynn ryckte på axlarna och strök luggen ur ögonen. Neonljuset lyste upp honom skarpt, gav hans hår en onaturligt röd färg och fick hans ansikte att se ännu blekare ut än vanligt. ”Du gav mej en idé, helt enkelt.”

”Gjorde jag?”

Han nickade. Jag kände mig fånigt nöjd vid tanken på att jag fungerat som katalysator. ”Jag insåg att med lite ledning så skulle GrosJean och dom andra kunna klara sej länge i Les Salants”, sa han och använde en stor avbitartång för att stänga fästet på en bit flygplansvajer. ”Jag tänkte bara att jag skulle ge dom en puff.”

Jag la märke till att han aldrig sa *vi*, trots att de accepterat honom lättare än mig. ”Och du då?” frågade jag plötsligt. ”Kommer du att stanna?”

”Ett tag.”

”Och sen?”

"Vem vet?"

Jag såg på honom en stund, försökte komma underfund med hans likgiltighet. Platser, människor – ingenting verkade göra något djupare intryck på honom, som om han kunde röra sig genom livet som en sten genom vatten, ren och oberörd. Han klättrade ner från modulen, torkade ren tången och la tillbaka den i verktygslådan.

"Du ser trött ut."

"Det är ljuset." Han strök håret åt sidan igen och lämnade kvar en fettrand i ansiktet. Jag torkade bort den.

"När vi träffades första gången tog jag dej för en dagdrivare. Jag hade fel."

"Det var snällt sagt."

"Jag har aldrig tackat dej ordentligt för allt du gjort för min far heller."

Han började se besvärad ut. "Det var inget. Han lät mej bo i blockhuset. Det var jag skyldig honom." Det fanns en slutgiltig ton i hans röst som antydde att ytterligare tacksamhetsyttringar inte skulle vara välkomna. Och ändå ville jag av någon anledning inte släppa honom.

"Du pratar inte särskilt mycket om din familj", sa jag och drog ena änden av en presenning tillbaka över den färdigbyggda modulen.

"Det är för att jag inte tänker särskilt mycket på dom."

En paus. Jag undrade om hans föräldrar var döda; om han sörjde dem; om det fanns någon annan. Han hade nämnt en bror tidigare, med likgiltigt ogillande som påminde mig om Adrienne. Inga lojaliteter där, alltså. Han kanske tyckte att det var bäst så här, tänkte jag; inga band, inget ansvar. Vara en ö. "Varför gjorde du det?" upprepade jag till sist. "Varför bestämde du dej för att hjälpa oss?"

Han ryckte på axlarna igen, såg otålig ut. ”Varför? Det var ett jobb som behövde göras. Därför att jag fanns på plats, antar jag. Därför att jag kunde göra det.”

Därför att jag kunde göra det. Det var en mening som skulle återkomma, mycket senare, och förfölja mig; just då tog jag det som ett tecken på hans gemenskap med salantsborna, och jag kände ett plötsligt sting av ömhet för honom; för hans synbarliga likgiltighet, för hans lugn, för det metodiska sätt på vilket han la tillbaka verktygen i lådan trots att han var halvdöd av trötthet. Rouget, som aldrig väljer sida, stod på vår.

28

VI BYGGDE FÄRDIGT MODULERNA i hangaren och gjorde oss klara att sätta dem på plats. Cementförankringarna var redan ute vid La Jetée tillsammans med sex av de färdiga modulerna, och det enda som återstod var att med hjälp av släpvagnen dra de återstående modulerna ut på bottnen och sedan med båt till den bestämda positionen, där de skulle kedjas fast vid förtöjningsplatserna. Det skulle krävas lite experimenterande, en del förkortning och förlängning av vajrarna och förflyttning av modulerna. Det skulle ta lite tid att bestämma sig för det bästa sättet att göra detta. Men efter det, sa Flynn, skulle revet hitta sin egen position beroende på vindriktning, och det enda vi kunde göra var att vänta och se om experimentet lyckats.

I nästan en vecka var vattennivån för hög för att man skulle kunna ta sig ut till La Jetée, och vinden för hård för att arbeta i. Den slet i dynen, lyfte upp sandtäcken i luften. Den trasade sönder fönsterluckor och lås. Den förde tidvattnet nästan upp på gatorna i Les Salants och piskade vågorna vid Pointe Griznoz till vitt skum. Inte ens *Brismand 1* la ut, och vi började undra om det skulle lugna sig tillräckligt för att vi skulle kunna göra klart det halvfärdiga revet.

”Det börjar tidigt”, förkunnade Alain pessimistiskt. ”Fullmåne om åtta dagar. Vädret kommer inte att bli bättre innan dess. Inte nu.”

Flynn skakade på huvudet. ”Vi behöver bara en fin dag för att bli klara”, sa han. ”Vi släpar ut grejerna vid ebb. Allt är klart och bara väntar. Efter det borde revet sköta resten på egen hand.”

”Men tidvattnet är helt fel”, protesterade Alain. ”Vattnet går inte tillräckligt långt ut så här års. Och havsvinden hjälper väl inte till. Den för bara tidvattnet tillbaka.”

”Det ordnar sej”, sa Omer hårdnackat. ”Vi tänker inte ge upp nu, när vi är så nära slutet.”

”Arbetet är avklarat”, instämde Xavier. ”Det är bara det sista som måste göras.”

Matthias såg cynisk ut. ”Din *Cécilia* klarar det inte”, sa han kort. ”Du såg vad som hände med *Eleanore* och *Korrigane*. Våra båtar är inte byggda för den här sortens sjögång. Vi borde vänta tills det bedarrar.”

Och så väntade vi dystert på Angélos, som sörjande på en likvaka. Några av de äldre männen spelade kort. Capucine satt i ett hörn med Toinette och låtsades vara intresserad av en tidning. Någon stoppade en franc i jukeboxen. Angélo höll med öl till det fåtal av oss som ville dricka. Istället tittade vi på väderleksrapporterna med kuslig fascination; tecknade blixtar jagade varandra på en karta över Frankrike medan den käcka väderflickan sa att man skulle vara försiktig. Inte så långt härifrån, på L'île de Sein, hade tidvattnet redan jämnat hus med marken. Därute mullrade och blixtrade horisontlinjen. Det var kväll; tidvattnet stod som lägst. Vinden luktade krutrök.

Flynn gick bort från det fönster där han hade stått. ”Det har satt igång”, sa han. ”Imorgon kan det vara för sent.”

Alain såg på honom. ”Du menar väl inte att vi ska göra det ikväll?”

Matthias sträckte sig efter sin *devinnoise* och skrattade, inte på något trivsamt sätt. "Har du sett hur det är därute, Rouget?"

Flynn ryckte på axlarna och sa ingenting.

"Ja, mej får du då inte ut ikväll", sa den gamle mannen. "Ute vid La Jetée i mörkret, med en storm som närmar sej och tidvattnet på väg att vända. Ett bra sätt att ta död på sej själv, va? Eller tror du att helgonet kommer att rädda dej?"

"Jag tror att helgonet gjort allt det arbete hon tänker göra", sa Flynn. "Från och med nu är det upp till oss. Och jag tror att om vi överhuvudtaget ska kunna slutföra jobbet så ska vi göra det nu. Om vi inte förankrar dom där första modulerna snart så kommer vi att förlora möjligheten."

Alain skakade på huvudet. "Bara en galning skulle ge sej ut ikväll."

Aristide skrattade rått från sitt hörn. "Du har det väl för bekvämt härinne, va? Ja, Guénolé-människor har alltid varit likadana. Stannar på kaféet och gör upp planer medan det verkliga livet pågår utanför. Jag följer med", sa han och reste sig med svårighet. "Om inte annat så kan jag hålla i lyktan."

Matthias flög upp. "Du följer med mej", fräste han åt Alain. "Jag tänker inte låta en Bastonnet påstå att en Guénolé är rädd för lite arbete och lite vatten. Gör dej i ordning, och det kvickt! Om jag bara hade min *Korrigane* skulle jobbet vara gjort på halva tiden, men det kan inte hjälpas. Varför –"

"Min *Péoch* fick din *Korrigane* att se ut som en strandad val", utmanade Aristide. "Jag minns en gång när –"

"Ska vi gå?" avbröt Capucine och reste sig. "*Jag* minns en tid när ni två dög till någonting annat än bara prat!"

Aristide sneglade på henne och rodnade under mustaschen.

"Hördudu, La Puce, det här är inget jobb för dej", sa han barskt. "Jag och min grabb –"

"Det är ett jobb för oss allihop", sa Capucine och drog i sin *vareuse*.

Vi måste ha utgjort en märklig procession där vi vadade genom det grunda vattnet mot La Jetée. Jag körde lyftkranen på larvfötter, dess enda strålkastare svepte brett över havsbottnen och fick skuggorna från de frivilliga i sjöstövlar och *vareuse* att dansa. Jag körde fram till vattenbrynet med *Cécilia* på släpvagnen. Den flatbottnade ostronbåten skulle flyta i det grunda vattnet utan problem, och göra det lätt att lasta från sandbottnen. Vi använde lyftkranen för att placera en modul på båten. Den sjönk ner under tyngden men klarade lasten. En man på varje sida stabiliserade den. Flera frivilliga hjälpte till att dra och knuffa *Cécilia* ut på djupare vatten. Långsamt, med hjälp av de långa årorna för att styra och den lilla motorn för fart, rörde sig ostronbåten bort mot La Jetée. Vi upprepade den långsamma, mödosamma processen fyra gånger, och så dags hade tidvattnet vänt.

Jag såg inte mycket av arbetet efter det. Mitt jobb var att leverera delarna till revet och därefter köra lyftkranen och släpvagnen tillbaka till stranden. Längre ut såg jag bara deras ljus, *Cécilias* kontur mot sandbankens svartblå ring, och i lugnet mellan stormbyarna hörde jag de höjda rösterna.

Tidvattnet var hastigt på väg in nu. Utan båt kunde jag inte förena mig med de andra frivilliga, men jag tittade i kikare från dynen. Jag visste att tiden var knapp. På Le Devin stiger tidvattnet snabbt – kanske inte lika snabbt som vid

Mont Saint-Michel, där vågorna kommer in snabbare än en galopperande häst, men definitivt snabbare än en människa kan springa. Det är lätt att bli strandsatt, och i området mellan udden och La Jetée är strömmarna kvicka och farliga.

Jag bet mig i läppen. Det tog för lång tid. Det var sex personer ute vid La Jetée: två Bastonnet, tre Guénolé och Flynn. Egentligen för många för en båt av *Cécilias* storlek. Vid det här laget skulle de vara ute på djupt vatten. Jag såg ljus som rörde sig utefter sandbanken, farligt långt från stranden. En överenskommen signal. *Blink-blink*. Allt gick planenligt. Men det tog för lång tid.

Aristide berättade för mig senare. Den kedja som kontrollerade placeringen av en av modulerna hade fastnat under båten och gjort propellern orörlig. Vattnet steg. Ett arbete som skulle ha varit enkelt vid lågvatten blev i det närmaste omöjligt. Alain och Flynn kämpade i vattnet med den fastkilade kedjan, och använde det fortfarande inte klara revet som hävstång. Aristide satt hopkrupen i *Cécilias* stäv och såg på.

”Rouget!” fräste han när Flynn kom upp till ytan efter ytterligare ett misslyckat försök att få loss kedjan. Flynn såg undrande på honom. Han hade tagit av sig sin *vareuse* och mössan för att kunna röra sig lättare. ”Det går inte”, sa Aristide barskt. ”Inte i det här vädret.”

Alain såg upp och fick en våg rakt i ansiktet. Han försvann hostande och svärande.

”Ni kan fastna därnere”, insisterade Aristide. ”Vinden kan skjuta upp *Cécilia* på revet och ni –”

Men Flynn tog bara ett djupt andetag och dök igen. Alain hävde sig upp i båten.

"Vi måste bege oss tillbaka snart, annars kommer vi inte att ha annat än klippor att dra upp båten på", ropade Xavier genom vinden.

"Var är Ghislain?" frågade Alain och ruskade på sig som en hund.

"Därborta! Alla är tillbaka ombord nu utom Rouget."

Vågorna ökade. En bränning hade börjat bortanför La Jetée, och i ljuset från lyktorna såg de strömmen, som gick tvärs över mot La Griznoz, ta fart när vattnet steg. Det som varit grunt vatten höll på att förvandlas till öppet hav och stormen kom allt närmare. Till och med jag kände det. Luften dallrade av statisk elektricitet. En stöt skakade *Cécilia* – en osäkrad del av revet som låg under vatten – och Matthias svor och satte sig ner med en duns. Alain, som kikade ner i vattnet efter Flynn, ramlade nästan.

"Det här går inte", sa han nervöst. "Om vi inte får fast dom där sista vajrarna kommer det här revet att slita sej självt i stycken."

"Rouget?" ropade Aristide. "Rouget, är du okej?"

"Propellern är fri", ropade Ghislain från aktern. "Rouget måste ha fixat det i alla fall."

"Men var i helvete är han då?" fräste Aristide.

"Hörni, vi måste ge oss iväg snart", insisterade Xavier. "Det kommer ändå att bli svårt att ta sej tillbaka. Pépé", sa han till Aristide, "vi borde verkligen åka tillbaka nu!"

"Nej. Vi väntar."

"Men Pépé –"

"Vi väntar, sa jag!" Aristide sneglade mot Alain. "Ingen ska kunna säja att en Bastonnet övergav en vän i nöd."

Alain mötte hans blick någon sekund och vände sig sedan och rullade ihop ett rep vid fötterna.

En sekund senare kom Flynn upp till ytan, på fel sida av *Cécilia*. Xavier var den förste som såg honom. "Där är han!" skrek han. "Dra in honom!"

Han behövde hjälp. Han hade lyckats få loss kedjan där den satt fast under båten, men nu måste modulen sättas på plats. Någon var tvungen att hålla ihop modulerna så pass lång tid att man kunde knäppa dit fästena. Ett farligt jobb: lätt att bli krossad mellan modulerna om en kraftig våg slog ihop dem. Dessutom låg revet under vatten nu; en och en halv meter svart, gungande hav gjorde jobbet slumpartat i bästa fall.

Alain tog av sig sin *vareuse*. "Jag gör det", erbjöd han sig. Ghislain tänkte ta hans plats, men hans far hindrade honom. "Nej, låt mej", sa han och hoppade i vattnet med fötterna före. De övriga frivilligarbetarna sträckte på halsarna för att se, men *Cécilia*, som inte längre satt fast, drev bort från revet.

Tidvattnet steg alltmer; det var bara en smal remsa lerig botten kvar att gå i land på. Sedan skulle det bara finnas klippor, och med vinden i ryggen skulle de frivilliga vara fångade mellan dem och den annalkande stormen. Jag hörde ett spöklikt klagande ljud från åskådarna ombord på *Cécilia*, lyktan blinkade oroväckande, och i kikaren såg jag att två figurer drogs ombord. På det här avståndet fanns ingen möjlighet att se om allt gått bra eller inte. Det kom ingen signal efter ropet.

Otåligt såg jag från La Goulue hur *Cécilia* drev mot land. Bakom henne gick blixtar över himlen. Månen, bara ett par dagar från att vara full, gled in bakom en molnvägg.

"Dom kommer aldrig att klara det", kommenterade Capucine med ett öga på den allt smalare strandremsan.

"Dom tänker inte gå mot La Griznoz", sa Omer. "Jag känner Aristide. Han har alltid sagt att man borde försöka ta sej till La Goulue om man blir kvar därute. Det är längre, men strömmarna är inte lika starka, och det är lättare att ta sej i land när man kommer fram dit."

Han hade rätt. *Cécilia* rundade udden en halvtimme senare, hon gungade lite men var fortfarande rätt stadig, och vände fören mot La Goulue. Vi sprang mot henne, fortfarande utan att veta om revet blivit färdigt eller utlämnats åt vädrets makter.

"Titta! Där kommer hon!"

Cécilia hade kommit in i bukten. Utanför gick vågorna höga och vitskummande, speglade den hotfulla himlen. Inne i bukten var det relativt lugnt. En fyr blossade rödaktigt och lyste för ett ögonblick upp dem med sitt sken. När vinden mojnade en aning hörde vi dem sjunga med höga röster.

Ett underligt spöklikt ljud där i kylan med den hotande stormen alldeles bakom dem. Ljuset från Aristides lykta lyste upp de sex personerna i båten, och nu när de var närmare kunde jag urskilja de enskilda ansiktena, röda av en lägereldsglöd. Där satt Alain och Ghislain i sina långa rockar, Xavier stod i aktern och bredvid honom satt Aristide Bastonnet och Matthias Guénolé. Det såg ut som en dramatisk tavla, något av John Martin, kanske, med den där apokalyptiska himlen: de två gamla männen med långt hår och krigiska mustascher, med profilerna vända mot land i sammanbiten triumf. Det var först senare som jag insåg att det var första gången jag sett Matthias och Aristide sida vid sida på det sättet, eller hört deras röster höjda i sång. På en timme hade de två fienderna blivit om inte vänner så i alla fall något som liknade allierade.

Jag vadade ut för att möta *Cécilia*. Flera personer hoppade i vattnet för att hjälpa till att ta båten i land. Bland dem var Flynn. Han gav mig en hård kram medan jag drog i *Cécilias* stäv. Trots att han var utmattad glittrade det i ögonen. Jag slog armarna om honom, skakade i det kalla vattnet.

Flynn skrattade. ”Vad är det här?”

”Så ni klarade det.” Min röst darrade.

”Självklart.”

Han var iskall och luktade blött ylle. Lättnaden gjorde mig svag; jag klamrade mig vildsint fast vid honom och vi ramlade nästan båda två. Hans hår slog mig i ansiktet. Hans mun var varm och smakade salt.

I båtens förstäv stod Ghislain och berättade för alla som ville höra hur Alain och Rouget turats om att dyka under modulen för att sätta fast vajrarna. På klippan väntade ett antal bybor – jag kände igen Angélo, Charlotte, Toinette, Désirée och min far bland dem. En samling barn med ficklampor i händerna började hurra. Någon fyrade av en nödraket som skuttade glatt över stenarna mot vattnet. Angélo ropade ner: ”Gratis *devinnoise* till alla frivilligarbetarna! Drick en skål för Sainte-Marine!”

Det avlägsna ropet stämdes upp. ”Länge leve Les Salants!”

”Ner med La Houssinière!”

”Ett fyrfaldigt leve för Rouget!”

Det var Omer, som trängde sig förbi mig mot båtens för. Med Omer på ena sidan och Aristide på den andra hissades Flynn upp ovanför vattnet. Ghislain och Xavier hjälpte till. Flynn satt på deras axlar och log brett.

”Konstruktören!” vrålade Aristide.

”Vi vet inte än om revet kommer att fungera”, sa Flynn,

som fortfarande skrattade. Hans protester dränktes av åska. Någon skrek något muntert och trotsigt mot himlen. Som svar började regnet falla.

29

NU FÖLJDE EN TID AV OVISSHET, för mig lika mycket som för de övriga. Utmattade av det intensiva byggandet uppstod nu ett besvärande vakuum, vi var för trötta för att jobba, för nervösa för att fira. Veckor flöt förbi med samma oroande känsla. Vi väntade, som måsar på vågorna, på att tidvattnet skulle vända.

Alain pratade om att investera i en ny båt. Förlusten av *Korrigane* hade gjort slut på fisket för familjen Guénolé, och även om de försökte hålla skenet uppe var det ganska välkänt i byn att familjen var djupt skuldsatt. Det var bara Ghislain som verkade optimistisk; jag såg honom i La Houssinière vid ett flertal tillfällen, på kafé Chat Noir klädd i olika psykedeliska t-tröjor. Om Mercédès var imponerad så visade hon det i alla fall inte.

Ingen nämnde revet. Hittills hade det hållit, funnit sin egen position, som Flynn förutsagt, men det kändes som om man utmanade ödet genom att prata om det. Det var inte många som vågade hoppas. Men översvämningarna i La Bouche hade minskat; Les Salants var torrt ända till de lägre sumpmarkerna, och när novembertidvattnen kom och gick förorsakade de inga ytterligare skador, varken i La Bouche eller La Goulue.

Ingen vågade prata för högt om sina förhoppningar. För en utomstående verkade nog inte Les Salants ha förändrats.

Men Capucine fick ett kort från sin dotter på fastlandet; Angélo började måla om sin bar; Omer och Charlotte räddade vinterpotatisen; och Désirée Bastonnet gick till La Houssinière och pratade i mer än en timme med sin son Philippe i Marseille.

Inget av detta hade någon större betydelse. Definitivt inte tillräckligt för att antyda att vår gemensamma otur hade vänt till sist. Men det låg *någonting* i luften; en känsla av möjligheter, början på en framåtriktad rörelse.

GrosJean hade också förändrats. För första gången sedan min ankomst intresserade han sig för det sedan länge övergivna varvet, och när jag kom hem en dag hade han på sig overall, lyssnade på radio och gick igenom en låda med rostiga verktyg. En annan dag började han städa upp i gästrummet. Vid ett tillfälle gick vi tillsammans till P'titJeans grav – översvämningarna hade nästan upphört då – och krattade nytt grus runt stenen. GrosJean hade tagit med sig några krokuslökar i fickan och vi planterade dem tillsammans. Ett tag var det nästan som förr i tiden, när jag hjälpte min far på varvet och Adrienne och mor gick till La Houssinière och lämnade oss ensamma. Det var vår tid, stulen och därför värdefull; och ibland lämnade vi varvet för att fiska i La Goulue, eller segla små båtar nerför *l'étier*, som om jag var den son han skulle ha haft.

Det var bara Flynn som verkade helt oförändrad. Han gick på som vanligt, som om revet inte hade ett dugg med honom att göra. Och ändå, tänkte jag, hade han riskerat livet för det den där natten vid La Jetée. Jag förstod honom inte alls. Det var något dubbeltydigt med honom, trots hans lättsamma sätt; det där stället i mitten av honom som jag aldrig blev inbjuden till. Det var oroväckande, som en skugga i djupt vatten. Men trots det attraherade det mig, precis som alla djup.

Tidvattnet vände den tjugoförsta december, klockan halv nio på morgonen. Jag märkte den plötsliga stiltjen när vinden vände; det senaste och högsta av månadens tidvatten gav till sist upp på revet vid La Jetée. Jag hade ensam gått ut till La Goulue, som jag gjorde varje dag, för att titta efter tecken på förändring. De sjögrästäckta stenarna låg nakna i den bleka gryningen, och bottnen var knappt synlig därbortom när havet drog sig tillbaka. Några få *bouchots* – trästumpar som utmärkte de gamla ostronbankerna – som hade överlevt vintervädret intakta stack upp ur vattnet med släpande halsband av rep. När jag kom närmare såg jag att vattenbrynet var fullt av skräp som tidvattnet fört in: en repstump, en hummertina, en gammal gymnastiksko. I en pöl vid mina fötter klamrade sig en ensam grön skålsnäcka fast.

Den levde. Det var ovanligt. Det besvärliga tidvattnet vid La Goulue uppmuntrade knappast havsvarelser att slå sig ner. Några sjöborrar ibland. Ilandflutna maneter som låg som kvarglömda plastpåsar och torkade på stranden. Jag böjde mig ner för att undersöka stenarna vid mina fötter. Inbäddade i lera formade de en bred kullerstenssträcka som var förrädisk att gå på. Men idag såg jag något nytt. Någonting grövre än bottenslammet, någonting ljusare som var utspritt som glimmer över toppen av de vattendränkta kullerstenarna.

Sand.

Åh, knappt tillräckligt för att täcka min handflata. Men det *var* sand; den bleka sanden från La Jétee som glimmar från den ljusa ringen i bukten. Den skulle jag känna igen var som helst.

Jag sa till mig själv att det inte hade någon betydelse; bara ett tunt lager som spolats in av tidvattnet. Det betydde inget.

Det betydde allt.

Jag skrapade upp så mycket jag kunde i handen – en nypa, knappt tillräckligt för att ta mellan fingrarna – och sprang uppför klippstigen mot det gamla blockhuset. Flynn var den ende som skulle förstå betydelsen av de där få kornen. Flynn, som stod på min sida. Jag fann honom halvklädd och i färd med att dricka kaffe, hans strandletarväska stod färdig vid dörren. Jag tyckte att han såg trött och ovanligt nedstämd ut när jag kom in med andan i halsen.

”Vi grejade det! Titta!” Jag höll fram min öppna hand.

Han tittade på den en lång stund, ryckte sedan på axlarna och började dra på sig stövlarna.

”En nypa sand”, sa han med neutral röst. ”Man skulle kanske märka det om man fick lite i ögat.”

Upphetsningen dog inom mig lika plötsligt som om den fått en hink vatten över sig. ”Men det är ett tecken på att det fungerar”, sa jag. ”Ditt mirakel. Det har satt igång.”

Han log inte. ”Jag uträttar inte mirakel.”

”Sanden bevisar det”, insisterade jag. ”Du har vänt det. Du har räddat Les Salants.”

Flynn skrattade ett elakt skratt. ”Herregud, Mado”, sa han. ”Kan du inte tänka på nåt annat? Är det här verkligen allt du nånsin har velat? Att vara en del av det här – den här trista lilla gruppen av förlorare och degenererade människor, inga pengar, inget liv, bli gammal, klamra sej fast, be till havet och glida allt närmare utrotning för varje år? Jag antar att du tycker att jag ska vara tacksam för att jag har fastnat på det här stället, att det är något slags privilegium – " Han avbröt sig, ilskan tog tvärt slut, och såg förbi mig ut genom fönstret. Den elaka blicken var försvunnen lika plötsligt som om den aldrig funnits där.

Jag kände mig bortdomnad, som om han slagit till mig. Men visst hade jag ändå alltid anat det där hos honom, den där spänningen, hotet om att något skulle komma att explodera. "Jag trodde du tyckte om det här stället", sa jag. "Bland förlorare och degenererade."

Han ryckte på axlarna och såg skamsen ut nu. "Det gör jag", sa han. "Kanske för mycket."

Det uppstod en tystnad under vilken han stirrade förbi mig igen, mot fönstret, och gryningen speglades i hans skiffergrå ögon. Sedan såg han på mig, öppnade mina fingrar, slätade ut sanden i min handflata.

"Kornen är små", sa han till slut. "Det är en massa glimmer där."

"Vad betyder det?"

"Det betyder att den är lätt. Den kommer inte att bli kvar. En strand behöver en fast grund – sten, småsten och sånt – som kan förankra den. Annars spolas den bara bort. Som den här kommer att göra."

"Jaså."

Han såg mitt ansiktsuttryck. "Det betyder väldigt mycket för dej, eller hur?"

Jag sa ingenting.

"En strand skulle inte göra det här stället till La Houssinière."

"Jag vet det."

Han suckade. "Okej. Jag ska försöka."

Han la sina händer på mina axlar. För ett ögonblick upplevde jag hur känslan av en möjlighet intensifierades, som statisk elektricitet i luften. Jag blundade, kände att han doftade timjan och gammalt ylle, och lukten av sanddyner om morgonen. En lätt unken doft, som det luktar under badhytterna i La Houssinière, där jag brukade gömma mig och vänta på far. Då såg jag Adriennes ansikte, hon iakttog mig och flinade med sin breda, målade mun, och jag öppnade kvickt ögonen. Men Flynn hade redan vänt sig bort.

"Jag måste gå." Han tog upp sin väska och började ta på sig jackan.

"Varför det? Har du kommit på nåt?" Jag kände fortfarande trycket av hans händer på axlarna. Det var varma spöken, och någonting i maggropen verkade reagera på den värmen, som blommor på solen.

"Kanske. Jag ska fundera på det." Han gick snabbt mot dörren.

"Vad är det? Varför har du så bråttom?"

"Jag måste in till stan. Det är något jag vill beställa från Pornic innan färjan går." Han gjorde en paus och log ett sorglöst, soligt leende. "Vi ses väl senare, Mado? Jag måste rusa."

Jag följde honom ut, förbryllad. Hans plötsliga humörsvängningar, som gick från en ytterlighet till en annan lika snabbt som höstvädret, var ingen nyhet. Men något besvärade honom, någonting mer än mitt plötsliga uppdykande. Det var dock inte särskilt troligt att han skulle berätta vad det var.

Plötsligt, när Flynn stängde dörren, uppfattade jag en liten rörelse, glimten av en vit skjorta längre bort på dynen. En figur på stigen. Flynns kropp skymde den nästan med en gång, och när han gick åt sidan var figuren borta. Men trots att jag bara såg den i någon sekund, och bara bakifrån, tyckte jag att jag kände igen honom på gången, kroppshyddan och vinkeln på fiskarmössan.

Det stämde inte; den stigen ledde inte någon annanstans än till dynerna. Men senare, när jag gick samma väg tillbaka, hittade jag spåren efter hans espadriller i den hårda sanden, och jag var säker på att jag haft rätt. Brismand hade varit där före mig.

30

SÅ SNART JAG KOM FRAM TILL BYN förstod jag att någonting hade hänt. Det låg i luften – en knappt märkbar laddning, en fläkt från en annan plats. Jag hade sprungit hela vägen från La Goulue med min näve sand, kramat den så hårt att min hand blivit tatuerad av glimmer. När jag kom över den stora dynen mot GrosJeans övergivna varv, kände jag något kallt inombords som kramade mitt hjärta på samma sätt.

Det stod fem personer utanför huset, tre vuxna och ett par barn. Allihop var mörkhyade, mannen var klädd i en lång rock, som såg arabisk ut, under en stor vinterrock. Barnen – pojkar båda två, solbrända och med solblekt hår – såg ut att vara omkring åtta och fem år gamla. Medan jag betraktade dem öppnade mannen grinden och kvinnorna följde honom in.

Den ena var liten och grå, med en gul burnus över håret. Hon gick efter de två barnen, gnatade på ett språk jag inte förstod.

Den andra kvinnan var min syster.

”*Adrienne?*”

Den senaste gången jag träffat henne var hon nitton, nygift, smal och söt på det där trumpna, zigenaraktiga sättet som Mercédès Prossage hade en förkärlek för. Hon såg fortfarande likadan ut, även om jag tyckte att hon hade hårdnat lite med åren, blivit vaksam och kantig. Hennes långa hår var rakt och hennafärgat. Runt de bruna handlederna skramlade guldarmband. Hon vände sig om när hon hörde min röst.

”Mado! Vad stor du har blivit! Hur visste du att vi skulle komma?” Hennes kram var kort och doftade patschuli. Marin kysste mig också på båda kinderna. Jag tyckte att han såg ut som en yngre upplaga av sin farbror, men med fjunig haka, senig och mager, och utan Claudes översvallande, farliga charm.

”Det visste jag inte.”

”Ja, du vet hur far är. Han säjer inte mycket.” Hon lyfte upp den yngre av sina båda pojkar i famnen och sträckte fram honom mot mig. Barnet vred sig för att komma undan. ”Du har väl inte träffat mina små soldater, Mado? Det här är Franck. Och det här – det är Loïc. Hälsa på moster Mado, Loïc.”

Pojkarna stirrade på mig med likadana bruna och uttryckslösa ansikten, men sa ingenting. Den lilla kvinnan i burnusen, som jag antog var deras barnflicka, kacklade frenetiskt åt dem på arabiska. Varken Marin eller Adrienne presenterade henne, och hon såg förvånad ut när jag hälsade.

”Ni har gjort en del arbete”, sa Adrienne och tittade på huset. ”Förra gången vi var här var det hemskt. Allting hade rasat ihop.”

”Förra gången?” Så vitt jag visste hade hon och Marin aldrig varit tillbaka.

Men Adrienne hade redan öppnat köksdörren. GrosJean stod vid fönstret och tittade ut. Bakom honom väntade resterna av frukosten förebrående – bröd, kallt kaffe, en öppen syltburk – på att jag skulle komma tillbaka.

Barnen tittade nyfiket på honom. Franck viskade något till Loïc på arabiska och båda pojkarna fnittrade. Adrienne gick fram till honom. "*Papa?*"

GrosJean vände sig långsamt. Ögonlocken var halvslutna.

"Adrienne", sa han. "Trevligt att se dej."

Och så log han och hällde upp en skål kallt kaffe från kannan på bordet bredvid honom. Adrienne visade förstås ingen förvåning över att han hälsat på henne. Varför skulle hon det? Hon och Marin omfamnade honom pliktskyldigt. De båda pojkarna stod i bakgrunden och fnittrade. Barnflickan neg och log, med blicken respektfullt sänkt. GrosJean gestikulerade för mera kaffe, och glad över att ha fått en ursäkt att göra något satte jag på det. Jag fumlade med vattnet och sockret. Kopparna gled ur mina händer som fiskar.

Bakom mig pratade Adrienne om sina barn med hög och flickaktig röst. Pojkarna lekte på mattan bredvid öppna spisen.

"Vi har gett dom namn efter dej, Papa", förklarade Adrienne. "Efter dej och P'titJean. Vi döpte dom till Jean-Franck och Jean-Loïc, men vi har förkortat dom för tillfället, tills dom växer i sina riktiga namn. Så du ser att vi aldrig har glömt att vi kommer från Les Salants."

"Hm."

Till och med det lilla ordet var ett slags mirakel. Hur många gånger sedan jag kom hit hade GrosJean talat direkt till mig? Jag vände mig om med kaffepannan, men far stirrade hänfört på pojkarna som rullade runt och brottades på mattan. Franck såg att han stirrade och räckte ut tungan åt honom. Adrienne skrattade urskuldande. "En sån liten apa."

Far skrockade.

Jag hällde upp kaffe åt alla. Pojkarna åt kakbitar och stirrade på mig med sina stora bruna ögon. De såg nästan likadana ut om man bortsåg från åldersskillnaden, med lång brunblond lugg, smala ben och runda magar under fleecetröjor i bjärta färger. Adrienne pratade om dem med tillgivenhet, men jag märkte att så fort något behövde göras – kladdiga munnar torkas, rinnande näsor snytas, tomma tallrikar plockas bort – så vände hon sig till barnflickan.

"Jag har velat komma hem så länge", suckade hon och smuttade på kaffet. "Men affärerna, Papa, och barnen – det verkade aldrig finnas tid. Och man kan inte lita på någon därborta, vet du. Européer är lovligt byte för dom. Stöld, korruption, vandalisering – allt du kan tänka dej. Man kan inte vända ryggen till en minut."

GrosJean lyssnade. Han drack sitt kaffe, de stora händerna täckte nästan skålen. Han gestikulerade att han ville ha en bit kaka till. Jag skar upp och räckte den till honom över bordet. Han tackade inte. Och ändå nickade far då och då när Adrienne pratade, och gav emellanåt ifrån sig öns bekräftande *heh* samtidigt. För att vara far var detta talträngdhet. Sedan berättade Marin om affärerna i Tanger, om antikt kakel, som var sista skriket i Paris, om exportmöjligheterna, skatten, den otroligt billiga arbetskraften, kretsen av utvandrade franska medborgare som de tillhörde, deras rivalers hänsynslöshet och om de exklusiva klubbar de gick på. Berättelsen om deras liv vecklades upp som en rulle färgglatt siden. Souker, simbassänger, tiggare, hälsocentra, bridgekvällar, knarklangare, usla arbetsplatser. En tjänare för varje syssla. Min mor skulle ha blivit imponerad.

"Och dom är tacksamma för jobben, Papa. Det är levnadsstandarden därborta. Så låg att det är löjligt. Vi ger dom långt mer än dom skulle kunna tjäna bland sina egna. Dom flesta av dom är faktiskt tacksamma."

Jag sneglade på den lilla barnflickan, som energiskt torkade Francks ansikte med en fuktig trasa. Jag undrade om hon hade en egen familj hemma i Marocko, om hon längtade hem. Franck slingrade sig och klagade på arabiska.

"Men det har förstås funnits problem", fortsatte Adrienne. En brand i lagerlokalen, som anlagts av en missnöjd rival. Miljoner franc gick förlorade. Snatteri och bedrägeri av otacksamma anställda. Rasistiskt klotter mot vita på väggen till deras villa. Fundamentalisterna fick alltmer makt, sa hon, och försökte göra livet svårt för utlänningar. Och så måste man ju tänka på barnen... Det hade funnits goda tider. Men nu var det dags att fundera på att dra vidare.

"Jag vill att mina pojkar ska få den bästa möjliga utbildning, Papa", förklarade hon. "Jag vill att dom ska veta vilka dom är. För mig är det värt uppoffringen. Jag önskar bara att Maman hade fått träffa –" Hon avbröt sig för att se på mig. "Du vet hurdan hon var", sa hon, "man kunde aldrig säja åt henne vad hon skulle göra. Man kunde inte ens ge henne pengar. Hon var alldeles för envis."

Jag stirrade på min syster utan att le. Jag mindes hur stolt mor varit över sina städjobb; hur hon brukade berätta för mig om Hermèsskjortorna hon strukit och Chaneldräkterna hon hämtat på kemtvätten; hur hon alltid la de växelpengar hon hittade bakom soffkuddarna i askkoppen, eftersom det hade varit stöld att ta dem.

"Vi hjälpte henne så mycket vi kunde", fortsatte Adrienne och sneglade på GrosJean. "Det vet du, eller hur? Vi har varit så oroliga för dej, alldeles ensam här, Papa."

Han gestikulerade befallande: *mer kaffe*. Jag fyllde på.

"Vi ska bo i Nantes ett tag. För att ordna saker och ting. Marin har en farbror där, Claudes kusin Amand. Han är också i antikvitetsbranschen, sysslar med import. Vi får bo hos honom tills vi hittar något mer permanent."

Marin nickade. "Det är värt det för att veta att pojkarna får gå i en bra skola. Lille Jean-Franck pratar knappt någon franska. Och båda måste lära sej läsa och skriva."

"Och den nya babyn då?" Jag kom ihåg att hon varit gravid när mor dog. Men ändå såg hon inte ut som om hon nyss genomgått en förlossning. Adrienne hade alltid varit mycket smal; nu var hon ännu smalare. Jag la märke till att hennes handleder och händer såg sköra och beniga ut och att hon hade små skuggor under kindbenen.

Marin tittade anklagande på mig. "Adrienne fick missfall i tredje månaden", sa han med sin nasala röst. "Vi pratar inte om det." Det lät på honom som om jag hade varit en bidragande orsak till detta.

"Förlåt", mumlade jag.

Adrienne log ett sammanbitet leende. "Det gör inget", sa hon. "Bara en mor kan förstå." Hon sträckte ut en smal brun hand och rörde vid huvudet på en av pojkarna. "Jag vet inte vad jag skulle ta mej till utan mina änglar", sa hon.

Pojkarna fnittrade och mumlade till varandra på arabiska. GrosJean såg på dem som om han aldrig kunde få nog.

"Vi skulle kunna ta med dom hit igen, under loven", föreslog Adrienne med ljusare röst. "Vi skulle kunna komma hit på ett riktigt långt, trevligt besök."

31

DE STANNADE I TVÅ TIMMAR. Adrienne gick igenom huset från golv till tak. Marin inspekterade det förfallna varvet och GrosJean tände en Gitane, drack kaffe och betraktade pojkarna med glittrande fjärilsblå ögon.

De där pojkarna. Det borde inte ha förvånat mig. Söner var vad han drömt om, och i och med Adriennes ankomst, mor till två söner, hade vår bekväma samvaro plötsligt förvandlats till kaos. GrosJean följde pojkarna oavlåtligt, rufsade dem emellanåt i deras långa hår, motade bort dem från den öppna elden när lekarna förde dem för nära, plockade upp de slängda fleecetröjorna, vek ihop dem och la dem på en stol. Jag kände mig rastlös, besvärad där jag satt sysslolös mittemot barnflickan. Näven med sand – som nu låg i min ficka – brände och ville ut. Jag skulle ha velat gå tillbaka till La Goulue, eller ut på sanddynerna för att få vara ensam, men jag var fascinerad av uttrycket i fars ansikte. Den där blicken, som skulle ha varit avsedd för mig.

Till slut kunde jag inte hålla tyst längre. ”Jag gick till La Goulue imorse.”

Ingen reaktion. Franck och Loïc slogs på låtsas, rullade omkring på golvet som hundvalpar. Barnflickan log blygt men förstod naturligtvis inte ett ord.

”Jag tänkte att tidvattnet kanske hade fört med sej något.”

GrosJean lyfte sin skål och för ett ögonblick försvann hans ansikte ner i den. Ett svagt sörplande ljud hördes. Han ställde ner den tömda skålen framför sig och puttade den mot mig i en gest som betydde "mera".

Jag struntade i det. "Ser du det här?" Jag drog handen ur fickan och höll fram den mot honom. Sanden klibbade vid handflatan.

GrosJean puttade envist på skålen.

"Förstår du vad det betyder?" Jag hörde hur min röst höjdes kraftigt. "Bryr du dej?"

Den där putten igen. Franck och Loïc glömde sin lek och stirrade på mig med munnarna på vid gavel. GrosJean såg förbi mig, uttryckslös och orörlig som en staty på Påskön.

Plötsligt blev jag arg. Allt gick fel: först Flynn, sedan Adrienne och nu också GrosJean. Jag smällde kannan i bordet framför honom och spillde kaffe på duken. "Vill du ha?" sa jag bryskt. "Häll upp *själv!* Om du vill att jag ska göra det åt dej så kan du åtminstone be mej. Jag vet att du kan det. Kom igen. *Be* mej!"

Tystnad. GrosJean tittade bara mot fönstret igen, avfärdade mig, avfärdade allting. Han skulle ha kunnat vara sitt gamla jag igen, alla framsteg glömda. Efter en stund återupptog Franck och Loïc leken. Den blyga barnflickan stirrade på sina knän. Utanför hörde jag Adriennes röst, hög och gäll av skratt eller upphetsning. Jag började duka undan frukosten, smällde kastrullerna i diskhon. Jag slog bort resten av kaffet och hoppades på en protest som aldrig kom. Jag diskade och torkade under tystnad. Mina ögon sved. Det fanns sand bland smulorna när jag torkade av bordet.

32

MIN SYSTER OCH HENNES FAMILJ stannade i två veckor till, på Les Immortelles. De kom och åt lunch på juldagen, och tittade sedan in någon timme nästan varje morgon innan de gick tillbaka till La Houssinière. På nyårsdagen fick Franck och Loïc varsin ny cykel för tretusen franc styck, specialbeställda från fastlandet av min far.

Det var på landgången till *Brismand 1*, medan GrosJean hjälpte barnflickan att bära ombord deras väskor, som Adrienne äntligen tog mig åt sidan. Jag hade väntat på det, och undrat hur lång tid det skulle dröja innan hon kom till saken.

"Det är Papa", sa hon förtroligt. "Jag har inte sagt något inför pojkarna men jag är väldigt orolig."

"Jaså." Jag försökte dölja sarkasmen i min röst.

Adrienne såg förorättad ut. "Jag vet att du inte tror mej, men jag är mycket fäst vid Papa", sa hon. "Jag är orolig för att han bor så isolerat här, är så beroende av en enda person. Jag tror inte att det är bra för honom."

"Faktum är", sa jag, "att han mår bättre nu."

Adrienne log. "Det är ingen som påstår att du inte har gjort ditt bästa", sa hon. "Men du är ingen sjuksköterska, och du är inte kvalificerad att ta itu med hans problem. Jag har alltid tyckt att han behöver hjälp."

"Vad för hjälp?" Jag märkte att jag höjde rösten. "Den

sorten han skulle få på Les Immortelles? Är det vad Claude Brismand säjer?"

Min syster såg sårad ut. "Mado, var inte sån. Jag vet att du fortfarande är upprörd över Mamans begravning. Jag känner mej hemsk för att jag inte var där. Men mitt tillstånd –"

Jag låtsades inte om det där. "Sa Brismand åt dej att komma tillbaka?" frågade jag. "Sa han att jag inte var samarbetsvillig?"

"Jag ville att Papa skulle träffa pojkarna."

"Pojkarna?"

"Ja. Visa honom att livet går vidare. Det är inte bra för honom att bo här när han skulle kunna vara nära sin familj. Det är själviskt – och farligt – av dej att uppmuntra honom såhär."

Jag stirrade förbluffat och bedrövat på henne. Hade jag varit självisk? Hade jag varit så upptagen av mina planer och fantasier att jag förbisett fars behov? Kunde det i själva verket vara så att GrosJean egentligen inte behövde revet eller stranden eller någon av de saker jag gjort för honom? Att allt han egentligen önskat sig var de dottersöner Adrienne haft med sig?

"Det här är hans hem", sa jag till sist. "Och jag är en del av hans familj."

"Var inte naiv", sa min syster, och för ett ögonblick var hon helt och hållet den gamla Adrienne, den hånfulla storasystern som satt på terrassen till kaféet i La Houssinière och skrattade åt mitt pojkaktiga hår och mina gamla kläder. "*Du* kanske tycker att det är romantiskt att bo här mitt ute i ingenstans. Men det är det sista stackars Papa behöver. Se på huset – hopspikat av all möjlig bråte. Det finns inte ens ett riktigt badrum. Och tänk om han blir sjuk! Det finns ingen annan än den där gamla veterinären, vad-han-nu-heter, som kan hjälpa honom. Tänk om han behöver komma till sjukhus!"

"Jag tvingar honom inte att stanna kvar", sa jag och avskydde den defensiva tonen i min röst. "Jag har bara tagit hand om honom."

Adrienne ryckte på axlarna. Hon kunde lika gärna ha sagt det högt: *På samma sätt som du tog hand om mor*. Tanken gjorde att jag kände mig hudlös; huvudet värkte.

"Jag försökte i alla fall", sa jag. "Vad har du nånsin gjort för nån av dom? Suttit i ditt elfenbenstorn. Vad vet du om hur vi hade det under alla år?"

Jag vet inte varför mor envisats med att säga att *jag* var den som var mest lik GrosJean. Adrienne log bara mot mig på det där ogenomträngliga sättet, lugn som ett fotografi och lika tyst. Hennes självbelåtna tystnad hade alltid retat mig till vansinne. Ilskan kröp över mig som en armé av myror. "Hur många gånger hälsade du på oss? Hur många gånger lovade du att ringa? Du och dina skengraviditeter – jag ringde dej, Adrienne, jag berättade att mor var döende –"

Men min syster stirrade på mig, all färg hade lämnat hennes ansikte. "*Skengraviditet?*"

Hennes bedrövade uppsyn fick mig att tystna. Jag kände att jag blev röd i ansiktet. "Du, Adrienne, förlåt, men –"

"Förlåt?" Hennes röst var gäll. "Hur skulle du kunna veta hur jag hade det? Jag förlorade mitt barn – min fars *barnbarn* – och du tror att du bara kan säja förlåt?"

Jag försökte röra vid hennes arm, men hon drog sig undan med en nervös, hysterisk gest som på något sätt påminde mig om mor. Hon blängde på mig, ögonen var som knivar. ”Ska jag berätta varför vi inte hälsade på, Mado? Ska jag berätta varför vi bott på Les Immortelles istället för i Papas hus, där vi kunde ha träffat honom varenda dag?” Rösten var en drake nu, ljus och skör och svävande.

Jag ruskade på huvudet. ”Snälla Adrienne –”

”Det var på grund av *dej*, Mado. Därför att *du* var där!” Hon grät nästan nu, andlös av ilska, fast jag tyckte att jag märkte spår av självbelåtenhet också; Adrienne hade, precis som mor, alltid njutit av att spela teater. ”Du tjatar alltid! Spelar alltid översittare!” Hon snyftade högt. ”Du trakasserade Maman, du försökte alltid få henne att flytta från Paris, den plats hon *älskade*, och nu försöker du göra samma sak med stackars Papa! Du är besatt av den här ön, Mado, det är det det handlar om, och du kan bara inte förstå när andra människor inte vill samma sak som du!” Adrienne torkade sig i ansiktet med ärmen. ”Och om vi inte kommer tillbaka, Mado, så är det inte för att vi inte vill träffa Papa, utan för att jag inte står ut med att vara nära *dej!*”

Färjans vissla tjöt. I den tystnad som följde hörde jag ett litet hasande ljud bakom mig och vände mig om. Det var GrosJean som stod tyst på landgången. Jag sträckte fram händerna.

”Far –”

Men han hade redan vänt sig bort.

33

JANUARI FÖRDE MED SIG MER SAND in till La Goulue. I mitten av månaden syntes det tydligt; en tunn vit bård mot klipporna, inget så märkvärdigt som en strand, men sand trots allt, spräcklig och fläckad av glimmerflingor som torkade till pulver vid ebb.

Flynn stod vid sitt ord. Med hjälp av Damien och Lolo fraktade han säckvis med sandblandat grus från dynerna och slängde det på de mossiga småstenarna vid foten av klippan. Knippen av strävt *oyat*-gräs planterades i den grå leran för att hindra sanden från att spolas bort, och tång spreds ut mellan gruslagren och förankrades med käppar och kasserade fisknät. Jag betraktade nyfiket och med tveksam hoppfullhet hur arbetet fortskred. La Goulue, med sin ansamling av skräp, jord, tång och nät, var ännu mindre lik en strand än förut.

"Det här är bara grunden", försäkrade Flynn. "Du vill väl inte att din sand ska blåsa bort, eller hur?"

Han hade varit märkligt tillbakadragen så länge Adrienne var kvar, och bara hälsat på en eller två gånger istället för nästan varje dag. Jag saknade honom – ännu mer på grund av GrosJeans uppförande – och började förstå hur djupt hans närvaro hade påverkat oss alla under de senaste veckorna; vilket avtryck han gjort i oss.

Jag hade berättat för honom om mitt gräl med Adrienne.

Han lyssnade utan spår av sitt vanliga lättsinne, med en rynka mellan ögonen. ”Jag vet att hon är min syster”, sa jag, ”och jag vet att hon har haft det svårt, men –”

”Man kan inte välja sin familj”, sa Flynn. Han hade bara träffat Adrienne en gång, i förbifarten, och jag mindes att han hade varit ovanligt tyst. ”Det finns ingen anledning att hon och du ska komma överens bara för att ni är systrar.”

Jag log. Om jag bara hade kunnat få mor att förstå det. ”GrosJean ville ha en pojke”, sa jag och drog upp ett sandrörsstrå. ”Han var inte redo för två döttrar.” Nu, antog jag, hade Adrienne gottgjort det. Alla min ansträngningar – det korta håret, pojkkläderna, timmarna då jag bara iakttagit honom i hans verkstad, fisket, de små stunderna – alltihop hade hamnat i skymundan, alltihop hade förlorat sin innebörd. Flynn måste ha sett något i mitt ansikte, för han slutade jobba och såg på mig med en konstig min.

”Du är inte här för att leva upp till GrosJeans förväntningar, eller någon annans. Om han inte inser att det han har är värt tusen gånger mer än någon fantasi...” Han avbröt sig och ryckte på axlarna. ”Du behöver inte bevisa nånting”, sa han med ovanlig strävhet. ”Han kan skatta sej lycklig som har dej.”

Det var vad Brismand hade sagt. Men min syster hade anklagat mig för själviskhet, för att utnyttja min far. Jag undrade på nytt om hon hade haft rätt; om min närvaro kanske var till mer skada än nytta. Tänk om det enda han önskade var att få vara nära Adrienne och träffa pojkarna varje dag?

”Du har väl en bror, va?”

”En halvbror. Gullgossen.” Han fäste en bit nät som lossnat från dynen. Jag försökte föreställa mig Flynn som någons bror.

”Du gillar honom inte särskilt mycket.”

”Han skulle ha varit enda barnet istället.”

Jag tänkte på mig själv och Adrienne. Hon skulle ha varit enda dottern. Allt jag försökte göra hade min syster gjort förut, och gjort det bättre.

Flynn inspekterade en ny tuva *oyat*-gräs på dynen. Vem som helst utom jag skulle ha tyckt att han såg uttryckslös ut, men jag såg spänningen runt munnen. Jag undertryckte en längtan att fråga vad som hänt med hans bror – och hans mor. Vad det än var så hade det sårat honom. Kanske lika mycket som Adrienne sårat mig. Jag kände en darrning inom mig, något djupare än ömhet. Jag böjde mig ner och rörde vid hans hår.

”Då har vi något gemensamt”, sa jag lättsamt. ”Tragiska familjer.”

”Aldrig”, sa Flynn och tittade upp på mig med sitt plötsliga fräcka och strålande leende. ”Du återvände. Jag kom undan.”

I Les Salants var det inte många som verkade särskilt intresserade av hur stranden växte. När vintern närmade sig sitt slut var de för upptagna med att lägga märke till andra saker: att den förändrade strömmen förde tillbaka multefisken, till och med i större mängder än förut; att näten oftare var fulla än tomma; att hummer och havsspindlar och de feta *dormeur*-krabborna älskade den skyddade viken och nästan slogs om att krypa in i tinorna. Vintertidvattnet hade inte försorsakat några översvämningar, och till och med Omers åkrar hade börjat hämta sig efter att ha legat under vatten i nästan tre år.

Familjen Guénolé satte slutligen sin plan att köpa en ny

båt i verket. *Eleanore 2* byggdes på fastlandet, på ett varv i närheten av Pornic, och under flera veckor pratade de inte om annat än hur bygget fortskred. Hon skulle bli en öbåt, som sin föregångare, snabb och grundgående, med två master och öarnas fyrkantiga segel. Alain avslöjade inte hur mycket hon skulle kosta, men de förändrade strömmarna gjorde honom optimistisk om att hon snabbt skulle betala sig. Ghislain föreföll mindre entusiastisk – de hade uppenbarligen tvingats slita honom från utställningen av racerbåtar och gummibåtar – men var ändå glad över utsikten att det fanns pengar att tjäna. Jag hoppades att den här nya båten inte skulle ge min far nostalgiska associationer, trots dess namn; i hemlighet hade jag hoppats att familjen Guénolé skulle välja något annat. Men GrosJean verkade oberörd av rapporterna om *Eleanore 2*, och jag började tro att jag var alldeles för känslig i frågan.

Revet hade fått ett eget namn, Bouch'ou, och två fyrar, en i varje ände, för att visa dess position nattetid.

Familjen Bastonnet, som fortfarande höll fred med familjen Guénolé men var på sin vakt, gjorde rekordfångster. Aristide förkunnade triumferande att Xavier hade fångat sexton humrar den veckan och sålt dem till en houssinbo – borgmästarens kusin och ägare till La Marée, en skaldjursrestaurang vid stranden – för femtio franc styck.

”Dom väntar sej en anstormning av semesterfirare i juli”, sa han till mig med sammanbiten tillfredsställelse. ”Snart kommer hans restaurang att vara sprängfylld. Han kan göra av med ett halvt dussin humrar på en kväll under säsongen – tror att han kan köpa in dom nu, lägga dom i sin *vivier* och bara vänta tills priserna skjuter i höjden.” Aristide skrockade. ”Jo, två kan spela det spelet. Jag tänker låta grabben bygga oss en egen, däruppe vid bäcken. Det är billigare än tankar, och med rätt sorts nät kan humrarna inte ta sej ut. Vi kan hålla dom vid liv därinne, till och med dom små – på så vis behöver vi inte slänga tillbaka några – och sälja dom till toppriser när tiden är inne. Binda ihop klorna på dom så att dom inte slåss. Det stigande tidvattnet för upp maten direkt i bäcken åt oss. Bra uträknat, va?" Den gamle mannen gnuggade händerna. "Vi salantsbor kan fortfarande lära houssinborna ett och annat om affärer."

"Det kan ni verkligen", sa jag förvånat. "Vilken företagaranda, monsieur Bastonnet."

"Visst är det väl?" Aristide såg förtjust ut. "Tyckte det var på tiden att vi började tänka på oss själva som omväxling. Tjäna lite pengar åt grabben. Man kan inte förvänta sej att en sån grabb ska leva på ingenting, särskilt inte om han tänker slå sej till ro."

Jag tänkte på Mercédès och log.

"Och det är inte allt", sa Aristide. "Du kan aldrig gissa vem som ska bli min affärskompanjon när hans båt är klar." Jag såg förväntansfullt på honom. "Matthias Guénolé."

Han flinade åt min förvåning och hans gamla blå ögon glittrade. "Jag tänkte väl att du skulle bli överraskad", sa han, sträckte sig efter en cigarett och tände den. "Jag slår vad om att det inte är många på ön som trodde att dom skulle få se familjerna Bastonnet och Guénolé jobba ihop under min livstid. Men här gäller det affärer. Genom att jobba ihop – två båtar, fem män – skulle vi kunna fånga varenda multefisk, ostron och hummer. Göra oss en förmögenhet. När vi arbetar var för sej stjäl vi bara vinden från varandra och låter houssinborna få sej ett gott skratt på vår bekostnad." Aristide drog ett bloss på cigaretten, lutade sig tillbaka och flyttade träbenet till ett bekvämare läge. ”Nu blev du allt förvånad!” sa han.

Mer än så. Att överge den familjefejd som pågått i åratal, och dessutom radikalt förändra sitt sätt att göra affärer – för ett halvår sedan hade jag inte trott att något av detta skulle ha varit möjligt.

Det var det här, om något, som slutligen övertygade mig om att familjen Bastonnet inte hade något att göra med att *Eleanore* gick förlorad. Toinette hade antytt det; Flynn hade förstärkt mina misstankar, och jag hade varit osäker ända sedan dess. Men nu kunde jag äntligen lämna det därhän. Jag gjorde det med glädje och en djup känsla av lättnad. Vad det än var som låg bakom att *Eleanore* gått förlorad, så inte var det Aristide. Jag tyckte plötsligt om den buttre gamle mannen och klappade honom tillgivet på axeln. ”Du förtjänar en *devinnoise*”, sa jag. ”Jag bjuder.”

Aristide fimpade cigaretten i askkoppen. ”Det säjer jag inte nej till.”

* * *

Min systers besök över julen hade förorsakat en del uppståndelse. Inte minst på grund av pojkarna, som blivit vederbörligen beundrade från Pointe Griznoz till Les Immortelles, men ännu viktigare var att det gav de som fortfarande väntade hopp. Medan min återkomst endast väckt misstankar så väckte hennes – beroende på tidpunkten, pojkarna och löftet om bättre tider – endast bifall. Till och med hennes giftermål med en houssinbo accepterades; Marin Brismand var rik – åtminstone var hans farbror det, och i avsaknad av ytterligare familjemedlemmar skulle Marin komma att få ärva alltihop. Det ansågs allmänt att Adrienne hade ordnat det bra för sig.

"Du skulle inte förlora på att följa hennes exempel", rådde Capucine över kakor i husvagnen. "Skulle göra dej gott att slå dej till ro. Det är bröllop och barn som får ön att leva vidare, inte fiske och affärer."

Jag ryckte på axlarna. Även om jag inte hört av min syster hade jag känt mig illa till mods efter det där samtalet på landgången till *Brismand 1*, ifrågasatt mina egna motiv och hennes. Använde jag min far som ursäkt för att gömma mig? Var det Adriennes sätt som var det bästa?

"Du är en bra flicka", sa Capucine och vräkte sig bekvämt bakåt i stolen. "Du har redan hjälpt din far en massa. Och Les Salants också. Nu är det dags att du gör nåt för dej själv." Hon satte sig upp och såg granskande på mig. "Du är en söt flicka, Mado. Jag har sett hur Ghislain Guénolé tittar på dej, och en del av dom andra –" Jag försökte avbryta henne, men hon viftade med händerna mot mig i godmodig irritation. "Du fräser inte åt folk så där som du brukade göra", fortsatte hon. "Du går inte omkring med hakan i vädret, som om du väntade dej att nån skulle mucka gräl. Folk kallar dej inte La Poule längre."

Det var sant, det hade till och med jag märkt.

"Dessutom har du börjat måla igen. Eller hur?"

Jag tittade på halvmånarna av ockra under naglarna och kände mig löjligt skyldig. Det var inget stort i alla fall; några mindre saker, en halvfärdig större duk i mitt rum. Flynn är ett oväntat bra motiv att måla. Jag har upptäckt att jag minns hans drag bättre än andras. Det var förstås naturligt; jag hade tillbringat ganska mycket tid i hans sällskap.

Capucine log. ”Ja, det gör dej gott”, sa hon. ”Tänk på dej själv för omväxlings skull. Sluta bära hela världen på dina axlar. Tidvattnet vänder utan din tillåtelse.”

34

I FEBRUARI BÖRJADE FÖRÄNDRINGARNA vid La Goulue bli synliga för oss allihop. Den avledda strömmen från La Jetée fortsatte att föra in sand därifrån, en varsam process som bara barnen och jag följde med ett visst intresse. Ett tunt lager täckte nu mycket av den sten och det grus som Flynn fraktat dit från dynerna, och *oyat-* och harsvansgräset han planterat gjorde ett utmärkt jobb med att hindra sanden från att blåsa eller spolas bort. En morgon när jag gick ner till La Goulue hittade jag Lolo och Damien Guénolé i färd med att på skoj bygga ett sandslott. Ingen lätt match; sandlagret var för tunt, och inget annat än lera fanns under det, men med lite uppfinningsrikedom så gick det. De hade byggt ett slags damm av drivved, och skrapade upp blöt sand från den genom en kanal de grävt i leran.

Lolo log brett mot mig. ”Vi kommer att få en riktig strand”, sa han. ”Vi ska ta sand från dynen och allt. Det har Rouget sagt.”

Jag log. ”Det skulle ni gilla, va? En strand?”

Barnen nickade. ”Det finns ingenstans att leka utom här”, sa Lolo. ”Till och med *l'étier* är förbjudet område nu, med den där hummergrejen.”

Damien sparkade på en sten. ”Det där var inte min pappas idé. Det var dom där Bastonnet.” Han gav mig en utmanande blick under de mörka ögonfransarna. ”Min pappa har kanske glömt vad dom har gjort mot vår familj, men det har inte jag."

Lolo gjorde en grimas. "Du bryr dej inte om det där egentligen", sa han. "Du är bara avundsjuk för att Xavier är ihop med Mercédès."

"Det är han inte alls!"

Det var definitivt inte officiellt. Mercédès tillbringade fortfarande mycket av sin tid i La Houssinière, där det hände saker, som hon uttryckte det. Men Xavier hade synts tillsammans med henne på bion och på Chat Noir, och Aristide var på klart bättre humör och talade vitt och brett om investeringar och om att bygga för framtiden.

Den buttra familjen Guénolé var också ovanligt optimistisk. I slutet av månaden var den efterlängtade *Eleanore 2* äntligen färdigbyggd och klar för avhämtning. Alain, Matthias och Ghislain tog färjan till Pornic för att hämta henne, och planerade att segla henne tillbaka till Les Salants därifrån. Jag följde med för resans skull och för att hämta en koffert med saker, mest konstnärsmaterial och kläder, som min hyresvärdinna skickat från Paris. Jag intalade mig själv att jag var nyfiken på den nya båten; men faktum var att jag känt mig ganska betryckt i Les Salants. Efter att Adrienne gett sig av hade GrosJean återgått till sitt tidigare, mindre tillgängliga jag; vädret hade varit trist, och till och med utsikterna att få sand i La Goulue hade förlorat en del av nyhetens behag. Jag behövde miljöombyte.

Alain hade valt varvet i Pornic därför att det låg närmast Le Devin. Han kände ägaren lite grann; det var en avlägsen släkting till Jojo-le-Goëland, men i egenskap av fastlänning omfattades han inte av fejden mellan La Houssinière och Les Salants. Hans ställe låg vid havet, bredvid den lilla småbåtshamnen, och när vi kom in slogs jag av den oförglömliga, nostalgiska lukten av ett fungerande varv: målarfärgen, sågspånen, odören av bränd plast och svetsning och brädor dränkta i kemikalier.

Det var ett familjeföretag, inte alls så litet som GrosJeans hade varit men tillräckligt litet för att Alain inte skulle känna sig överväldigad. Medan han och Matthias gick iväg med ägaren för att diskutera betalningen, stannade Ghislain och jag kvar på varvet, tittade på torrdockan och det arbete som pågick. *Eleanore 2* var lätt att känna igen, den enda träbåten i en rad båtar med plastskrov som Ghislain avundsjukt dröjde sig kvar vid. Hon var aningen större än den ursprungliga *Eleanore*; men Alain hade låtit bygga henne i samma stil, och även om jag såg att byggaren saknade min fars noggranna hantverkskunnande, var hon en fin båt. Jag granskade henne på alla sidor medan Ghislain vandrade ner mot vattnet, och höll just på att titta under *Eleanore 2* för att inspektera kölen när han kom springande tillbaka, lite andfådd och med ett ansikte som strålade.

”Därborta!” sa han och pekade bakom sig mot det stora lagerområdet. I den bastanta hangaren förvarades byggnadsmaterial, liksom kranar och svetsutrustning. Ghislain drog mig i handen. ”Kom och titta!”

När vi rundade hörnet på hangaren såg jag något stort som höll på att byggas. Det var inte ens halvfärdigt men det var det absolut största på varvet. Lukten av olja och metall var påträngande.

”Vad tror du att det är?” frågade jag. ”En färja? En trålare?”

Den var cirka tjugo meter lång, med två däck, omgiven av byggnadsställningar. En trubbig nos, fyrkantig akter; när jag var liten hade GrosJean kallat sådana båtar för metallgrisar och avskytt dem grundligt. Den lilla färja vi åkt till Pornic med var just en sådan metallgris, fyrkantig, ful och mycket funktionell.

"Det är en färja", sa Ghislain belåtet och log brett mot mig. "Undrar du hur jag kan veta det? Titta på andra sidan."

Andra sidan var inte färdig; stora metallplåtar hade nitats ihop i form av ett ytterskrov, men många saknades ännu, som ett mycket tråkigt pussel som inte är färdiglagt. Plåtarna var mörkgrå, men på en av dem hade någon skrivit metallgrisens namn med gul krita: *Brismand 2*.

Jag tittade ett ögonblick utan att säga något.

"Jaha?" sa Ghislain otåligt. "Vad tror du?"

"Jag tror att om han har råd med det, då måste det gå ännu bättre för Brismand än vad vi har föreställt oss", sa jag. "En färja till i La Houssinière? Det finns knappt utrymme för en."

Det var sant; den lilla hamnen vid Les Immortelles var redan överfull och *Brismand 1* gick två gånger om dagen.

"Han kanske ska byta ut den gamla", föreslog Ghislain.

"Varför skulle han göra det? Den fungerar fortfarande." Brismand, som inte samlat ihop sin förmögenhet genom att slösa med pengar, skulle aldrig skrota ett dugligt fartyg. Nej, om han lät bygga en färja till så tänkte han använda båda.

Ghislain verkade ointresserad av allt utom de ekonomiska detaljerna. "Jag undrar hur mycket den kostar", sa han. "Det är allmänt känt att den gamle jäkeln har hur mycket pengar som helst. Han äger redan halva ön." Det var bara en lätt överdrift.

Men jag lyssnade knappt. Medan Ghislain outtröttligt pratade på om Brismands miljoner och vad han, Ghislain, skulle göra med en sådan förmögenhet om han fick chansen (de flesta av dessa planer verkade handla om Amerika på något sätt och mycket snabba bilar) funderade jag över *Brismand 2*. Varför behövde Brismand ytterligare en färja? frågade jag mig själv. Och var tänkte han sätta in den?

35

JAG ÅTERVÄNDE HEM ENSAM efter att ha tagit vägen om Nantes för att hämta min koffert. Kanske var det för att det var ett tag sedan jag verkligen ägnat något intresse åt La Houssinière, men när jag såg mig omkring kändes det som om det hade hänt något med platsen. Jag kunde inte riktigt sätta fingret på vad det var, men staden verkade sig inte lik, den var i otakt på något märkligt vis. Gatorna låg i ett annorlunda ljus. Luften doftade annorlunda, saltare på något sätt, som vid ebb i La Goulue. Folk stirrade på mig när jag gick förbi, några nickade kort till hälsning, andra vände bort blicken, som om de var för upptagna för att prata.

Vintern på ön har alltid varit dödsäsong. Många av de yngre flyttar till fastlandet under lågsäsongen för att hitta jobb, och återvänder först i juni. Men i år verkade La Houssinière annorlunda, dess sömn var ohälsosam på något sätt, mer lik döden. De flesta affärerna längs gatan var stängda och förbommade. Rue des Immortelles låg öde. Tidvattnet var lågt, havsbottnen vit av måsar. En normal dag skulle dussintals fiskare ha varit ute och grävt efter musslor, nu stod bara en ensam figur med ett nät med långt skaft vid vattenkanten och petade planlöst i en tångruska.

Det var Jojo-le-Goëland. Jag klättrade över muren och gick över *la grève*. En frisk vind blåste håret i ögonen på mig och fick mig att huttra. Marken var full av småsten och det gjorde ont att gå. Jag önskade att jag, precis som Jojo, haft stövlar istället för espadriller med tunna sulor.

På andra sidan sanden såg jag Les Immortelles, en vit kub på muren några hundra meter bort. Nedanför fanns en tunn strandremsa. Längre in mer sten. Jag mindes inte att det var så mycket sten, och från det ställe där jag stod såg det annorlunda ut, mindre och mer avlägset, stranden förkortad av vinkeln så att det knappt liknade en strand alls, vågbrytaren i skarp kontrast mot sanden. En textad skylt, som jag inte kunde läsa på så långt håll, stod nedanför muren.

”Hej, Jojo.”

Han vände sig om med nätet i handen när han hörde min röst. Vid fötterna stod hans trähink och där låg bara en tångruska och några metmaskar. ”Jaså, är det du.” Han log ett brett leende med en blöt cigarettstump i munnen.

”Hur går fisket?”

”Bra, antar jag. Vad gör du så här långt ut? Letar efter mask?”

”Jag ville bara ta en promenad. Det är vackert härute, eller hur?”

”Hm.”

Jag kände att han iakttog mig när jag gick vidare över sanden mot Les Immortelles. Vinden var mild, marken full av småsten. När jag närmade mig stranden verkade den stenigare än jag mindes den, och på några ställen såg jag områden med sten där sanden svepts bort och frilagt grunden till en gammal vall.

Les Immortelles hade blivit av med en del sand.

Detta blev alltmer uppenbart när jag kom till tidvattenlinjen; där såg jag att badhytternas trästolpar hade frilagts och liknade dåliga tänder. Hur mycket sand? Det kunde jag inte ens föreställa mig.

”Nämen, hej igen!”

Rösten kom bakifrån. Trots kroppshyddan hördes knappt fotstegen i sanden. Jag vände mig om och hoppades att han inte märkt att jag hade ryckt till.

”Monsieur Brismand.”

Brismand rynkade på näsan och lyfte ett finger förebrående. ”Säj Claude, snälla.” Han log och verkade förtjust över att träffa mig. ”Njuter du av utsikten?”

Den där charmen. Jag märkte att jag reagerade på den utan att jag ville det. ”Den är mycket vacker. Dina hyresgäster måste uppskatta den.”

Brismand suckade. ”I den utsträckning dom överhuvudtaget uppskattar nånting, så gör dom säkert det. Det är sorgligt att vi alla måste åldras. Georgette Loyon håller på att bli mycket svag. Men, vi gör vad vi kan. Hon är trots allt över åttio.” Han la en arm om mina axlar. ”Hur är det med GrosJean?”

Jag visste att jag var tvungen att vara försiktig. ”Han mår bra. Du skulle knappt tro hur mycket bättre han har blivit.”

”Det tycker inte din syster.”

Jag försökte le. ”Adrienne har inte bott här. Jag tror inte att hon kan avgöra det.”

Brismand nickade instämmande. ”Naturligtvis inte. Det är så lätt att döma, eller hur? Men om man inte är villig att stanna på obestämd tid...”

Jag nappade inte på kroken. Istället tittade jag ut över den övergivna esplanaden.

”Det ser lite dött ut just nu, eller vad tycker du?”

”Ja, det är dött så här års. Jag måste erkänna att jag tycker bättre om lågsäsongen nuförtiden; jag börjar bli för gammal för turistindustrin. Jag borde tänka på att dra mej tillbaka om några år." Han log välvilligt. "Men hur är det med dej? Jag har hört allt möjligt om Les Salants på sistone."

Jag ryckte på axlarna. "Vi klarar oss."

Hans ögon glittrade. "Men jag har hört att ni gör mer än så. Riktig företagaranda i Les Salants som omväxling. En hummerbur vid den gamla bäcken. Ska det fortsätta så här så skulle jag kunna få för mej att ni siktar in er på mina egna affärer." Han skrockade. "Din syster ser ut att må bra", sa han. "Det verkar göra henne gott att inte bo på ön."

Tystnad. På andra sidan sanden flög en rad måsar skrikande upp från tidvattenlinjen.

"Och Marin, och dom små! GrosJean måste ha varit lycklig över att äntligen få träffa sina barnbarn."

Tystnad.

"Ibland undrar jag vad för slags farfar jag skulle ha blivit." Han suckade djupt. "Men jag fick aldrig riktigt chansen att vara far."

Pratet om Adrienne och hennes barn fick mig att känna mig illa till mods och jag visste att Brismand märkte det. "Jag har hört att du bygger en ny färja", sa jag abrupt.

För ett ögonblick såg jag tydlig förvåning i hans ansikte. "Jaså? Vem har sagt det?"

"Nån i byn", sa jag eftersom jag inte ville avslöja att jag varit på varvet. "Är det sant?"

Brismand tände en Gitane. "Jag har funderat på det", sa han. "Idén tilltalar mej. Men det är väl knappast praktiskt. Det är redan ont om utrymme här." Han hade hämtat sig helt och hållet och hade ett roat uttryck i sina klara, skiffergrå ögon. "Jag skulle inte sprida såna rykten om jag var du", rådde han mig. "Det skulle bara orsaka besvikelse."

Strax efteråt gick han, med ett litet leende och en hjärtlig uppmaning till mig att komma och hälsa på honom oftare. Jag undrade om jag hade inbillat mig det där besvärade ögonblicket, den där genuina överraskningen. Om han höll på att bygga en färja, varför skulle han hålla det hemligt? Och varför bygga en färja överhuvudtaget om det, som Brismand själv sagt, inte fanns något ställe att ha den på?

Jag var halvvägs tillbaka i Les Salants när jag kom att tänka på att varken han eller Jojo hade sagt något om den eroderade stranden. Det kanske trots allt var naturligt, sa jag till mig själv. Det kanske hände varje vinter.

Kanske inte. Kanske var det *vi* som hade förorsakat det.

Tanken var kväljande, oroväckande. Man kunde inte vara säker på någonting; den tid jag lagt ner på undersökningar, mina försök med flötena, de dagar jag tillbringat med att iaktta Les Immortelles var betydelselösa. Jag protesterade till och med inom mig mot att Bouch'ou skulle ha något att göra med detta. Det behövs mer än lite amatöraktig ingenjörskonst för att göra om en kustlinje. Mer än lite avund för att stjäla en strand.

36

FLYNN VIFTADE BORT MINA MISSTANKAR. ”Det kan väl inte bero på något annat är tidvattnet?” sa han när vi följde kusten från Pointe Griznoz. Vinden kom rakt västerifrån, det som jag tycker bäst om, med tusen kilometer öppet hav som landningsbana. När vi klättrade nerför kuststigen märkte jag att jag redan kunde se den bleka sandhalvmånen från toppen av den lilla klippan, trettio meter lång och kanske fem bred.

”Det är en massa ny sand här”, skrek jag i vinden.

Flynn böjde sig ner för att inspektera en bit drivved som stack upp mellan två stenar. ”Än sen då? Det är väl bra?”

Men när jag lämnade stigen och gick ner på stranden blev jag överraskad när jag upptäckte att den torra sanden trycktes ihop under mina stövlar, som om det inte bara var ett tunt täcke över packade stenar utan ett tjockt lager. Jag stoppade ner ena handen och märkte att det var tre eller fyra centimeter djupt – kanske inte så mycket för en gammal strand, men nästan mirakulöst om man betänker våra förutsättningar. Den hade blivit krattad också, från dyn till dyn, som en prydlig havsbotten. Någon hade jobbat hårt.

”Vad är det?” frågade Flynn när han såg min förvåning. ”Det har bara gått lite fortare än vi trodde. Är inte det här vad du önskade?”

Det är klart att det var. Men jag ville veta *hur*.

”Du är för misstänksam”, sa Flynn. ”Du måste slappna av lite. Lev i nuet. Känn tånglukten.” Han skrattade och viftade med drivvedsbiten, liknade så mycket en absurd trollkarl med sitt vilda hår och sin fladdrande svarta rock att jag kände en plötslig ömhet för honom, och upptäckte att jag också skrattade.

”Titta”, skrek han över vinden och drog mig i ärmen så att jag stod vänd mot bukten och såg ut över den bleka, obrutna horisonten. ”Tusen mil hav; ingenting mellan oss och Amerika. Och vi besegrade det, Mado. Är inte det bra? Är inte det värt en liten fest?”

Hans entusiasm smittade. Jag nickade, fortfarande andfådd av skratt och vind. Hans arm låg runt mina axlar nu; rocken fladdrade mot mitt lår. Lukten av hav, ozondoften nerstänkt med saltdimma, var överväldigande. Den glada vinden fyllde mina lungor så att jag kände för att skrika. Istället vände jag mig impulsivt mot Flynn och kysste honom; en lång, andlös kyss som smakade salt, min mun sög sig fast mot hans som en igel. Jag skrattade fortfarande, fast jag inte längre visste varför. För ett ögonblick var jag förlorad; jag var någon annan. Munnen brände; det kröp i huden. Håret kändes statiskt. Det är så här det känns, tänkte jag, sekunden innan man träffas av blixten.

En våg sköljde upp mellan oss och dränkte mig till knäna, och jag hoppade bakåt och flämtade till av överraskningen och kylan. Flynn såg nyfiket på mig, uppenbarligen omedveten om sina dränkta stövlar. För första gången på flera månader kände jag mig obekväm i hans sällskap, som om marken mellan oss rört sig och avslöjat något som jag inte känt till förrän i detta ögonblick.

Då vände han sig plötsligt bort.

Det var som om han slagit till mig. Hettan kröp över hela mig i en våg av pinsamhet och förödmjukelse. Hur kunde jag vara en sådan idiot? Hur kunde jag ha misstolkat honom så totalt?

"Förlåt", sa jag och försökte skratta fast ansiktet hettade. "Jag vet inte vad som flög i mej."

Flynn kastade ett öga bakåt. Ljuset verkade helt ha försvunnit ur hans blick. "Det gör inget", sa han med neutral röst. "Det är okej. Vi glömmer det bara, eller hur?"

Jag nickade och önskade att jag kunde skrumpna ihop och blåsa bort.

Flynn verkade slappna av en smula. Han gav mig en kort, enarmad kram, så där som min far ibland gjort när jag fått honom glad. "Just det", sa han. Och samtalet gled in på säkrare mark.

När våren närmade sig började jag på nytt iaktta stranden varje dag för att upptäcka tecken på skador eller förändringar. Jag var speciellt orolig när det blev mars månad; vinden svängde åt syd igen, vilket var ett tecken på att svåra tidvatten var i antågande. Men de svåra tidvattnen orsakade inte mycket skada i Les Salants. Bäcken höll stånd, de flesta båtarna var i säkert förvar, och till och med La Goulue föreföll opåverkat, med undantag för högarna av oaptitlig svart tång som spolades upp av tidvattnet och som Omer varje morgon tog bort för att använda på sina åkrar. Bouch'ou var stabilt. Under lugnet mellan två tidvatten åkte Flynn ut till La Jetée i sin båt och förklarade att revet inte lidit någon större skada. Vår tur hade hållit i sig.

Gradvis återvände ett nytt slags optimism till Les Salants. Det handlade inte om något så simpelt som att vi nu hade lyckan med oss, eller ens om ryktena som cirkulerade om La Houssinière. Det var mer än så. Det märktes på att barnen inte längre drog benen efter sig på väg till skolan, på Toinettes stiliga nya hatt, på Charlottes rosa läppstift och utsläppta hår. Mercédès tillbringade inte längre lika mycket tid i La Houssinière. Aristides amputerade ben värkte inte lika mycket under regniga nätter. Jag fortsatte arbetet med att restaurera varvet åt GrosJean; röjde ur den gamla hangaren, la användbart material åt sidan, grävde upp skrov som låg halvt begravda i sanden. Och i alla hus runt om i Les Salants vädrades sängar, grävdes det i trädgårdar, renoverades det gästrum i väntan på efterlängtade besökare. Ingen pratade om dem – desertörer nämns ännu mindre än de döda i byn – men i vilket fall som helst plockades fotografier fram ur byrålådor, brev lästes om, telefonnummer memorerades. Capucines dotter Clo planerade att komma till påsk. Désirée och Aristide hade fått ett kort från sin yngste son. De här förändringarna berodde inte enbart på Bouch'ou. Det var som om våren kommit tidigt och skjutit nya skott ur dammiga hörn och salta sprickor.

Min far påverkades också av detta. Det första tecknet var en hög tegelstenar framför verandan när jag kom hem från La Goulue. Det låg betongblock bakom dem också, och säckar med cement.

"Din far planerar att sätta igång med lite byggnadsarbete", sa Alain när jag träffade honom i byn. "Ett duschrum, tror jag, eller något slags tillbyggnad."

Nyheten förvånade mig inte; förr i världen hade Gros-Jean alltid varit uppslukad av det ena byggnadsprojektet efter det andra. Det var när Flynn dök upp med en frontlastare, en cementblandare och en ny laddning tegelstenar och betongblock som jag började intressera mig. ”Vad är detta?” frågade jag.

”Ett jobb”, sa Flynn. ”Din far vill få en del saker gjorda.” Han verkade märkligt ovillig att prata om det; ett nytt tvättrum, sa han, som skulle ersätta det som låg bakom hangaren. Kanske en del andra saker. GrosJean hade bett honom göra jobbet efter hans ritningar.

”Det är väl bra?” frågade Flynn när han såg mitt ansiktsuttryck. ”Det är ett tecken på att han engagerar sej.”

Jag undrade det. Påsken skulle vara över oss om några månader, och det hade pratats om att Adrienne skulle hälsa på under pojkarnas skollov. Det här skulle kunna vara ett trick för att locka henne. Och så var det kostnaden – material, hyra av maskiner, arbetskraft. GrosJean hade aldrig antytt att han hade några pengar undanstoppade.

”Hur mycket?” frågade jag.

Flynn berättade. Det var ett rimligt pris, men säkert mer än min far hade råd med. ”Jag betalar”, sa jag.

Han skakade på huvudet. ”Det gör du inte. Det är redan ordnat. Dessutom”, sa han, ”så är du pank.” Jag ryckte på axlarna. Det var inte sant; jag hade en del besparingar kvar. Men Flynn var obeveklig. Materialet var betalt. Arbetet, sa han, var gratis.

* * *

Byggnadsmaterialet tog upp det mesta av utrymmet på varvet. Flynn bad om ursäkt, men som han sa fanns det inget annat ställe att lägga det på, och det var bara för en vecka eller två. Så jag gav tillfälligt upp mitt arbete där och gick, med skissblocket i handen, till La Houssinière. När jag kom dit fann jag emellertid Les Immortelles omgivet av byggnadsställningar – fuktproblem, kanske, på grund av de höga tidvattnen.

Tidvattnet var på väg in; jag gick ner till den övergivna stranden och satte mig med ryggen mot muren för att se på det. Jag hade suttit där i några minuter och låtit min penna röra sig, nästan omedvetet, över pappret när jag fick syn på en skylt som var nerslagen i klippan högt ovanför mig, en vit skylt med svart text där det stod:

LES IMMORTELLES. Privat strand.

Det är ett BROTT att föra bort SAND från denna strand.
Den som gör det kommer att ÅTALAS.

Ordern undertecknad av
P. Lacroix (Gendarmerie Nationale)
G. Pinoz (Borgmästare)
C. Brismand (Ägare)

Jag reste mig och stirrade förbryllad på orden. Det hade förstås förekommit att man hämtat sand här tidigare, några säckar här, några säckar där, oftast för byggnation eller för att snygga till i trädgården. Brismand brydde sig inte om det. Varför skulle han då sätta upp varningsskyltar? Icke desto mindre, tänkte jag och mindes mitt senaste besök, hade stranden förlorat en massa sand. Mycket mer än vad som skulle kunna ha skett på grund av en eller annan stöld. Badhytterna som hade överlevt vintern vacklade på sina traställningar, en meter eller mer över strandnivån. I augusti hade deras magar nuddat sanden. Jag började skissa snabbt: de långbenta badhytterna; tidvattenlinjens kurva; raden av runda stenar bakom vågbrytaren; det stigande tidvattnet med molnen som förtrupp.

Jag var så upptagen av mitt arbete att det dröjde innan jag blev medveten om att syster Extase och syster Thérèse satt alldeles ovanför mig på muren. Inga glassar den här gången, men syster Extase hade en påse godis som hon emellanåt skickade till syster Thérèse. Båda nunnorna verkade förtjusta över att se mig.

”Men det är ju Mado GrosJean, *ma sœur* –”

”Lilla Mado med sitt skissblock. Har du kommit hit för att se på havet? Lukta på sunnanvinden?” frågade syster Thérèse.

”Det var den som skapade vår strand från början. Sunnanvinden”, förklarade syster Extase. ”Det säjer Claude Brismand.”

”Klipsk karl, Claude Brismand.” Det roade mig alltid att deras röster var som ekon av varandra, den ena gick in i den andra precis som fågelkvitter. ”Väldigtväldigt klipsk.”

”Hälften hade varit nog, skulle jag tro”, sa jag med ett leende.

Nunnorna skrattade. ”Eller inte tillräckligt klipsk”, sa syster Thérèse. De lämnade sina platser på muren och började gå mot mig med dräkterna upphissade när de kom ut på sanden.

”Letar du efter nån?”

”Det finns ingen därute, Mado GrosJean, ingen alls.”

”Vem skulle ge sej ut i det här vädret? Det brukade vi alltid säja till din far –”

”*Han* tittade alltid ut mot havet, vet du –”

”Men hon kom aldrig tillbaka.”

De gamla nunnorna satte sig på en flat sten i närheten

och plirade ner mot mig med sina fågelögon. Jag tittade förvånat tillbaka på dem. Jag visste att min far hade en romantisk ådra – det visade namnen på båtarna – men tanken att han skulle ha suttit här, tittat mot horisonten och väntat på att min mor skulle komma tillbaka, var oväntad och märkligt rörande.

"Hur som helst, *ma sœur*", sa syster Extase och sträckte sig efter en sötsak, "så kom lilla Mado tillbaka, eller hur?"

"Och det ser bättre ut för Les Salants. Tack vare helgonet förstås."

"Javisst. Helgonet." Nunnorna skrockade.

"Inte så bra för oss dock", sa syster Extase och tittade på byggnadsställningarna runt Les Immortelles. "Inte samma tur här."

Tidvattnet var snabbt på väg in. Det är det alltid på Le Devin, rusar över bottnen med bedräglig hastighet. Mer än en fiskare har blivit tvungen att överge sin fångst och simma för livet när han överraskats därute av det tysta vattenflödet. Jag såg en strömvirvel, den såg kraftig ut, som snirklade sig fram mot stranden. Det är inte ovanligt på en ö byggd på sandbankar; minsta lilla förändring kan leda bort en ström och förvandla en skyddad vik till en kal udde på en vinter, förvandla grunda vatten till dy, till strand och sedan till sanddyner på bara några år.

"Vad är det här för något?" frågade jag systrarna och pekade på skylten.

"Åh, det var monsieur Brismands idé. Han tror –"

"Att någon stulit sand."

"Stulit?" Jag tänkte på det nya lagret sand vid La Goulue.

"Med hjälp av båt, kanske; eller med en traktor." Syster

Thérèse log glatt från sin upphöjda sittplats. "Han har utlyst en belöning."

"Men det är ju fånigt", sa jag och skrattade. "Han måtte väl veta att ingen kan flytta så mycket sand. Det är tidvattnet. Tidvattnet och strömmarna. Inget annat."

Syster Extase hade återgått till sin godispåse. När hon såg att jag tittade på henne sträckte hon fram den. "Brismand tycker i alla fall inte att det är fånigt", sa hon milt. "Brismand tror att någon stjäl hans strand."

Syster Thérèse nickade. "Varför inte?" kvittrade hon. "Det har hänt förr."

37

MARS MÅNAD gav oss högt tidvatten men också bra väder. Affärerna blomstrade. Omer hade gjort utmärkta förtjänster på sina vintergrönsaker och hade planer på mer ambitiösa grödor för kommande år. Angélo hade på nytt öppnat sin bar efter viss renovering och gjorde livliga affärer även med houssinbor; alliansen Guénolé-Bastonnet levererade ostronen. Xavier hade börjat reparera en liten övergiven stuga i närheten av La Bouche och hade vid ett flertal tillfällen setts hand i hand med Mercédès Prossage. Till och med Toinette gjorde en god förtjänst på besökare vid helgonets altare på La Griznoz, som hade blivit populärt bland en del av de äldre houssinborna efter översvämningarna.

Men alla förändringar var inte till det bättre. Alliansen Guénolé-Bastonnet led ett temporärt avbräck när Xavier blev rånad på betalningen för ett parti hummer på väg hem från La Houssinière. Tre män på motorcyklar stoppade honom alldeles utanför byn, slog sönder hans glasögon och näsa och kom undan med fjorton dagars inkomst. Xavier hade inte känt igen någon av dem som överföll honom eftersom de hade haft motorcykelhjälmar på sig.

”Trettio humrar för femtio franc styck”, beklagade sig Matthias inför Aristide. ”Och din sonson lät dom komma undan!”

Aristide reste ragg. ”Skulle *din* sonson ha klarat sej bättre?”

”Min sonson skulle i alla fall ha gjort motstånd”, sa Matthias.

”Dom var tre stycken”, muttrade Xavier, blygare än någonsin, som såg annorlunda och muslik ut utan glasögon.

”Än sen då?” sa Matthias. ”Kan du inte springa?”

”Springa ifrån en motorcykel?”

”Det måste ha varit houssinbor”, sa Omer fridsamt när han kände att ett gräl var under uppsegling. ”Xavier, sa dom nånting till dej? Nånting som skulle kunna hjälpa dej att identifiera dom?”

Xavier skakade på huvudet.

”Motorcyklarna då? *Dom* skulle du väl känna igen?”

Xavier ryckte på axlarna. ”Kanske.”

”*Kanske?*”

Till slut gick Xavier, Ghislain, Aristide och Matthias till La Houssinière för att prata med Pierre Lacroix, den ende polisen; ingen av dem litade på att de andra skulle berätta historien på ett korrekt sätt. Polismannen visade intresse, men var inte särskilt optimistisk.

”Det finns så många motorcyklar på ön”, sa han med en farbroderlig klapp på Xaviers axel. ”Det skulle till och med ha kunnat vara fastlänningar som kommit över med *Brismand 1* över dan.”

Aristide skakade på huvudet. ”Det var houssinbor”, sa han envist. ”Dom visste att pojken hade kontanter på sej.”

”Vem som helst från Les Salants visste det också”, sa Lacroix.

”Ja, men i så fall skulle han ha känt igen motorcyklarna.”

”Tyvärr.” Tonen var slutgiltig.

Aristide såg på Lacroix. ”En av motorcyklarna var en röd Honda”, sa han.

"Ett vanligt märke", sa Lacroix utan att se Aristide i ögonen.

"Har inte din son Joël en röd Honda?"

Plötsligt uppstod en farlig tystnad. "Antyder du, Bastonnet, att min son – att *min* son..."

Polismannens ansikte flammade under mustaschen. "Det där är en illvillig anklagelse", sa han. "Om du inte vore en gammal gubbe, Bastonnet, och om du inte hade förlorat din egen son –"

Aristide flög upp från stolen och kramade sin käpp. "Min pojke har inget med det här att göra!"

"Inte min heller!"

De stod ansikte mot ansikte, Aristide vit, Lacroix röd, båda skakade av ilska. Xavier tog tag i den gamle mannens arm så att han inte skulle ramla. "Pépé, det hjälper inte –"

"Låt *bli* mej!"

Varsamt tog Ghislain hans andra arm. "Snälla monsieur Bastonnet, vi måste gå."

Aristide blängde på honom. Ghislain mötte hans blick. En lång, ursinnig tystnad uppstod.

"Jaha", sa Aristide slutligen. "Det är ett tag sen en Guénolé kallade mej *monsieur*. Den yngre generationen är inte så fördärvad som jag trodde."

De lämnade La Houssinière med all den värdighet de kunde uppamma. Joël Lacroix iakttog dem från dörren till Café Chat Noir, med en Gitane mellan tänderna och ett litet leende på läpparna. Den röda Hondan stod parkerad utanför. Aristide, Matthias, Ghislain och Xavier gick förbi utan att titta, men alla hörde Joëls kommentar till flickan som stod bredvid honom: "Där är dom där gamla salantsborna igen! Har väl försökt med nåt nytt lurendrejeri, antar jag. Man skulle ju tro att dom lärt sej nåt vid det här laget."

Xavier gav kafédörren en lång blick, men Matthias tog tag i hans arm och väste i örat: "Du skulle bara våga, grabben! Vi ska ta honom – ta dom allihop – en annan dag."

Xavier såg häpet på Matthias. Kanske var det för att hans farfars rival hade kallat honom "grabben", eller kanske var det på grund av den gamle mannens ansiktsuttryck, men det hindrade honom i alla fall tillräckligt länge för att han skulle sansa sig. Ingen av dem tvivlade på att det var Joël som låg bakom överfallet och stölden, men detta var definitivt inte rätt tillfälle att säga det. De gick långsamt tillbaka till Les Salants, och när de äntligen kom hem hade det otänkbara inträffat: för första gången på generationer var familjerna Bastonnet och Guénolé helhjärtat överens om någonting.

Den här gången, enades de, skulle det bli krig.

I slutet av veckan surrade byn av rykten och spekulationer; till och med barnen hade hört historien, och den hade gått från mun till mun med många motsägelser och överdrifter tills den uppnått episka proportioner. En sak stod emellertid klar för alla: nu hade man fått nog.

"Vi skulle ha kunnat glömma och förlåta", sa Matthias under ett vänskapligt parti *belote* på Angélos. "Vi var nöjda med att göra affärer med dom. Men dom spelade med märkta kort – så är det alltid till syvende och sist när man har med houssinbor att göra."

Omer nickade. "Det är hög tid att vi slår tillbaka", sa han. "Och ger dom något att fundera på."

"Lättare sagt än gjort", anmärkte Toinette – som var den

som vann – över sin hög med sedlar och mynt. ”Men det är alltid likadant när det kommer till kritan – bara prat. Man kan lika gärna spotta mot vinden som –”

”*Psss!*” Matthias gav ifrån sig ett uttrycksfullt ljud. ”Inte den här gången. Den här gången har dom gått för långt.”

38

NU FÖLJDE EN HÅRD KAMPANJ mot houssinborna. Vår nyfunna känsla av gemenskap krävde det. Priset på hummer och krabba steg kraftigt; Angélo började ta extra betalt när en houssinbo kom in på kaféet; snabbköpet i La Houssinière fick en leverans mögliga grönsaker från Prossage-gården (Omer skyllde på vädret); och en kväll bröt sig någon in i byggnaden där Joël Lacroix hade sin älskade Honda och hällde sand i bensintanken. Hela Les Salants väntade på att en ursinnig polis skulle dyka upp, men det gjorde han aldrig.

”Dom där houssinborna har fått som dom har velat alldeles för länge”, förklarade Omer. ”Bara för att dom haft tur ett tag så tror dom att ingenting kommer att förändras.”

Att ingen sa emot honom var ett mått på hur stora framsteg vi gjort. Till och med Matthias, som inte var någon stor tillskyndare av förändringar, nickade energiskt. ”Man blir aldrig för gammal för förändringar”, sa han.

”Just det, och ibland behöver tidvattnet lite hjälp.”

”Vi borde annonsera”, föreslog Capucine. ”Sätta upp ett plakat på kajen i La Houssinière när turisterna kommer. Det skulle få hit lite folk. Och sticka dom där houssinborna i ögonen.”

För sex månader sedan skulle en sådan långsökt idé – och från en kvinna dessutom – ha lockat fram skratt och hån. Nu såg Aristide och Matthias intresserade ut. Andra tog vid.

”Ja, varför inte?”

”Det låter bra, tycker jag.”

”Då får houssinborna nåt att gnälla om.”

”Föreställ er Brismands min!”

Det ruskades på huvuden. Många glas *devinnoise* hälldes upp. Det var ett stort steg för Les Salants att så direkt kunna utmana La Houssinière. Det skulle med all rätt tolkas som en krigsförklaring.

”Och, vad är det för fel med det?” frågade Aristide, som inte hade glömt överfallet på sin sonson. ”Det *är* krig. Det har alltid varit krig. Det är bara det att hittills har dom vunnit.”

De övriga funderade över detta ett ögonblick. Det var inte första gången någon uttalat den tanken, men idén om att konkurrera med houssinborna på något slags lika villkor hade alltid verkat absurd. Nu verkade seger, för första gången, möjlig.

Matthias talade för oss alla. ”Att ta extra betalt för fisk är en sak”, sa han långsamt. ”Men vad du föreslår skulle innebära –”

Aristide fnös. ”La Houssinière är inte någons privata ostronbank, Guénolé”, sa han med en aning av sin gamla vrede. ”Turisterna är lovligt byte. Dom tillhör inte La Houssinière. Dom skulle lika lätt kunna vara våra.”

”Och vi förtjänar dom”, la Toinette till. ”Vi är skyldiga oss själva att åtminstone göra ett försök. Eller är du rädd för houssinborna, Matthias? Tror du att dom är bättre än vi?”

”Naturligtvis inte. Jag bara undrar om vi är redo.”

Den gamla kvinnan ryckte på axlarna. ”Vi skulle kunna vara redo. Säsongen börjar om fyra månader. Det skulle kunna innebära ett halvdussin turister om dan fram till september, som bara väntar på att bli infångade. Kanske fler. Tänk på det!"

"Vi behöver ett ställe där folk kan bo", sa Matthias. "Vi har inget hotell. Ingen campingplats värd namnet."

"Det där är bara fegt Guénolé-prat", replikerade Aristide. "Låt en Bastonnet ge dej lite nya perspektiv. Du har väl ett extra rum, eller hur?"

Toinette nickade. "Just det! Alla har ett extra rum eller två om vi tänker efter. Dom flesta av oss har en markbit som kan användas för camping. Lägg till några frukostar och middag med familjen, så har vi lika bra ställen som var som helst på kusten. Till och med bättre. Dom där stadsborna betalar gärna dyrt för att få bo i ett typiskt öhus. Tänd en stockvedsbrasa, häng upp några koppargrytor på väggarna."

"Tillverka lite *devinnoiseries* i en lerugn."

"Plocka fram öns dräkter ur förråden."

"Traditionell musik – jag har min *biniou* på vinden nånstans."

"Hantverk, broderier, fisketurer."

När det väl kommit igång var det svårt att få stopp på idéflödet. Jag försökte låta bli att skratta när den allmänna upphetsningen steg, men någonstans inom mig var jag rörd mitt i det lustiga. Till och med den skeptiska familjen Guénolé rycktes med nu, alla ropade ut sina förslag, slog i bordsskivor och skramlade med glas. Den allmänna meningen var att sommargäster skulle köpa vad som helst som de upplevde som genuint eller lokalt hantverk. I åratal hade vi beklagat bristen på moderniteter i Les Salants och avundsjukt betraktat La Houssinière med dess hotell, spelhall och biograf. För första gången insåg vi att vår synbara svaghet skulle kunna förvandlas till god förtjänst. Det enda vi behövde var lite initiativförmåga och en del investeringar.

När påsken närmade sig kastade far sig in i sitt byggnadsprojekt med förnyad entusiasm. Han var inte ensam; överallt i byn såg man tecken på aktivitet. Omer började bygga om sin övergivna lada; andra planterade blommor i de nakna trädgårdarna eller hängde upp söta gardiner i fönstren. Les Salants påminde om en alldaglig kvinna som blivit förälskad och som för första gången inser att hon skulle kunna vara vacker.

Vi hade inte hört något från Adrienne sedan hon gett sig av efter jul. Jag var lättad; hennes återkomst hade fört med sig en mängd otrevliga minnen, och hennes avskedskommentarer besvärade mig fortfarande. Om GrosJean var besviken så visade han inga tecken på det. Han verkade helt uppslukad av sitt nya projekt, och jag var tacksam för det även om han var svårtillgänglig. Det anklagade jag min syster för.

Flynn hade också verkat mer frånvarande de senaste veckorna. Delvis berodde det på att han jobbade hårt; förutom GrosJeans byggnadsjobb hade han hjälpt till i byn. Han hade installerat en tvättstuga för campare hos Toinette och hjälpt Omer att bygga om ladan till en semesterlägenhet. Han kom fortfarande med sina kvickheter, spelade kort och schack med samma precisa mördarinstinkt, smickrade Capucine, retade Mercédès, imponerade på barnen med osannolika historier från sina resor utomlands, och charmade, lirkade och lurade sig allt djupare in i salantsbornas hjärtan. Men han var fortfarande ointresserad av långsiktiga planer och förändringar. Han kom inte med fler idéer. Kanske behövdes det inte nu när salantsborna lärt sig tänka själva.

Jag besvärades fortfarande av minnet av det som hänt mellan oss vid La Goulue. Flynn däremot verkade ha glömt det totalt, och efter att ha spelat upp händelsen gång efter annan i den del inom mig som var reserverad för sådana saker, bestämde jag mig till sist för att göra detsamma. Visst tyckte jag att han var attraktiv. Insikten hade överraskat mig, och jag hade gjort bort mig. Men att ha honom som vän var viktigare för mig, särskilt nu. Jag skulle aldrig ha erkänt det för någon annan, men efter att Les Salants förändrats och min fars byggnadsplaner satts i verket kände jag mig utanför på något konstigt sätt.

Jag kunde inte sätta fingret på det. Folk var vänliga och snälla. Det fanns inget hus i byn – inte ens Aristides – där jag inte var välkommen. Och ändå förblev jag på ett nästan omärkligt sätt en utomstående. Det var något formellt över deras sätt att umgås med mig som jag upplevde som underligt pressande. Om jag blev bjuden på te så serverades det i finporslinet. Om jag köpte grönsaker av Omer så la han alltid till lite mer än jag betalat för. Det fick mig att känna mig illa till mods. Det fick mig att känna mig annorlunda. När jag talade om det för Capucine så skrattade hon bara. Jag trodde att Flynn var den enda som skulle kunna förstå.

Följden blev att jag tillbringade mer tid än någonsin tillsammans med honom. Han var en god lyssnare och hade förmågan att ge perspektiv på mina problem genom ett leende eller en lättvindig kommentar. Men ännu viktigare var att han förstod mitt andra liv, mina år i Paris, och när jag pratade med honom behövde jag aldrig leta i mitt ordförråd efter enklare ord, eller kämpa för att förklara en krånglig idé, som jag ofta fick göra med en del av salantsborna. Jag skulle aldrig säga det till dem, men ibland fick mina vänner i byn mig att känna mig som en lärare i en stojig klass. De charmade och irriterade mig om vartannat; ibland var de extremt barnsliga, ibland egendomligt kloka. Om jag bara kunde vidga deras horisont...

"Nu har vi en riktig strand", sa jag till honom en dag vid La Goulue. "Vi kanske till och med kan få hit några riktiga turister."

Flynn låg på rygg i sanden och tittade upp mot himlen.

"Vem vet", framhärdade jag, "vi kanske blir en fashionabel semesterort." Det var en lättsam kommentar men han log inte ens. "Vi kan i alla fall låta Brismand få smaka lite på sin egen medicin. Efter det flyt han haft under åren är det Les Salants tur nu."

"Så du tror att det är det som händer?" sa han. "Att det är er tur nu?"

Jag satte mig upp. "Vad är det för fel? Är det nåt du inte har berättat för mej?"

Flynn fortsatte att stirra upp i himlen. Ögonen var fulla av moln.

"Nå?"

"Ni är så nöjda med er själva. Efter en eller två små segrar så tror ni att ni kan klara vad som helst. Snart ska ni väl gå på vatten."

"Än sen då?" Jag gillade inte tonen i hans röst. "Vad är det för fel med lite företagsamhet?"

"Det som är fel, Mado, är att det har gått lite för bra. För mycket, för snabbt. Hur länge dröjer det innan det kommer ut, tror du? Hur länge dröjer det innan alla vill ha sin del av kakan?"

Jag ryckte på axlarna. ”Man kan inte hålla en strand hemlig för evigt. På en ö kommer sanningen alltid fram på ett eller annat sätt. Ingen hemlighet kan bevaras för alltid. Och dessutom: vem skulle kunna förhindra det som sker?”

Flynn slöt ögonen. ”Vänta och se”, sa han med oväntad likgiltighet. ”Snart nog får du se.”

Men jag var för upptagen för att slösa tid på den sortens pessimism. Det var tre månader till turistsäsongen, och hela byn jobbade hårdare och med större glädje än när vi byggde Bouch'ou. Framgången hade gjort oss självsäkra; dessutom hade vi börjat njuta av de förhoppningar som projektet skapade.

Flynn, som skulle ha kunnat leva på sin triumf under ett helt år om han velat, utnyttjat förmåner från alla i Les Salants och aldrig behövt betala för en drink, fortsatte att hålla sig på avstånd. Helgonet tog istället åt sig äran, och det altare som rests av Toinette var fullt av offergåvor. Första april orsakade Damien och Lolo en mindre skandal genom att fylla altaret med död fisk, men på det stora hela fanns det stor vördnad för den återupprättade Sainte-Marine, och Toinette njöt av det som tillkom henne.

Året innan skulle ingen salantsbo ha funderat över att investera pengar, och ännu mindre ta lån. Det finns ingen bank på Le Devin, och även om det fanns en så existerade inga säkerheter för lån. Men nu var saker och ting annorlunda. Besparingar kunde plockas fram ur lådor och garderober. Vi började se möjligheter där inga funnits tidigare. Uttrycket ”kortfristigt lån” nämndes för första gången av Omer, och välkomnades med försiktigt gillande. Alain avslöjade att han hade tänkt i samma banor. Någon hade hört talas om en organisation på fastlandet – kanske någon med kontakter i jordbruksdepartementet – som man skulle kunna söka bidrag hos.

Allteftersom takten ökade blev förberedelserna alltmer ambitiösa. Jag anlitades för att göra ett antal skyltar av brädor och konstnärliga drivvedsbitar:

Lokalt havssalt (50 F/påse)
Bastonnets repslageri
Angélos kafé och restaurang (Dagens rätt 30 F)
Chambre-d'hôte – rum att hyra – trivsam familjeatmosfär
Galleri Prasteau – lokal konstnär
Sainte-Marine-de-la-Mers helgedom (guidad tur 10 F)

I flera veckor sjöd byn av hammarslag, ogräsrensning, rop, krattning, målning, vitkalkning, drickande (törstigt jobb, det här) och gräl.

”Vi borde skicka någon att göra reklam i Fromentine”, föreslog Xavier. ”Dela ut flygblad, berätta om det här.”

Aristide höll med. ”Vi åker tillsammans. Jag kan stå på kajen och hålla ett öga på färjan. Du kan ta hand om resten av stan. Mado kan göra ett plakat och kanske några flygblad också, va? Vi kan hyra rum i några dar. Det blir rena barnleken!” Han skrattade förnöjt.

Xavier var inte lika entusiastisk. Kanske var det tanken på att lämna Mercédès, om så bara för några dagar. Men när Aristides entusiasm väl fått fart var den omöjlig att dämpa. Han packade några saker, inklusive plakatet, och spred ett rykte om att han hade familjeaffärer att ta hand om.

”Houssinborna ska inte få reda på saker och ting i förväg”, sa han.

Eftersom jag inte hade några tryckmöjligheter handtextade jag hundra små flygblad. Xavier fick order om att sätta ett i varje butiksfönster och varje kafé i Fromentine.

BESÖK LES SALANTS
Oförändrat sedan hundra år
Delikata lokala maträtter
En oförstörd gyllene strand
En vänlig och varm atmosfär
LES SALANTS – UPPTÄCK SKILLNADEN

Ordalydelsen hade begrundats och omarbetats av familjerna Guénolé, Bastonnet och Prossage tills alla var nöjda. Jag rättade stavfelen. Vi låtsades att familjen Bastonnet skulle åka till kusten för att hjälpa en släkting i svårigheter i Pornic, och såg till att informationen gick fram på rätt ställen. Berättar man något för Jojo-le-Goëland så vet hela La Houssinière om det innan man hinner blinka. Åsikten i Les Salants var att houssinborna inte skulle fatta vad som hänt innan det var för sent.

Vår attack skulle överrumpla dem totalt. När sommaren kom, sa Aristide triumferande, skulle kriget vara över innan det ens hade börjat.

39

PÅSKEN KOM OCH *BRISMAND 1* började på nytt göra två turer i veckan. Det var bra för Les Salants, för allt byggande och inredande hade gjort slut på förråden och ingen ville riskera att avslöjas genom att beställa material i La Houssinière. Aristide och Xavier hade fått ett strålande mottagande i Fromentine, delat ut alla sina flygblad och informerat om detaljerna på de lokala turistbyråerna. Ett par veckor senare åkte de tillbaka, ända till Nantes den här gången, med dubbelt så många flygblad att dela ut. Resten av oss väntade spänt på nyheter, la sista handen vid vårt arbete och spanade noga efter houssinspioner. För det *fanns* spioner. Jojo-le-Goëland hade vid flera tillfällen setts smyga omkring med kikare vid La Goulue, man hade hört motorcyklar runt byn och Joël Lacroix hade börjat promenera omkring på sanddynerna om kvällarna – åtminstone tills någon sköt efter honom med en dubbelpipig laddning bergsalt. En halvhjärtad utredning inleddes men, som Alain påpekade för Pierre Lacroix med mycket allvarlig min, det var så många öbor som hade saltbössor att det skulle vara omöjligt att hitta förövaren, till och med om man antog att det var en salantsbo.

”Det skulle precis lika gärna kunna vara någon från kusten”, instämde Aristide. ”Eller till och med en houssinbo.”

Polismannens mun smalnade av missnöje. ”Ta dej i akt, Bastonnet”, varnade han.

”Vem, jag?” sa Aristide chockerad. ”Du tror väl ändå inte att jag har någonting att göra med överfallet på din son?”

Det blev inga efterräkningar. Kanske hade Lacroix pratat med sin son, eller så var houssinborna alltför upptagna med att förbereda sin egen säsong, men La Houssinière var spöklikt tyst för årstiden. Till och med motorcykelgängen försvann för ett tag.

”Bra, va?” sa Toinette som hade sin egen saltbössa undanstoppad bakom ytterdörren, bredvid vedstapeln. ”Om nån av dom där skurkarna kommer och nosar häromkring så ska jag ge dom båda piporna med Grossels bästa i ändan.”

Nu var det bara en sak som fattades för att Aristides triumf skulle vara fulländad: det officiella tillkännagivandet av förlovningen mellan hans sonson och Mercédès. Det fanns anledning att förvänta sig det: de två var alltid tillsammans, Xavier stum av beundran, föremålet för hans känslor oberört flörtig i en rad iögonfallande kreationer. Detta var i sig tillräckligt för att ge näring åt en rad gissningar i byn. Men viktigare var det faktum att Omer var positivt inställd till partiet. I egenskap av beskyddande förälder gjorde han ingen hemlighet av det. Pojken hade goda framtidsutsikter, förklarade han belåtet. En salantsbo, med hjärtat på rätta stället. Respekt för de äldre. Och tillräckligt mycket pengar för att starta eget. Aristide hade redan gett Xavier en okänd summa – ryktena flög vilt, det sas att den gamle mannen måste ha haft pengar undanstoppade – för att klara sig på egen hand, och Xavier hade gjort exceptionella framsteg när det gällde att renovera den övergivna stugan, som en gång inte varit mer än ett skal och som han planerade att flytta in i.

”Det är dags att han slår sej till ro”, sa Aristide. ”Ingen av oss blir yngre och jag skulle gärna vilja få några barnbarn innan jag dör. Xavier är allt jag har kvar efter stackars Olivier. Jag räknar med att han ska hålla namnet levande."

Mercédès var söt, och från Les Salants. Omer och familjen Bastonnet hade varit vänner i många år. Och Xavier var upp över öronen förälskad i henne, sa Aristide med en lysten glimt i ögat; det skulle bli barnbarn.

"Jag räknar med ett dussin", sa han belåtet och tecknade ett timglas med händerna. Breda höfter, fina hasor; Aristide visste lika mycket om boskap som alla andra öbor. Folk från Le Devin borde välja hustrur som man väljer avelsston, brukade han säga. Var hon dessutom söt, så mycket bättre.

"Ett dussin", upprepade han lyckligt och gnuggade händerna. "Kanske fler."

Men trots allt vilade det något desperat över vårt goda humör. Det behövs mer än kampretorik för att hålla igång ett krig, och våra motståndare i La Houssinière verkade för lugna, för ointresserade för att det skulle kännas bra. Claude Brismand sågs vid ett flertal tillfällen ute vid La Goulue tillsammans med Jojo-le-Goëland och borgmästare Pinoz. Om det han sett hade oroat honom, visade han definitivt inga tecken på det. Han förblev obekymrad och hälsade alla besökare välkomna med sitt vanliga välvilliga, faderliga leende. Men i vilket fall som helst hade vi redan nåtts av ett antal rykten. Affärerna tycktes inte gå strålande i La Houssinière. "Jag har hört att Les Immortelles blivit av med en del bokningar", sa Omer. "Fukt i väggarna."

I slutet av veckan tog min nyfikenhet vad gällde Les Immortelles överhanden. Jag gick dit under förevändning att jag behövde beställa konstnärsmaterial från fastlandet, men mest för att kontrollera de allt vildare ryktena om de påstådda skadorna på hotellet.

De var, naturligtvis, överdrivna. Men i vilket fall som helst hade Les Immortelles förfallit sedan mitt senaste besök. Själva hotellet såg likadant ut, bortsett från byggnadsställningarna på ena sidan, men sandtäcket hade blivit ännu tunnare med ett brant fall ner till den steniga strandkanten.

Jag förstod hur det hade uppstått. Den kedja av händelser som lett fram till detta, allt vårt arbete i Les Salants, kombinationen av tröghet och arrogans hos houssinborna som skymde sanningen för dem, trots att den fanns precis framför dem. Omfattningen av – och fräckheten i – vår list gjorde den omöjlig att förutse. Till och med Brismand missade, trots sitt snokande, det som fanns mitt framför näsan på honom.

När det väl hade börjat skulle förfallet gå snabbt och bli omöjligt att avhjälpa. Vågorna mot havsmuren skulle dra ut den återstående sanden i baksuget, frilägga klippor och stenar tills ingenting annat än den släta, sluttande uråldriga vallen återstod. På några år skulle den kunna vara helt borta. På ett par somrar, om vindarna hjälpte till.

Jag letade efter Jojo, Brismand eller någon annan som kunde berätta vad som hände, men ingen syntes till. Rue des Immortelles låg nästan öde. Jag såg ett par turister som köpte glass vid ett stånd där en uttråkad flicka tuggade tuggummi under ett urblekt *Choky*-parasoll.

När jag kom närmare havsmuren la jag märke till en enda grupp tidiga turister på den ynkliga stranden, det såg ut att vara en familj med en liten baby och hund, som satt hoptryckta och skakade under ett fladdrande parasoll. April är en osäker månad på öarna, och den här dagen blåste en ihållande vind från havet som drog all värme ur luften. En liten flicka i åttaårsåldern med lockar och runda violögon klättrade på klipporna i änden av stranden. Hon såg att jag tittade på henne och vinkade. "Är du på semester?" ropade hon.

Jag skakade på huvudet. "Nej, jag bor här."

"Har du *haft* semester då? Åker du till stan på din semester när vi kommer hit? Badar du i havet på helgerna och åker till simbassänger vid speciella tillfällen?"

"Laetitia", sa hennes far tillrättavisande och vände sig om för att se vad som pågick. "Ställ inte en massa oartiga frågor."

Laetitia såg forskande på mig. Jag blinkade mot henne. Hon behövde ingen ytterligare uppmuntran; på en sekund hade hon kravlat uppför stigen till esplanaden och satte sig betänkligt nära mig på muren med ena foten uppdragen under sig.

"Har du en strand i närheten av ditt hus? Är den större än den här? Kan du gå till stranden när du vill? Kan du bygga sandslott på julen?

Jag log. "Om jag vill."

"Coolt!"

Jag fick veta att hennes mamma hette Gabi. Hennes pappa hette Philippe. Hunden hette Pétrole. Han blev alltid sjuk ombord på båtar. Laetitia hade en storebror, Tim, på universitetet i Rennes. Hon hade en bror till, Stéphane, men han var bara baby. Hon gjorde en lite ogillande grimas.

"Han gör aldrig nånting. Ibland sover han. Han är så trååååkig. Jag tänker gå till stranden varenda dag", förklarade hon och sken upp. "Jag tänker gräva tills jag hittar lera. Sen ska jag göra saker med den. Det gjorde vi förra året i Nice", förklarade hon. "Det var coolt. Supercoolt."

”Laetitia!” En avlägsen röst ropade från stranden. ”Laetitia, vad har jag sagt!”

Laetitia suckade teatraliskt. ”*Bof*. Mamma tycker inte om att jag klättrar så här långt. Det är bäst att jag går tillbaka.”

Hon gled bekymmerslöst nerför muren utan att bry sig om drivorna av trasigt glas som samlats vid foten.

”Hej då!” Ett ögonblick senare var hon nere vid vattenbrynet och kastade tång på fiskmåsarna.

Jag vinkade tillbaka och fortsatte min undersökning av esplanaden. Sedan mitt senaste besök hade några av affärerna öppnat igen utefter Rue des Immortelles, men bortsett från Laetitia och hennes familj verkade det inte finnas många kunder. Syster Thérèse och syster Extase såg bistra ut i sina svarta dräkter där de satt på en bänk med utsikt över havet. Joël Lacroix' motorcykel stod vårdslöst parkerad mittemot, men ägaren syntes inte till. Jag vinkade åt de två nunnorna och gick och satte mig bredvid dem.

”Nej men, det är ju lilla Mado igen”, sa en av systrarna – båda var klädda i sina vita *coiffes* idag och jag märkte att jag knappt kunde skilja dem åt. ”Inget skissande idag?”

Jag skakade på huvudet. ”För blåsigt.”

”Dåliga vindar för Les Immortelles, va?” sa syster Thérèse och gungade med fötterna.

”Inte så dåliga för Les Salants”, sa syster Extase. ”Vi har hört –”

”Allt möjligt. Du skulle bli förvånad –”

”Över allt vi får höra.”

”Dom tror att vi är som dom stackars gamla hyresgästerna här, för gamla och vrickade för att förstå vad som pågår. Och det är vi förstås, *ma sœur*, gamla som bergen, det vill säja –”

”Om det fanns några berg här, men det finns det inte, bara sanddyner –”

”Fast inte lika mycket sand som det brukar finnas, *ma sœur*, nej, inte alls lika mycket.”

Tystnad medan de två nunnorna plirade mot mig, som fåglar, under sina vita *coiffes*.

”Jag har hört att Brismand har varit tvungen att stryka bokningar i år”, sa jag försiktigt. ”Är det sant?”

Nunnorna nickade unisont. ”Inte alla bokningar. Men en del –”

”Ja, en del. Han var mycketmycket irriterad. Det var översvämning, eller hur *ma sœur*, det måste ha varit alldeles efter –”

”Vårfloden. Fyllde källarna och ända fram. Arkitekten säjer att det är fukt i väggarna på grund av –”

”Havsbrisen. Dom ska jobba på det i vinter. Till dess –”

”Kan turisterna bara använda dom bakre rummen, ingen havsutsikt, ingen strand. Det är –”

”Mycketmycket tråkigt.”

Jag instämde, ganska illa till mods.

”Men om det är helgonets vilja –”

”Javisst. Om det är helgonets vilja...”

De vinkade efter mig när jag gick därifrån, ännu mer fågellika på avstånd, deras *coiffes* förvandlade till ett par måsar som gungade på en tålmodig våg.

När jag gick över vägen fick jag syn på Joël Lacroix som iakttog mig från dörröppningen på Chat Noir. Han rökte en Gitane och hade glöden vänd in mot handflatan på fiskares vis. Våra blickar möttes och han hälsade kort – men sa ingenting. Alldeles bakom honom i kafédörren såg jag silhuetten av en flicka i röken – långt svart hår, röd klänning, långa ben i högklackade sandaler – en kontur som verkade vagt bekant. Men medan jag tittade gick Joël bort från dörren och flickan med honom. Jag tyckte att det var något hemlighetsfullt över sättet på vilket han vände sig bort, som om han skyddade flickan från blickar.

Det var först senare, när jag gick tillbaka till Les Salants, som jag kom ihåg varför flickan sett så bekant ut.

Det var – och jag var nästan säker på det – Mercédès Prossage.

40

JAG SA FÖRSTÅS INGET OM DET TILL NÅGON. Mercédès var arton, och fri att gå vart hon ville. Men jag kände mig illa till mods; Joël Lacroix var ingen vän av Les Salants, och jag tyckte inte om att tänka på hur mycket av våra planer Mercédès avslöjat i sin oskuldsfullhet.

Snart fick jag emellertid andra bekymmer. När jag kom tillbaka från La Houssinière fann jag min far vid köksbordet tillsammans med Flynn, de tittade på några ritningar gjorda på smörpapper. Jag fick en glimt av deras ansikten – fars lyste av upphetsning, Flynns hade ett pojkaktigt koncentrerat uttryck – innan de tittade upp och såg att jag iakttog dem.

"Det är ett nytt jobb", sa Flynn. "Din far vill att jag ska hjälpa till med en ombyggnad. Båthangaren."

"Jaså?"

GrosJean måste ha anat mitt ogillande, för han gjorde en otålig gest. Det var inte uppskattat att jag la mig i. Jag vände mig till Flynn, som ryckte på axlarna.

"Vad kan jag göra?" sa han. "Det är hans hus. Jag har inte uppmuntrat honom."

Det var förstås sant. GrosJean kunde göra vad han ville med sitt eget hus. Men jag undrade varifrån pengarna kom. Och varvet var fortfarande en länk till det förflutna, även om det stod oanvänt. Jag tyckte inte om att bli av med det.

Jag tittade närmare på ritningarna. De var bra; far hade

ett öga för detaljer och jag såg tydligt vad han tänkte sig – en sommarstuga eller kanske en ateljé, med vardagsrum, ett litet kök och ett badrum. Hangaren var stor; om man byggde ett golv, en lucka och en stege som nådde upp så skulle man kunna få ett trevligt sovrum under takstolarna.

"Det är väl åt Adrienne?" sa jag och visste att det var sant. Sovrummet med luckan i golvet, köket, det breda vardagsrummet med sitt långa fönster. "Adrienne och pojkarna."

GrosJean bara såg på mig, ögonen var lika livlösa som blått porslin, och sedan åter ner på sina ritningar. Jag vände mig stelt om och gick ut igen, jag mådde illa. Ett ögonblick senare kände jag att Flynn stod bakom mig.

"Vem ska betala för allt det där?" frågade jag utan att se på honom. "GrosJean har inga pengar."

"Han kanske har besparingar som du inte känner till."

"Du har kunnat ljuga bättre än så, Flynn."

Tystnad. Jag kände honom fortfarande bakom ryggen, hur han iakttog mig. Från dynen lyfte en flock måsar med smattrande vingar.

"Han kanske har lånat pengarna", sa han till sist. "Han är en vuxen man, Mado. Du kan inte styra hans liv."

"Jag vet."

"Du har gjort allt du kan. Du har hjälpt honom –"

"Och till vilken nytta?" Jag vände mig ilsket om. "Till vilken nytta har det varit? Allt han bryr sej om är att leka mamma, pappa, barn med Adrienne och dom där pojkarna."

"Välkommen till verkligheten, Mado", sa Flynn. "Hade du förväntat dej att han skulle vara tacksam?"

Tystnad. Jag drog ett streck med foten i den hårda sanden. "Vem lånade honom pengarna, Flynn? Var det Brismand?"

Flynn såg otålig ut. ”Hur ska jag veta det?”
”Var det Brismand?”
Han suckade. ”Förmodligen. Spelar det nån roll?”
Jag gick därifrån utan att se på honom.

Jag visade inget ytterligare intresse för arbetet med hangaren. Flynn körde dit ett lastbilslass med material från La Houssinière och ägnade en helg åt att riva ut allt ur byggnaden. GrosJean var tillsammans med honom hela tiden, tittade på och kontrollerade ritningarna. Trots allt började jag känna mig svartsjuk på grund av all den tid han tillbringade tillsammans med Flynn; det var som om far hade börjat undvika mig därför att han kände mitt ogillande.

Jag fick reda på att Adrienne och pojkarna planerade att komma tillbaka till sommarlovet. Nyheten väckte stor uppståndelse i byn, där ett flertal familjer sedan länge väntade på egna besökare.

”Jag tror verkligen att hon kommer att hålla sitt löfte den här gången”, sa Capucine. ”Hon är ingen dålig flicka, min Clo. Inte någon tänkare, men hon har ett gott hjärta.”

Désirée Bastonnet såg också förväntansfull ut; jag såg henne på vägen till La Houssinière i ny grön kappa och en hatt med blommor på bandet. Jag tyckte hon såg yngre ut i sina vårkläder, med rak rygg och ovanligt rosigt ansikte, och hon log mot mig när vi möttes. Det var så överraskande att jag vände och gick ikapp henne, bara för att försäkra mig om att jag inte hade blandat ihop henne med någon annan.

”Jag ska träffa min son Philippe”, sa hon med sin låga röst. ”Han har besökt La Houssinière tillsammans med sin familj. Han ska fylla trettiosex i juni.”

För ett ögonblick tänkte jag på Flynn och undrade om

han också hade en mor som Désirée, som väntade på att han skulle återvända. ”Vad roligt att du ska träffa honom”, sa jag. ”Och jag hoppas att han kan sluta fred med sin far.”

Désirée ruskade på huvudet. ”Du vet hur envis min man är”, sa hon. ”Han låtsas att han inte vet att jag haft kontakt med Philippe; han tror att det enda skälet till att Philippe skulle komma tillbaka efter alla dessa år är för att han är ute efter pengar.” Hon suckade. ”Men”, sa hon bestämt, ”om Aristide vill kasta bort chansen så är det hans ensak. Jag hörde helgonet tala, den där kvällen på udden. Från och med nu, sa hon, skapar vi vår egen lycka. Och det tänker jag göra.”

Jag log. Bluffmirakel eller inte – det hade verkligen förändrat Désirée. Även om Bouch'ou hade blivit ett misslyckande så hade Flynns list ändå åstadkommit detta, och jag kände en plötslig värme för honom. Trots sin spelade cynism, tänkte jag, var han inte likgiltig.

Jag önskade att jag kunde känna mig mer positiv inför min systers ankomst. I takt med att arbetet i hangaren framskred verkade GrosJean gå upp i varv alltmer. Det märktes i allting han gjorde – hans förnyade energi, hans pigghet, att han inte längre satt i köket och stirrade slött ut över havet. Han började prata allt oftare också, fast det mesta handlade om Adriennes återkomst, och det gladde mig inte lika mycket som det annars skulle ha gjort. Det var som om någon vridit på en strömbrytare i honom, fått honom att leva upp. Jag försökte glädja mig för hans skull men upptäckte att jag inte kunde.

Istället kastade jag mig med våldsam entusiasm in i mitt måleri. Jag målade stranden vid La Goulue, de vitkalkade husen med sina röda tegeltak, blockhuset vid Pointe Griznoz med rosa tamarisker som skakade dunigt i havsbrisen, sanddyner som guppade av harsvansgräs, båtar vid ebb, fåglar som täckte vattenytan, långhåriga fiskare i blekt rosa *vareuse*, Toinette Prossage som letade sniglar under vedtraven i sin vita *coiffe* och svarta änkedräkt. Jag tänkte för mig själv att när turisterna anlände så skulle det finnas köpare till mina tavlor, och att utläggen – dukar, färg och annat material – var en investering. Jag hoppades det; mina besparingar hade krympt oroväckande, och trots att GrosJean och jag hade ganska låga hushållsutgifter så oroade jag mig över de stora byggkostnaderna. Jag hörde mig för lokalt och kontaktade ett litet galleri i Fromentine, där ägaren gick med på att sälja en del av mina målningar mot procent. Jag skulle ha föredragit något som låg närmare, men det var en början. Jag väntade med bävan på att säsongen skulle börja.

* * *

Det dröjde inte länge innan jag fick syn på turistfamiljen igen. Jag var ute vid La Goulue med skissblocket och försökte fånga vattnets utseende vid ebb, när de dök upp från ingenstans, Laetitia som sprang i förväg med hunden Pétrole och hennes föräldrar Gabi och Philippe som kom efter med babyn i en bärsele. Philippe bar på en picknickkorg och en strandväska full med leksaker.

Laetitia vinkade vilt mot mig. ”*Salut!* Vi har hittat en strand!” Hon sprang andfått fram till mig och ansiktet lyste. ”En strand, och det finns inte nån här! Det är precis som på en öde ö. Det är den coolaste öde strand som *finns!*”

Leende höll jag med om att det var sant.

Gabi vinkade vänligt till hälsning. Hon var en liten rund, mörk kvinna, med gul *paréo* ovanpå baddräkten. "Är det säkert här?" frågade hon. "Att bada, menar jag? Det finns ingen grön flagga eller nåt."

Jag skrattade. "Jodå, det är säkert", sa jag. "Det är bara det att vi inte brukar ha så många besökare på den här sidan av ön."

"Vi tycker bäst om den här sidan", förkunnade Laetitia. "Vi tycker bäst om att bada här. Och jag *kan* simma", tillade hon med värdighet, "men jag måste ha en fot på botten."

"Les Immortelles är inte säkert för barn", förklarade Gabi. "Det finns ett högt stup och strömmar."

"Det här är mycket bättre", sa Laetitia och började springa stigen nerför klippan. "Det finns klippor och allt. *Kom igen*, Pétrole."

Hunden följde henne och skällde upphetsat. La Goulue genljöd av de ovanliga ljuden av barnslig livsglädje.

"Vattnet är lite kallt", sa jag och tittade på Laetitia, som nu var framme vid tidvattenlinjen och petade i sanden med en pinne.

"Hon klarar sej", sa Philippe. "Jag känner till det här stället."

"Jaså?" Nu när jag kunde studera honom på närmare håll såg jag att han nästan såg ut som en öbo, med svart hår och blå ögon. "Ursäkta, men känner inte jag dej? Du ser bekant ut."

Philippe ruskade på huvudet. "Du känner inte mej", sa han. "Men du känner kanske min mor." Hans ögon flyttade sig till en punkt bakom mig, och han log – ett mycket välbekant leende. Automatiskt vände jag mig om.

"*Mamie!*" vrålade Laetitia från vattenbrynet och började

springa mot stranden. Vatten sprutade åt alla håll. Pétrole började skälla.

"Mado", sa Désirée Bastonnet med lysande ögon. "Jag ser att du har träffat min son."

Han hade återvänt för påsklovet. Han, Gabi och barnen hade bott i en av hotellets stugor på andra sidan Clos du Phare, och sedan vi träffats på vägen till La Houssinière hade Désirée hälsat på flera gånger.

"Det är coolt", förklarade Laetitia och tog en stor tugga av ett *pain du chocolat* från picknickkorgen. "Jag har haft en Mamie hela tiden utan att veta om det! Jag har en Papi också, men honom har jag inte träffat än. Vi ska träffa honom senare."

Désirée såg på mig och skakade lite på huvudet. "Vilken envis gammal gubbe", sa hon, inte utan värme. "Han har fortfarande inte glömt den där gamla historien. Men vi tänker inte ge upp."

* * *

Ombyggnaden av hangaren var nästan färdig. Flynn hade tagit ett par man från La Houssinière till hjälp och arbetet hade gått fort framåt. Fortfarande sa ingen något om hur det skulle finansieras.

När jag pratade med Aristide om kostnaden blev han filosofisk. "Tiderna förändras", sa han. "Om din far använder sej av arbetskraft från La Houssinière måste det betyda att han har fått ett bra pris. Annars skulle han inte göra det."

Jag hoppades att det var sant; jag gillade inte tanken på att far satte sig i skuld hos Brismand. "Det är klokt att låna lite nu", sa Aristide muntert. "Att investera i framtiden.

Som det ser ut nu kommer vi inte att ha några problem med att betala tillbaka."

Jag tolkade detta som att han också hade lånat pengar. Bröllop på ön var förstås inga billiga tillställningar, och jag visste att han ville slå på stort för Xavier och Mercédès när de väl bestämt datum. Men jag kände mig ändå illa till mods.

41

FÖRSTA VECKAN I JUNI SLUTADE SKOLAN och sommarlovet började. Detta betydde traditionsenligt att säsongen startade, och vi tittade med förnyat intresse varje gång *Brismand 1* la till. Man kunde alltid räkna med att Lolo höll uppsikt över hamnen, och han och Damien turades om att bevaka esplanaden med överdriven likgiltighet. Om någon la märke till hur noga de höll uppsikt, så kommenterade de det i alla fall inte. La Houssinière låg och jäste tyst under en allt hetare sol; Clos du Phare, som en gång varit översvämmad, krasade våldsamt under fötterna och gjorde det smärtsamt att gå och farligt att cykla. *Brismand 1* anlände dagligen med knappt en handfull turister åt gången, och Les Salants oroade sig och ängslades som en brud som fått vänta för länge i kyrkan. Vi var redo, mer än redo; vi hade tid att reflektera över hur mycket kraft och pengar vi hade investerat i att bygga om Les Salants och hur mycket vi hade att förlora. Folk var lättretliga.

”Du kan inte ha delat ut tillräckligt med flygblad”, fräste Matthias åt Aristide. ”Jag visste att jag skulle ha skickat nån annan!”

Aristide fnös. ”Vi delade ut vartenda ett! Vi åkte ända till Nantes.”

”Just det, roade er i stan istället för att ägna er åt våra affärer.”

”Du din gamle getabock! Jag ska visa dej var du kan stoppa dina flygblad.” Aristide reste sig tvärt med käppen i beredskap. Det såg ut som om Matthias tänkte lyfta upp en stol. Det skulle ha kunnat utvecklas till ett slagsmål mellan världens äldsta kombattanter om inte Flynn gått emellan och föreslagit ytterligare en resa till Fromentine.

”Ni kanske kan ta reda på vad som pågår där”, sa han milt. ”Eller så kanske turisterna behöver lite övertalning.”

Matthias såg skeptisk ut. ”Jag tänker inte låta dom där Bastonnet-människorna slå runt i Fromentine på min bekostnad”, fräste han. Han föreställde sig tydligen den oskyldiga kuststaden som ett syndens näste.

”Ni skulle kunna åka båda två”, föreslog Flynn. ”Hålla ett öga på varann.”

”Det är en tanke.”

Den bräckliga alliansen återupprättades. Det bestämdes att Matthias, Xavier, Ghislain och Aristide skulle ta färjan till Fromentine på fredagsmorgonen. Fredagar var bra turistdagar, sa Aristide, början på helgrusningen. Ett plakat var nog bra, men inget slog en inropare på landgången. De lovade att våra problem skulle vara lösta på fredagskvällen.

Det gjorde att vi fick nästan en vecka att slå ihjäl. Vi väntade otåligt, de äldre spelade schack och tog sig ett glas öl på Angélos, de yngre fiskade vid La Goulue, där fångsten alltid var bättre än ute på udden.

Mercédès började sola där under heta dagar, hennes yppiga former inneslutna i en leopardmönstrad baddräkt. Flera gånger kom jag på Damien när han tittade på henne i kikare. Jag misstänkte att han inte var den ende.

På fredagseftermiddagen väntade halva byn på kajen för att ta emot *Brismand 1*. Désirée. Omer. Capucine. Toinette.

Hilaire. Lolo och Damien. Flynn var där, som vanligt aningen reserverad, och blinkade åt mig när jag fångade hans blick. Till och med Mercédès var där, skenbarligen för att hälsa Xavier välkommen hem, klädd i en kort brandgul klänning och osannolikt högklackade sandaler. Omer höll henne under noggrann uppsikt med en blandning av oro och gillande. Mercédès låtsades inte märka det.

Claude Brismand tittade också på där han satt högt ovanför oss på terrassen till Les Immortelles. Jag såg honom från kajen, mäktig i sin vita skjorta och fiskarmössa och med ett glas i ena handen. Han såg avspänd och förväntansfull ut. Det var för långt avstånd för att jag skulle kunna urskilja hans anletsdrag. Capucine såg att jag iakttog honom och flinade käckt.

”Han har ingen aning om vad som väntar honom när färjan lägger till.”

Jag var inte lika säker. Brismand visste det mesta om vad som hände på ön, och även om han inte kunde ändra någonting så var jag ganska säker på att vad som än hände, så inte skulle han bli överraskad. Tanken gjorde mig orolig, det kändes som om någon iakttog mig; faktum var att ju mer jag funderade över lugnet hos den där figuren på terrassen, desto mer övertygad blev jag om att han verkligen iakttog mig med en underlig, illmarig intensitet. Jag gillade det inte alls.

Alain tittade på klockan. ”Hon är sen.”

Bara en kvart. Men medan vi väntade och svettades och kisade mot vattenblänket kändes det som timmar. Capucine stoppade handen i fickan, tog fram en chokladkaka och åt upp den i tre nervösa tuggor. Alain tittade på klockan igen.

”Jag borde ha följt med”, morrade han. ”Dom har säkert gjort bort sej.”

Omer rynkade pannan. ”Jag hörde inte att du anmälde dej som frivillig.”

”Jag ser nåt!” skrek Lolo från vattenbrynet.

Alla tittade. Mot den mjölkvita horisonten syntes en strimma vitt.

”Färjan!”

”Knuffas inte så där!”

”Där är den! Alldeles bakom *la balise*.”

Det dröjde ytterligare en halvtimme innan vi såg tillräckligt bra för att kunna urskilja detaljer. Lolo hade en kikare som vi turades om att låna. Flytbryggan gungade under våra fötter. Den lilla färjan rörde sig mot Les Immortelles i en vid båge och lämnade vitt skum bakom sig. När hon kom ännu närmare såg vi att däcket var fullt av folk.

”Sommargäster!”

”Och så många!”

”*Våra* gäster.”

Xavier stod lutad över räcket, farligt nära att ramla i. Hans tunna, avlägsna röst nådde oss över hamnen medan han vinkade våldsamt från sin riskabla plats.

”Vi grejade det! Vi grejade det! Mercédès! Vi grejade det!”

En orörlig Claude Brismand tittade på från Les Immortelles terrass och lyfte emellanåt glaset till munnen. Till sist sänkte *Brismand 1* landgången och turisterna började strömma ut på bryggan. Aristide, som stödde sig tungt men triumferande på sin sonson, haltade nerför landgången och lyftes upp i axelhöjd av Omer och Alain som också föll in i kören. Capucine vecklade upp en skylt där det stod ”Les Salants hitåt". Lolo, som aldrig missade ett tillfälle att tjäna pengar, drog fram en cykelkärra av trä bakom en vägg och började ropa: "Bagage! Vi kör ert bagage till Les Salants för ett bra pris!"

Det måste ha varit trettio personer ombord på färjan, kanske fler. Studenter, familjer, ett äldre par med hund. Barn. Jag hörde skratt från kajen, höga röster, en del på andra språk. Mellan omfamningar och klappar på axlar förklarade hjältarna hur vårt första försök misslyckats på ett mystiskt sätt; hur våra affischer försvunnit, sveket från tjänstemannen på turistkontoret i Fromentine (som nu avslöjats som en houssinkollaboratör) som låtsats stå på vår sida men i själva verket rapporterat varenda detalj till Brismand och gjort sitt bästa för att avråda turister från att besöka Les Salants.

Från gatan såg jag Jojo-le-Goëland med öppen mun och en bortglömd cigarettstump mellan fingrarna. Affärsägare hade också samlats för att se vad allt oväsen berodde på. Jag såg borgmästare Pinoz i dörren till Chat Noir och Joël Lacroix grensle på sin motorcykel, båda två kikade på vår lilla folksamling med stigande förvåning.

"Cyklar att hyra!" förkunnade Omer Prossage. "En liten bit längre bort bara, cyklar till Les Salants!"

Xavier, som rodnade av triumf, gick nerför landgången mot Mercédès och svängde henne runt i sina armar. Om det inte fanns någon större värme i hennes omfamning så märkte i alla fall inte Xavier det. Både han och Aristide hade händerna fulla av papper.

"*Handpenning!*" ropade Aristide från Omers axlar. "Ditt hus, Prossage, och ditt, Guénolé, och fem campare till dej Toinette, och –"

”Handpenning för elva stycken! Och mer på gång!”

”Det fungerade”, sa Capucine förundrad.

”Dom grejade det!” kraxade Toinette, slog armarna om Matthias Guénolé och gav honom en ljudlig kyss.

”*Vi* grejade det!” rättade Alain henne och svängde mig runt i sin famn i ett plötsligt glädjeutbrott. ”Les Salants!”

”Les Salants, va!”

“Les Salants!”

Jag vet inte varför jag vände mig om just då. Av nyfikenhet, kanske, eller av en önskan att kråma mig lite. Det var vår seger, vårt ögonblick. Kanske ville jag bara se hans ansikte.

Jag var den enda. När mina vänner gav sig iväg, sjungande, ropande, skanderande, vände jag mig om, bara för ett kort ögonblick, för att titta upp mot hotellterrassen där Brismand satt. Ljuset föll så att hans ansikte syntes väldigt tydligt. Han stod upp nu, höll fram sitt glas i en tyst, ironisk skål.

”Les Salants!”

Och såg rakt på mig.

Del tre

Rida på vågen

42

MIN SYSTER OCH HENNES FAMILJ dök upp tre dagar senare. Hangaren (som numera kallades för ”ateljén”) var nästan klar och GrosJean satt på en bänk på gården och övervakade de sista detaljerna. Flynn var därinne och kontrollerade ledningarna. De två männen från La Houssinière som jobbat med ombyggnaden hade redan gett sig av.

Varvet, som nu avgränsades från ateljén med en ginsthäck, hade delats mitt itu. Hälften användes som trädgård och GrosJean hade smyckat den med ett par bänkar, ett bord och några blomkrukor. Resten av varvet var fortfarande fullt av byggnadsmaterial. Jag undrade hur länge det skulle dröja innan GrosJean bestämde sig för att städa upp sin gamla arbetsplats helt och hållet.

Det borde inte ha bekymrat mig så mycket som det gjorde. Men jag kunde inte rå för det; varvet hade varit vårt ställe, det enda ställe min mor och Adrienne varit utestängda från. Det fanns andar där. Jag själv som satt med benen i kors under träbocken; GrosJean som formade en träbit på svarven; GrosJean som nynnade till radion medan han arbetade; GrosJean och jag som delade en smörgås medan han berättade en av sina sällsynta historier; GrosJean som frågade mig, med en lång pensel i handen: ”Vad ska vi kalla henne? *Odile* eller *Odette?*” GrosJean som skrattade åt mina försök till segelsömnad; GrosJean som tog ett steg tillbaka och beundrade sitt arbete... Ingen annan hade delat de här sakerna; inte Adrienne, inte mor. De hade aldrig förstått. Istället hade mor ständigt tjatat på honom om de arbeten som aldrig blev gjorda – de halvfärdiga projekten, hyllorna som skulle byggas, takrännan som behövde lagas. Mot slutet hade hon betraktat honom som ett dåligt skämt, en byggare som påbörjade saker men aldrig blev färdig, en hantverkare som bara klarade av en båt om året, en latmask som gömde sig hela dagen i en labyrint av bråte och sedan dök upp och förväntade sig att maten skulle stå på bordet. Adrienne skämdes för hans kläder som var nerstänkta med färg och hans brist på social kompetens, och undvek att synas i hans sällskap i La Houssinière. Jag var den enda som såg honom arbeta. Jag var den enda som var stolt över honom. Min egen ande svävade tillitsfullt omkring på varvet, säker på att här, åtminstone, kunde vi båda vara det vi inte tordes vara någon annanstans.

Samma morgon som min syster anlände var jag ute på gården och målade fars porträtt i gouache. Det var en av de där klara sommarmorgnarna då allting fortfarande är grönt och fuktigt, far var på gott humör, rökte och drack kaffe i solen med spetsen på fiskarmössan nerdragen över ögonen.

Plötsligt hörde vi ljudet av en bil på vägen bakom huset och jag kände på mig vem det var.

Min syster var klädd i vit blus och böljande sidenkjol och fick mig att känna mig sjabbig och oklädd. Hon pussade mig på kinden medan pojkarna, klädda i identiska kortbyxor och tröjor, stod i bakgrunden och viskade med mörka uppspärrade ögon. Marin kom sist tillsammans med barnflickan. Far satt kvar där han satt, men ögonen lyste.

Flynn stod vid hangardörren, fortfarande klädd i overall.

Jag hoppades att han skulle stanna – av någon anledning kände jag mig lite gladare när jag tänkte på att han jobbade i närheten – men när Adrienne och hennes familj dök upp stod han mycket stilla, nästan orörlig i skuggan av dörröppningen. Jag gjorde en liten gest med handen, som för att försöka hålla honom kvar där, men då hade han redan gått ut på gården och hoppat över muren vid sidan av grinden och ut på vägen. Han vinkade lite åt mig utan att vända sig om, klättrade upp på krönet av sanddynen och småsprang sedan nerför stigen mot La Goulue.

Marin följde den försvinnande figuren med blicken. ”Vad gör han här?” frågade han. Jag såg på honom, överraskad av den hårda tonen i hans röst.

”Han har jobbat åt oss. Hurså, känner du honom?”

”Jag har sett honom i La Houssinière. Min farbror –” Han avbröt sig, munnen krympte till ett tunt streck. ”Nej, jag känner honom inte”, sa han och vände sig bort.

De åt lunch tillsammans med oss. Jag hade lagat lammstuvning och GrosJean åt med sin vanliga tysta entusiasm, han stoppade en bit bröd i munnen efter varje stor slafsig tugga. Adrienne petade försiktigt i maten och åt inte mycket.

”Det är så trevligt att vara hemma igen”, sa hon och log mot GrosJean. ”Pojkarna har sett fram emot det här så mycket. Dom har varit alldeles galna av upphetsning sen i påskas.”

Jag sneglade på pojkarna. Ingen av dem såg speciellt upphetsad ut. Loïc lekte med en brödbit, smulade sönder den på tallriken. Franck stirrade ut genom fönstret.

”Och du har gjort en så fin semesterlägenhet åt dom, Papa”, fortsatte Adrienne. ”Dom kommer att få det underbart.”

Men Adrienne och Marin skulle, fick vi snart veta, bo på Les Immortelles. Pojkarna kunde bo i ateljén med barnflickan, men Marin hade affärer med sin farbror och det var osäkert hur lång tid det skulle ta att ordna dem. GrosJean verkade inte reagera på nyheten utan fortsatte att äta på sitt långsamma, eftertänksamma sätt, med blicken fäst på pojkarna. Franck viskade något på arabiska till sin bror och båda pojkarna fnittrade.

”Jag blev förvånad över att se den där rödhåriga engelsmannen här”, sa Marin till GrosJean och hällde upp lite vin åt sig. ”Är han en vän till dej?”

”Hurså, vad har han gjort?” frågade jag och tyckte illa om hans sura ton.

Marin ryckte på axlarna och sa ingenting. GrosJean verkade inte höra alls.

”Han har gjort ett bra jobb på semesterlägenheten i alla fall”, sa Adrienne lättsamt. ”Vad roligt vi ska ha här allihop!”

Vi avslutade måltiden under tystnad.

43

I OCH MED POJKARNAS ANKOMST befann sig GrosJean i sitt rätta element. Han satt på gården och betraktade under tystnad deras lekar, eller visade dem hur man tillverkar små båtar av träbitar och segelduk, eller gick med dem till sanddynerna och lekte kurragömma i det höga gräset. Adrienne och Marin tittade förbi då och då men stannade sällan länge; de förklarade att Marins affärer var mer komplicerade än de trott, och skulle förmodligen ta tid.

Samtidigt hade Les Salants gått in i sommarsäsongen. Arbetet i byn var så gott som klart – trädgårdarna uppsnyggade, med stockrosor och lavendel och rosmarin som spirade ur den sandiga jorden, fönsterluckor och dörrar nymålade, gatorna sopade och vägrenarna krattade, husen lyste med sina ockrafärgade tegelpannor och nykalkade väggar. Extrarummen och de snabbt ombyggda uthusen fylldes. En grupp turister hade anlänt till campingplatsen vid La Houssinière, men flyttade till Les Salants för sanddynernas och utsiktens skull. Philippe Bastonnet och hans unga familj kom tillbaka för sommaren och var vid La Goulue nästan varje dag. Trots att Aristide fortfarande höll sig på avstånd så träffade Désirée dem där och sågs ofta i skuggan av ett stort parasoll, medan Laetitia förtjust plaskade i pölarna mellan klipporna.

Toinette hade öppnat marken bakom sitt lilla hus som

officiell campingplats, hon tog bara hälften av vad det kostade i La Houssinière och ett ungt par från Paris hade redan slagit upp sitt tält där. Anläggningen var primitiv – Toinettes utedass och tvättstuga, plus en slang med dricksvatten – men det fanns mat från Omers bondgård, och Angélos kafé, och så förstås stranden, fortfarande med ett tunt sandtäcke, som dock blev tjockare för varje tidvatten. När stenarna var täckta var marken slät och platt. Klipporna utanför tidvattenlinjen gav skydd. Det fanns vikar och pölar för barnen att glädja sig åt. Jag upptäckte att Laetitia lätt blev vän med barnen från Les Salants. I början var de lite misstänksamma – de var inte vana att se turister, och de var på sin vakt – men hennes sympatiska sätt gjorde att deras reservationer snart försvann. Inom en vecka såg man dem ofta tillsammans, de sprang barfota genom Les Salants, petade med pinnar i *l'étier*, rullade runt och hade skoj i sanddynerna med Pétrole i vanvettigt släptåg. Den runde, allvarlige Lolo hade fattat speciellt tycke för henne, och roade mig genom att lägga sig till med hennes stadsuttryck och härma hennes accent.

Mina systersöner var inte tillsammans med dem. Istället tillbringade de, trots fars försök att hålla dem i närheten, den mesta tiden i La Houssinière. Det fanns en spelhall där, bredvid biografen, där de tyckte om att vara. De tröttnar snabbt, sa Adrienne urskuldande. I Tanger hade det funnits så mycket för dem att göra.

Av de andra barnen var det bara Damien som verkade ointresserad av stranden. Han var äldst av salantsungdomarna och också den som var mest tillbakadragen; vid mer än ett tillfälle hade jag sett honom ensam på toppen av någon klippa där han satt och rökte. När jag frågade om han hade grälat med Lolo ryckte han bara på axlarna och skakade på huvudet. Barnsligheter, förklarade han avfärdande. Ibland behövde han bara vara för sig själv.

Jag trodde honom halvt om halvt. Han hade ärvt sin fars butterhet och avvisande sätt. Eftersom han inte var social av naturen måste det ha retat honom att Lolo, hans tidigare trofaste kamrat, så snabbt bytt lojalitet, och det på grund av Laetitia, en fastlänning som bara var åtta år gammal. Det roade mig att notera att Damien alltmer la sig till med vuxna manér, imiterade den hårda, nonchalanta stil som Joël Lacroix och hans houssinkompisar hade. Charlotte anmärkte att unge Damien verkade ha mer pengar än en pojke i hans ålder borde ha. Det gick rykten i byn om att motorcykelgänget synts till med en ny medlem som åkte bakpå. En tonåring, av allt att döma.

Mina misstankar bekräftades när jag såg honom i La Houssinière senare den veckan, utanför Chat Noir. Jag hade gått dit för att möta *Brismand 1* med några nya målningar till galleriet i Fromentine, och jag såg honom tillsammans med Joël och några andra houssinungdomar där de stod och rökte i solen på esplanaden. De hade sällskap av flickor också; med långa ben och korta kjolar. Än en gång såg jag Mercédès.

Våra blickar möttes när jag gick förbi gruppen, och hon knyckte lite på nacken när jag granskade dem. Hon rökte – det gjorde hon aldrig hemma – och jag tyckte att hon såg rätt blek ut trots sitt röda läppstift, de mörka ögonen var trötta och suddiga. Hon skrattade – alldeles för gällt – när jag gick förbi, och sög trotsigt på cigaretten. Damien tittade besvärat bort. Jag pratade inte med någon av dem.

La Houssinière var tyst. Inte dött, som en del salantsbor

glatt förutsagt, men sömnigt. Kaféer och barer var öppna men för det mesta halvtomma; det fanns kanske ett dussin människor på stranden vid Les Immortelles. Syster Extase och syster Thérèse satt i solen på hotelltrappan och vinkade till mig.

"Nämen, Mado!"

"Vad har du där?"

Jag satte mig bredvid dem och visade min mapp med målningar. Systrarna nickade uppskattande. "Du borde försöka sälja några till monsieur Brismand, Mado lilla."

"Vi skulle behöva något fint att titta på, eller hur *ma sœur*? Vi har stirrat på samma gamla –"

"Martyrskap alldeles för länge." Syster Thérèse drog med fingrarna över en av målningarna. Det var en utsikt över Pointe Griznoz, med kyrkoruinen i silhuett mot den sena kvällshimlen.

"Konstnärsblick", sa hon med ett leende. "Du har din fars gåva."

"Hälsa honom så gott från oss, Mado."

"Och prata med monsieur Brismand. Han sitter i ett möte nu, men –"

"Han har alltid varit svag för dej."

Jag övervägde förslaget. Det skulle mycket väl kunna vara sant; men jag gillade inte tanken på att göra affärer med Claude Brismand. Jag hade undvikit honom sedan vårt senaste möte; jag visste redan att han var nyfiken på varför jag fortfarande var kvar och jag ville inte utsätta mig för hans frågor. Jag hade en känsla av att han visste mer om vad som försiggick i Les Salants än vi trodde, och även om han aldrig lyckats få fast någon som stal sand från Les Immortelles så var han säker på att det pågick. Stranden vid La Goulue kunde inte döljas för houssinborna, och jag insåg att det bara var en tidsfråga innan någon läckte hemligheten om vårt flytande rev. När det inträffade, tänkte jag, ville jag befinna mig så långt från Brismand som möjligt.

Jag skulle just gå när jag plötsligt fick syn på ett litet föremål på marken framför mig. Det var en likadan korallpärla som min far brukade sätta på sina båtar. Många öbor bär dem fortfarande; någon måste ha tappat sin.

"Du har en skarp blick", noterade syster Extase när hon såg mig ta upp den.

"Behåll den, Mado lilla", sa syster Thérèse. "Bär den – den kommer att ge dej tur."

Jag tog farväl av systrarna och hade rest mig för att gå (*Brismand 1* hade signalerat att hon skulle gå om tio minuter och jag ville inte missa henne) när jag hörde ljudet av en dörr som slog igen och en plötslig kaskad av röster från lobbyn på Les Immortelles. Jag hörde inte vad som sades men jag hörde ilskan i tonen och en stigande volym, som om någon gav sig iväg i vredesmod. Det var flera röster, Brismands mörka stämma kontrapunkterade de övriga. Så steg en man och en kvinna ut från lobbyn nästan rakt på oss, bägges ansikten uttryckte en våldsam vrede. Systrarna flyttade sig åt sidan för att låta dem passera och drog sig sedan leende samman igen, som gardiner.

"Går affärerna bra?" sa jag till Adrienne.

Varken hon eller Marin nedlät sig till att svara.

44

SOMMAREN SEGLADE IN. Vädret var bra som det oftast är så här års på öarna, varmt och soligt men med en sjöbris västerifrån som håller temperaturen på en behaglig nivå. Sju av oss hade nu turister boende hos oss, inklusive fyra familjer, i extrarum och ombyggda uthus. Toinette hade fullt med campare. Det innebar trettioåtta personer hittills, och fler anlände varje gång *Brismand 1* la till.

Charlotte Prossage tog för vana att laga paella en gång i veckan, med krabbor och languster från den nya buren. Hon lagade en jättegryta och bar den till Angélos, som sålde den i folieformar. Turisterna älskade idén, och hon blev snart tvungen att ta Capucine till hjälp. Hon föreslog en arbetsordning där de tillagade varsin rätt i veckan. Snart hade vi: paella på söndagar, *gratin devinnois* (ugnsstekt röd multe, vitt vin och skivad potatis med getost) på tisdagar och bouillabaisse på torsdagar. Övriga i byn slutade i stort sett att laga mat.

På midsommardagen tillkännagav Aristide äntligen att hans sonson och Mercédès Prossage hade förlovat sig och tog ut *Cécilia* på ett ärevarv runt Bouch'ou för att fira. Charlotte sjöng en psalm medan Mercédès satt i fören i en vit klänning och klagade tyst över tånglukten och att hon blev nerstänkt varje gång *Cécilia* krängde.

Eleanore 2 hade överträffat förväntningarna. Alain och

Matthias var förtjusta; till och med Ghislain tog nyheten om att Mercédès förlovat sig med överraskande fattning och utarbetade ett flertal sinnrika och osannolika planer för egen del, de flesta handlade om att ställa upp med *Eleanore 2* i regattor utefter kusten och vinna en förmögenhet i prispengar.

Toinette förverkligade en dröm och sålde dussintals små påsar med saltpeeling (parfymerad med lavendel och rosmarin) från sin trädgård. ”Det är så enkelt”, sa hon och de svarta ögonen glittrade. ”Dom där turisterna köper vad som helst. Vilda örter med ett band omkring. Havslera, till och med.” Hon skakade på huvudet som om hon knappt kunde tro det. ”Man lägger det bara i små burkar och skriver ’thalassoterapeutisk hudnäring’ på etiketten. Min mor använde det i ansiktet i åratal. Det är ett gammalt skönhetsknep på ön.”

Omer La Patate hittade en köpare på fastlandet till sitt grönsaksöverskott, till ett mycket högre pris än han var van vid från La Houssinière. Han satte av en del av sin återvunna mark för höstblommor, efter att i många år ha tyckt att sådana frivoliteter var bortkastad tid.

Mercédès försvann ofta till La Houssinière i flera timmar under förevändning att hon skulle till skönhetssalongen. ”Så mycket tid som du tillbringar där”, sa Toinette till henne, ”så fiser du väl snart parfym. Chanel Nummer Fem”, kacklade hon.

Mercédès slängde retligt med håret. ”Du är så vulgär, Mémé.”

Aristide fortsatte envist att inte låtsas om att hans son var i La Houssinière och kastade sig allt djupare – och med ett slags desperation – in i de planer han hade för Xavier och Mercédès.

Désirée var bedrövad men inte förvånad. ”Jag bryr mej inte”, upprepade hon där hon satt under parasollet med Gabi och babyn. ”Vi har alla levt alltför länge i skuggan av Oliviers grav. Nu vill jag umgås med dom levande.”

Hennes blick sökte sig upp mot toppen av klipporna, där Aristide ofta satt och såg på när fiskebåtarna kom in. Jag la märke till att hans kikare inte var riktad ut mot havet utan mot tidvattenlinjen, där Laetitia och Lolo byggde ett slott.

”Han sitter däruppe varenda dag”, sa Désirée. ”Men han pratar knappt med mej längre.” Hon lyfte upp babyn och rättade till hans solhatt. ”Jag tror jag ska ta en promenad nere vid vattnet”, sa hon glatt. ”Jag kan behöva en nypa luft.”

Turisterna fortsatte att komma. En engelsk familj med tre barn. Ett äldre par med hund. En elegant gammal dam från Paris, ständigt klädd i rosa och vitt. Ett antal campande familjer med barn.

Vi hade aldrig sett så många barn. Hela byn genljöd av dem, med rop och skratt, lika färgglada och skrikiga som deras strandleksaker, klädda i limegrönt och turkost och cerise, och de luktade solkräm och kokosolja och sockervadd och liv.

Men alla besökare var inte turister. Det roade mig att se att våra egna ungdomar – bland andra Damien och Lolo – hade uppnått en oväntad status och till och med tog emot mutor från ungdomar från La Houssinière i utbyte mot att de fick tillträde till stranden.

”Driftiga unga typer”, anmärkte Capucine när jag kommenterade det. ”Det är inget fel med att göra lite affärer. Särskilt inte när det handlar om att ta pengar från en houssinbo.” Hon skrockade stilla. ”Det är fint att ha nåt som dom vill ha som omväxling, eller hur? Varför skulle vi inte ta betalt av dom?”

Svarta börsen fick ett temporärt uppsving. Damien Guénolé samlade filtercigaretter som jag misstänkte att han rökte med hemlig avsmak, men Lolo tog förståndigt emot alla sina mutor i kontanter. Han sparade, anförtrodde han mig, till en moped.

”Man kan tjäna pengar på alla möjliga sätt med hjälp av en moped”, sa han allvarligt. ”Småjobb, ärenden, alla sorters grejer. Man kommer aldrig att vara utan pengar om man har ett fortskaffningsmedel.”

Det är otroligt vilken skillnad ett dussin barn kan göra. Plötsligt levde Les Salants. Gamla människor var inte längre i majoritet.

”Jag tycker om det”, förklarade Toinette när jag nämnde det för henne. ”Jag känner mej ung.”

Hon var inte den enda. Jag hittade vresige Aristide på toppen av en klippa där han lärde några småpojkar att göra knopar. Alain, som vanligtvis var så sträng mot sin egen familj, tog med sig Laetitia ut i sin fiskebåt. Désirée delade i hemlighet ut godis till ivriga, lortiga händer. Alla ville naturligtvis ha sommargäster. Men barnen fyllde ett mer grundläggande behov. Vi mutade och skämde obevekligen bort dem. Buttra gamla tanter mjuknade. Buttra gamla gubbar återupplevde pojkårens nöjen.

Flynn var deras favorit. Han hade förstås alltid attraherat våra egna barn, kanske därför att han aldrig försökte göra det. Men för sommargästerna var han Råttfångaren i Hameln; han hade alltid barn omkring sig som pratade med honom, tittade på när han byggde drivvedsskulpturer eller sorterade skräp från stranden. De förföljde honom obarmhärtigt, men det verkade inte göra honom något. De tog med sig sina troféer från La Goulue till honom och sina historier om varandra. De tävlade skamlöst om hans uppmärksamhet. Flynn tog emot deras beundran med samma glada likgiltighet som han visade alla.

Men sedan turisternas ankomst tyckte jag att Flynn dragit sig mera tillbaka bakom sitt goda humör. Han hade emellertid alltid tid för mig, och vi tillbringade många timmar med att sitta och prata på blockhustaket eller nere vid vattenbrynet. Jag var tacksam för det; nu när Les Salants var på väg att återhämta sig hade jag börjat känna mig underligt överflödig, som en mor som ser sina barn börja växa ifrån henne. Det var naturligtvis absurt – ingen kunde ha varit gladare över förändringarna i Les Salants – och ändå kom jag flera gånger på mig själv med att nästan önska att något skulle störa friden.

Flynn skrattade när jag berättade det för honom. ”Du har aldrig varit skapt för att bo på en ö”, sa han muntert. ”Du måste befinna dej i ständig kris för att överleva.”

Det var en knasig kommentar och just då skrattade jag åt den. ”Det är inte sant! Jag älskar den stillsamma tillvaron!”

Han log brett. ”Nåt sånt existerar inte när du är i närheten.”

Senare tänkte jag på vad Flynn hade sagt. Hade han kanske rätt? Att vad jag behövde var en känsla av fara, av kris? Var det det som egentligen hade dragit mig till Le Devin? Och till Flynn?

Samma natt, när det var ebb, kände jag mig rastlös, och jag gick till La Goulue för att rensa huvudet. Halvmånen var stor; jag hörde vågornas dämpade *ssssss* mot den mörka stranden och kände den milda, vändande vinden. När jag tittade bakåt från La Goulue såg jag blockhuset, en mörk klump mot den stjärnklara himlen, och för ett ögonblick tyckte jag att jag såg en figur som lösgjorde sig från den mörka fyrkanten och gled in i dynerna. Jag kände igen Flynn på sättet att röra sig.

Han kanske skulle gå och fiska, tänkte jag, men han hade inte haft någon lykta med sig. Jag visste att han ibland fortfarande stal hummer från Guénolés bäddar, för att inte tappa stinget. Det var ett jobb som passade bäst i mörker.

Efter den där enda glimten såg jag inte mer av honom och jag började gå tillbaka mot huset eftersom jag kände mig frusen. I fjärran hörde jag fortfarande ljudet av sång och rop från byn, och jag såg gult ljus som sipprade ut över vägen från Angélos och längre bort. Nedanför mig på stigen stod ett par figurer, nästan osynliga i skuggan av dynen. Den ena var bred med runda axlar och hade händerna nonchalant i fickorna på sin *vareuse*, den andra var lättare på fötterna och en strimma ljus från kaféet lyste plötsligt upp hans hår.

Jag såg dem bara ett kort ögonblick. Ett mummel av sänkta röster, en höjd hand; en omfamning. Sedan var de borta, Brismand försvann in i byn – hans skugga sträckte sig långt över dynen – och Flynn gick tillbaka uppför stigen med långa, smidiga steg. Jag hann inte undvika honom; han var framme vid mig innan jag visste ordet av, med ansiktet upplyst av det bleka månljuset. Jag var glad att mitt låg i skugga.

”Du är ute sent”, sa han glatt. Uppenbarligen förstod han inte att jag hade sett honom tillsammans med Brismand.

”Du med”, sa jag. Mina tankar var ett enda virrvarr; jag

litade inte riktigt på vad jag sett – eller trodde att jag sett. Jag måste tänka över vad det betydde.

Han flinade. ”*Belote*”, sa han. ”Jag slutade medan jag vann, för omväxlings skull. Vann ett dussin flaskor vin av Omer. Charlotte kommer att döda honom när han nyktrar till.” Han rufsade mig i håret. ”Dröm vackert, Mado.” Och med de orden gav han sig av – medan han visslade mellan tänderna – samma väg han kommit.

Det var oväntat svårt för mig att ställa Flynn till svars för hans möte med Brismand. Jag försökte intala mig att det bara hade varit ett slumpartat möte; Les Salants var inte förbjudet område för houssinbor, och Omer, Matthias, Aristide och Alain bekräftade att Flynn verkligen hade spelat *belote* den där kvällen på Angélos. Han hade inte ljugit för mig. Dessutom, som Capucine så gärna påpekade, var Flynn ingen salantsbo. Han valde inte sida. Brismand kanske helt enkelt hade bett honom göra något jobb. Hur som helst så kvarstod en misstanke; en skärva av ett ostronskal, en liten känsla av obehag.

Jag kunde inte sluta tänka på lobbyn i Les Immortelles, på Brismands högljudda möte med Marin och Adrienne; på korallpärlan jag hittat på hotellets trappa. Många öbor bär dem fortfarande; min far hade ofta en på sig, precis som många fiskare.

Jag undrade om Flynn fortfarande bar sin.

45

NÄR JULI LED MOT SITT SLUT blev jag mer och mer orolig för far. När min syster inte var närvarande verkade Gros-Jean mer förvirrad än vanligt, och mindre meddelsam. Det var jag van vid; men hans tystnad innehöll något nytt. Ett slags vaghet. Ateljén var klar. Hantverkarnas skräp var för länge sedan uppstädat. GrosJean hade inte längre någon anledning att vara ute och övervaka saker och ting, och till min bestörtning återgick han till sin vanliga apati, nu värre än någonsin tidigare, och han satt och stirrade ut genom fönstret eller drack kaffe i köket och väntade på att pojkarna skulle komma hem.

De där pojkarna. De var den enda anledningen till att han någon gång lämnade det där dåsiga, likgiltiga tillståndet. Han levde bara upp när de fanns där, och det fyllde mig med vrede och medlidande. Att se deras ansikten, deras dolda grimaser, höra deras viskade förtroenden, deras skämt på hans bekostnad. Bakom hans rygg kallade de honom Pépère Gros Bide. Gamla tjocka gubben. De apade efter honom i hemlighet, härmade hans släpande gång, stack ut fötterna och sina små runda magar med apliknande glädje. Inför honom var de prydliga och fnittriga, med sänkta blickar och händerna framsträckta för att få pengar eller godis. De fick dyrbarare presenter också. Nya träningsoveraller – en röd till Franck och en blå till Loïc – som de hade på sig en gång och sedan lämnade vårdslöst hopknölade bland tistlarna på bakgården. En massa leksaker – bollar, hinkar och spadar, elektroniska spel som han måste ha skickat efter från fastlandet eftersom inga av våra barn skulle ha haft råd med dem. Loïc fyllde år i augusti och det pratades om en båt. Återigen undrade jag, med en känsla av obehag, var pengarna kom ifrån.

Delvis för att lindra denna ångest målade jag snabbare och med större entusiasm än någonsin. Jag hade aldrig känt mig så nära motivet. Jag målade Les Salants och salantsborna; söta Mercédès i sin korta kjolar; Charlotte Prossage när hon tog ner tvätten mot en bakgrund av svartblå stormmoln; unga män med bar överkropp som arbetade på saltängarna, topparna av bländvitt salt som reste sig runt dem som ett rymdlandskap; Alain Guénolé sittande som en keltisk hövding i fören på sin *Eleanore 2*; Omer med sitt uppriktiga, humoristiska ansikte; Flynn med sin samlarpåse vid vattenbrynet, eller med sin lilla segelbåt, eller i färd med att ta upp hummertinor ur vattnet med håret hopknutet med en bit segelduk och ena handen över ögonen som skydd mot solen...

Jag är bra på detaljer. Det sa alltid mor. Jag målade mest ur minnet – det var ingen som egentligen hade tid att stå modell för mig – och jag lutade de uppspända dukarna mot väggen i mitt rum för att torka innan jag ramade in dem. När Adrienne kom från La Houssinière såg hon på mig med ett stigande intresse som jag kände inte var helt välvilligt.

”Du använder mycket mer färg nu”, anmärkte hon. ”En del av målningarna är rätt pråliga.”

Det var sant. Mina tidigare målningar var bleka i jämförelse, färgerna ofta begränsade till det mjukt grå och bruna som var typiskt för ön om vintern. Men nu hade sommaren kommit till min palett precis som den gjort till hela byn, och fört med sig tamariskens mattrosa, ginstens, ärttörnets och mimosans kromgula, saltets och sandens varma vita färg, fiskebojarnas brandgula, himlens knallblå och båtarnas röda segel. Den här färggladheten var också blek på sitt sätt, men det var en blekhet jag älskade. Det kändes som om jag aldrig målat bättre.

Flynn sa det också, med en kort liten beundrande nick som fick mig att känna mig varm av stolthet. ”Du är duktig”, sa han. ”Snart kan du öppna eget.”

Han satt i profil bredvid mig, med ryggen mot blockhusväggen, ansiktet halvt dolt under brättet på slokhatten. Ovanför hans huvud klatschade en liten ödla mot den varma stenen. Jag försökte fånga hans utseende – munnens kurva, skuggan som sluttade ner från hans kindben. Bakom oss på den sommarblå dynen hördes syrsornas gnisslande. Flynn märkte att jag ritade av honom och satte sig upp.

”Nu rörde du dej”, klagade jag.

”Jag är vidskeplig. Vi irländare tror att pennor stjäl en del av vår själ.”

Jag log. ”Jag är smickrad över att du tycker att jag är så duktig.”

”Tillräckligt duktig för att öppna eget galleri. Kanske i Nantes, eller Paris. Du slösar bort din tid här.”

Någon annanstans än på Le Devin? ”Det tror jag inte.”

Flynn ryckte på axlarna. ”Saker och ting förändras. Vad som helst kan hända. Och du kan inte gömma dej här för evigt.”

”Jag förstår inte vad du menar.” Jag hade på mig den röda klänningen som jag fått av Brismand; sidenet kändes nästan tyngdlöst mot huden. Det var en märklig känsla efter så många månader i byxor och segelduksskjortor, nästan som att vara i Paris igen. Mina nakna fötter var sandiga.

"Jodå, det gör du visst. Du är begåvad, klipsk, vacker –" Han avbröt sig, och för ett ögonblick såg han nästan lika ställd ut som jag kände mig. "Jo, det är du", sa han till sist, en aning defensivt.

Långt nedanför oss levde La Goulue; dussintals små båtar fläckade vattnet. Jag kände igen dem på seglen: *Cécilia*, *Papa Chico*, *Eleanore 2*, Jojos *Marie Joseph*. Bortanför dem sträckte sig den vida blå bukten.

"Du har inte din lyckopärla på dej", sa jag plötsligt.

Flynn tog sig automatiskt åt halsen. "Nej", sa han likgiltigt. "Jag skapar min egen lycka." Han tittade tillbaka ut över bukten. "Allt ser så litet ut här uppifrån, eller hur?"

Jag svarade inte. Något inom mig hade börjat dra ihop sig som en knytnäve och gjorde att jag slutade andas. Jag stoppade handen i fickan. Där fanns pärlan jag plockat upp vid Les Immortelles; inte större än en körsbärskärna. Flynn satte handen framför ansiktet och slöt fingrarna om La Goulue.

"Dom här små ställena", sa han stilla. "Trettio hus och en strand. Man tror att man kan värja sej. Man är försiktig. Man är listig. Men det är som att fastna med fingrarna i ett sånt där kinesiskt rör som bara sluter sej hårdare ju mer man drar. Innan man vet ordet av är man indragen. Till en början är det bara småsaker. Man tror inte att dom betyder nåt. Och så en vacker dag inser man att dom där småsakerna är allt som finns."

"Jag förstår inte", sa jag och flyttade mig lite närmare. Doften från dynen var stark nu; dynnejlikor och fänkål och ginstens aprikosdoft uppvärmd av solen. Flynns ansikte var fortfarande till hälften dolt av den där löjliga slokhatten;

jag ville skjuta undan den och se hans ögon, röra vid fräknarna på näsryggen. Fingrarna slöt sig åter om pärlan i klänningsfickan och slappnade sedan av igen. Flynn tyckte att jag var vacker. Tanken var förbluffande, som en kaskad av fyrverkerier.

Flynn ruskade på huvudet. ”Jag har varit här för länge”, sa han mjukt. ”Mado, trodde du att jag skulle stanna för evigt?”

Det kanske jag hade trott; trots hans rastlöshet hade jag aldrig föreställt mig att han skulle ge sig av. Dessutom var det högsäsong; Les Salants hade aldrig haft så mycket att göra.

”Kallar du det här mycket?” sa Flynn. ”Jag har sett såna här kustställen förut – bott på dom tidigare. Döda på vintern, en handfull människor på sommaren.” Han suckade. ”Små ställen. Små människor. Det är deprimerande.”

Munnen var det enda jag kunde se av hans skuggade ansikte nu. Jag fascinerades av dess form, dess struktur; den fylliga överläppen; de små skrattgroparna vid mungiporna. Min förvåning hängde fortfarande kvar som avtryck av solen på mina näthinnor; Flynn tyckte att jag var vacker. I jämförelse verkade det han sa oviktigt; oväsentligheter som var till för att dölja en större sanning för mig. Jag sträckte mig fram mjukt men bestämt och tog hans ansikte mellan mina händer.

För ett ögonblick kände jag att han tvekade. Men hans hud var lika varm som sanden mot mina fötter; hans ögon hade samma färg som glimmer, och jag kände mig annorlunda, som om Brismands present innehållit något slags spår av hans charm och gjort mig, i just det ögonblicket, till någon annan.

Jag täppte till Flynns protest med min mun. Han smakade persika och ylle och metall och vin. Alla mina sinnen skärptes plötsligt; doften av hav och sanddyner; ljudet av fiskmåsar och vatten och de avlägsna rösterna från stranden och de små knäppande ljuden från växande gräs; ljuset. Det överväldigade mig. Jag snurrade; för snabbt för att mitt centrum skulle kunna hålla mig kvar; jag kände det som om jag när som helst skulle kunna explodera som en raket och skriva mitt namn med stjärnor på den bländande himlen.

Det borde ha varit klumpigt. Det kanske det var; men jag tyckte att det gick hur lätt som helst. Den röda klänningen gled av nästan av sig själv. Den fick sällskap av Flynns skjorta; hans hud var blek under den, knappt mörkare än sanden, och han besvarade mina kyssar så där som en man som häver i sig vatten efter att ha varit försvunnen i öknen; ivrigt, utan att hämta andan förrän i det ögonblick då man blir tvungen. Ingen av oss sa något innan vi släckt den första törsten; och vi trädde ut ur något slags förvirring och upptäckte att vi låg täckta av sand och svett med torrt gräs vajande över våra huvuden och blockhusets heta vita vägg och det skimrande havet därbortom som en hägring.

Fortfarande tätt omslingrade betraktade vi det under en lång, förvirrande tystnad. Detta förändrade allting. Jag visste det; och ändå ville jag hålla kvar ögonblicket så länge som möjligt, där jag låg med huvudet på Flynns mage och ena handen slängd över hans axlar. Det fanns tusen frågor jag ville ställa, men jag förstod att om jag ställde dem så skulle jag erkänna förändringen; ta tag i det faktum att han och jag inte längre bara var vänner utan någonting oerhört mycket farligare. Jag kände på mig att han väntade på att jag skulle lösa upp spänningen, väntade kanske på ett tecken från mig; ovanför oss snurrade och protesterade en flock måsar.

Ingen sa någonting.

46

TIDVATTNEN I MITTEN AV MÅNADEN förde med sig värmeåskväder, men eftersom dessa mest bestod av storartade uppvisningar av blixtar och några få kraftiga nattliga regnskurar, påverkade det inte affärerna. Vi firade våra framgångar med fyrverkerier som Flynn skötte om och Aristide betalade för i samarbete med Pinoz, borgmästaren. Det var inte en sådan där stor föreställning som man kan se på kusten, men det var definitivt första gången som något sådant förekommit i Les Salants, och alla kom för att titta. På Bouch'ou satt tre jättelika fyrverkerisolar, som man bara kunde nå med båt, ordnade så att de skulle skimra över vattnet. Det fanns bengaliska eldar på sanddynen. Raketer prydde himlen med stora eldiga blommor. Hela föreställningen varade inte i mer än ett par minuter, men barnen var trollbundna. Lolo hade aldrig sett fyrverkerier tidigare, och även om Laetitia och de andra turistbarnen inte var lika lättimponerade, höll alla med om att det var det bästa fyrverkeri som någonsin skådats på ön. Capucine och Charlotte gjorde små bakverk som delades ut, *devinnoiseries* och flätade bullar, friterade kakor dränkta i honung och pannkakor som dröp av salt smör.

Flynn, som hade planerat och iscensatt föreställningen nästan helt på egen hand, gick hem tidigt. Jag hindrade honom inte; efter vårt möte vid blockhuset hade jag knappt pratat med honom. Men ändå höll jag utkik efter livstecken varje dag när jag gick förbi blockhuset – rök från skorstenen, tvätt som hängde på tork på taket – och jag kände hur trycket under revbenen lättade lite när jag såg att han fortfarande var kvar. Men när jag träffade honom på Angélos, eller när han fiskade i *l'étier*, eller när han satt på sitt tak och såg ut över havet kunde jag knappt förmå mig att besvara hans hälsning. Om detta överraskade eller sårade honom så dolde han det väl. Livet gick – i alla fall för hans del – vidare som vanligt.

Far var inte med vid festligheterna. Adrienne kom dit, och pojkarna med henne, men de verkade uttråkade och struntade i de godsaker som de andra barnen var så förtjusta i. Jag såg dem senare vid en av eldarna. Damien var tillsammans med dem och såg missnöjd och arg ut; av Lolo fick jag veta att de hade blivit osams.

"Det handlar om Mercédès", anförtrodde Lolo mig förtvivlat. "Han gör vad som helst för att imponera på henne. Det är allt han tänker på."

Damien hade verkligen förändrats. Hans normala trumpenhet verkade totalt ha tagit överhanden och han undvek nu sin gamle vän helt och hållet. Alain hade också problem med honom. Det erkände han med en blandning av irritation och motvillig stolthet.

"Vi har alltid varit såna, förstår du", sa han.

"Familjen Guénolé. Envisa som synden." Men jag förstod ändå att han var orolig. "Jag kan inte göra nåt åt grabben", sa han. "Han pratar inte med mej. Han och hans bror brukade vara som ler och långhalm, men inte ens Ghislain kan få honom att le eller säja nåt. Å andra sidan var jag likadan i hans ålder. Han växer ifrån det."

Alain trodde att en ny moped kanske skulle få Damien att tänka på annat. "Kanske kan få honom att hålla sej borta från dom där houssinborna också", tillade han. "Få honom tillbaka till byn. Ge honom något nytt att tänka på."

Det hoppades jag. Jag hade alltid tyckt om Damien trots hans otillgänglighet. Han påminde lite om mig själv i den åldern – misstänksam, lättstött, grubblande. Och vid femton års ålder är den första förälskelsen som en sommarblixt – vitglödgad, våldsam och snabbt förbi.

Mercédès skapade också oro. Sedan förlovningen tillkännagivits hade hon blivit ännu lynnigare än tidigare, tillbringade timmar på sitt rum, vägrade äta; omväxlande lirkade hon med och kritiserade sin olycklige trolovade tills han inte visste vad han skulle göra för att vara henne till lags.

Aristide sa att det berodde på nerverna. Men det var mer än så; jag tyckte att flickan såg både sjuk och nervös ut, hon rökte för mycket och fräste eller grät för minsta lilla. Toinette avslöjade att Mercédès och Charlotte hade grälat om en bröllopsklänning och att de inte längre pratade med varandra.

"Den tillhör Désirée Bastonnet", förklarade Toinette. "En gammal spetsklänning med getingmidja, jättefin. Xavier ville att Mercédès skulle ha den på sej." Désirée hade sparat klänningen, kärleksfullt stoppat undan den mellan lavendeldoftande lakan, sedan sitt eget bröllop. Xaviers mamma hade också haft den, den dagen hon gifte sig med Olivier. Men Mercédès hade öppet proklamerat att hon vägrade bära den, och när Charlotte försiktigt hade insisterat hade hon fått ett fruktansvärt utbrott.

De elaka rykten som hävdade att Mercédès vägrade bära klänningen därför att hon var för tjock för att komma i den, hjälpte inte till att återupprätta friden hemma hos familjen Prossage.

Under den här tiden hade Flynn och jag kommit in i ett slags rutin. Vi pratade inte om den förändring som skett mellan oss, det var som om ett medgivande av att det hade inträffat på något sätt skulle blottställa oss mer än någon av oss ville. Resultatet av detta blev att vår intimitet hade en illusorisk sorglöshet över sig, som en semesterromans. Vi rörde oss inom ett nätverk med osynliga trådar som ingen av oss vågade överskrida. Vi pratade, vi älskade, vi badade tillsammans vid La Goulue, vi fiskade, vi grillade vår fångst på en liten grill som Flynn hade byggt i en hålighet bakom dynen. Vi respekterade de gränser vi själva hade satt. Ibland undrade jag om det var min feghet eller hans som hade upprättat dessa gränser. Men Flynn pratade inte längre om att ge sig av.

Ingen hade hört fler rykten om Claude Brismand. Han hade synts till några gånger, tillsammans med Pinoz och Jojo-le-Goëland, en gång vid La Goulue och en gång i byn. Capucine sa att de hade drivit omkring i närheten av hennes husvagn, och Alain hade sett dem utanför blockhuset. Men så vitt man visste var Brismand fortfarande alltför upptagen med fuktproblemen på Les Immortelles för att kunna göra några nya planer.

Det hade definitivt inte pratats om någon ny färja, och de flesta lutade åt att pratet om *Brismand 2* hade varit ett skämt som någon – kanske Ghislain – hade hittat på.

”Brismand vet att han har förlorat spelet”, sa Aristide glatt. ”Det är hög tid att dom där houssinborna får veta hur det känns att dra det kortaste strået för omväxlings skull. Deras tur har vänt, och det vet dom.”

Toinette nickade. "Nu kan ingen hindra oss. Vi har helgonet på vår sida."

Men vår optimism var förhastad. Bara några dagar senare återvände jag från byn med lite makrill till GrosJeans lunch och fann Brismand under parasollet på gården, där han satt och väntade på mig. Han hade fortfarande sin fiskarmössa på sig, men hade valt att hedra tillfället genom att ta på sig linnekavaj och slips. Hans fötter var, som vanligt, nakna i blekta espadriller. En Gitane satt inklämd mellan fingrarna.

Far satt mittemot honom med en flaska Muscadet bredvid sig. Det stod tre glas och väntade.

"Nämen, Mado." Brismand reste sig med svårighet ur stolen. "Jag hoppades att du skulle komma snart."

"Vad gör du här?" Överraskningen gjorde mig brysk och han såg sårad ut.

"Jag har kommit för att hälsa på dej, förstås." Under den bedrövade ytan fanns något roat. "Jag gillar att hålla mej à jour med vad som händer."

"Det har jag hört."

Han hällde upp ytterligare ett glas vin åt sig, och sedan ett åt mig. "Ni salantsbor har haft en ganska ovanlig tur, eller hur? Ni måste vara nöjda med er själva."

Jag höll rösten neutral. "Vi klarar oss."

Brismand flinade, den borstiga gangstermustaschen stod rakt ut. "Jag skulle behöva nån som du på hotellet. Nån som är ung och energisk. Du borde fundera på det."

"Nån som jag? Vad skulle jag kunna göra?"

"Du skulle bli förvånad." Hans ton var uppmuntrande. "Jag skulle ha stor nytta av en artist – en designer – just nu. Vi skulle kunna komma överens. Jag tror att du skulle finna det lönsamt."

"Jag har det bra som jag har det."

"Kanske det. Men omständigheter förändras, eller hur? Du skulle kanske tycka om lite oberoende. Säkra framtiden." Han log brett och sköt fram glaset mot mig. "Här. Ta lite vin."

"Nej tack." Jag pekade mot paketet med fisk. "Jag måste sätta in dom här i ugnen. Det börjar bli sent."

"Makrill, va?" sa Brismand och reste sig. "Jag vet ett härligt sätt att tillaga dom på, med rosmarin och salt. Jag ska hjälpa dej, så kan vi prata lite mer."

Han följde efter mig in i köket. Han var skickligare än man kunde tro om man skulle döma efter kroppshyddan, han skar upp och rensade fisken i en enda snabb rörelse.

"Hur går affärerna?" frågade jag och tände ugnen.

"Inte så illa", sa Brismand med ett leende. "Faktum är att din far och jag just har firat."

"Firat vadå?"

Brismand log sitt enorma leende. "En försäljning."

* * *

De hade förstås använt sig av pojkarna. Jag visste att far skulle göra vad som helst för att få behålla pojkarna i närheten. Marin och Adrienne hade utnyttjat hans ömhet, pratat om investeringar, uppmuntrat GrosJean att låna över sin möjlighet att betala tillbaka. Jag undrade hur mycket av marken han hade överlåtit.

Brismand väntade tålmodigt på att jag skulle säga något. Jag kände hans stora och kyliga munterhet medan han väntade, hans skiffergrå ögon var lika intensiva som en katts. Utan vidare började han, utan att fråga mig, göra i ordning fiskmarinaden, med olja, balsamvinäger, salt och kvistar av rosmarin från buskarna utanför dörren.

”Madeleine. Vi borde vara vänner.” Jag visste att han skulle se dyster ut, med dubbelhakor och en sorgsen mustasch, men hans röst var full av skratt. ”Vi är egentligen inte så olika. Vi är kämpar båda två. Vi är affärsmän båda två. Du borde inte ha så förutfattade meningar om att slå dej ihop med mej. Jag är säker på att du skulle vara framgångsrik. Och jag vill verkligen hjälpa dej, förstår du. Det har jag alltid velat.”

Jag tittade inte på honom medan jag saltade fisken, slog in den i folie *papillotes* och sköt in den i den heta ugnen.

”Du glömde marinaden.”

”Det är inte så jag lagar till dom, monsieur Brismand.”

Han suckade. ”Synd. Du skulle ha tyckt om det.”

”Hur mycket?” sa jag till sist. ”För hur mycket gav han det till dej?”

Brismand rynkade på näsan. ”*Gav* det till mej?” sa han förebrående. ”Ingen har gett mej någonting. Varför skulle man göra det?”

De juridiska handlingarna hade upprättats på fastlandet. Far var lite imponerad av det hemlighetsfulla med sigill och signaturer. Juridisk terminologi hade alltid gjort honom vimmelkantig. Brismand var vag när det gällde detaljerna, men jag uppfattade att han tagit marken som säkerhet för ett lån. Som vanligt. Det här var bara en variant på hans gamla teknik: kortfristiga lån som skulle betalas av i egendom vid ett senare tillfälle.

När allt kom omkring, som Adrienne skulle ha sagt, var marken inte till någon nytta för min far. Några kilometer sanddyner mellan La Bouche och La Goulue, ett förfallet varv – oanvändbart, åtminstone fram till nu.

Som jag hela tiden misstänkt hade inte ateljén betalats

med besparingar. Reparationerna på huset, presenterna till pojkarna, de nya cyklarna, dataspelen, vindsurfingbrädorna...

"Du betalade för allt det där. Du lånade honom pengarna."

Brismand ryckte på axlarna. "Naturligtvis. Vem annars?" Han hällde vinägrett och strödde *salicorne*, den köttiga örten från ön som ofta används vid inläggningar, över en grönsallad och la den i en träskål medan jag började skiva tomater. "Vi borde ha schalottenlök till dom här", sa han med samma milda stämma. "Dom är fantastiska på att framhäva smaken hos mogna tomater. Var har du dom nånstans?"

Jag struntade i honom.

"Aha, här är dom, i grönsakslådan. Härligt feta är dom också. Jag förstår att Omer gör goda affärer nere på gården. Det har varit ett gyllene år på alla områden för Les Salants, eller hur? Fisk, grönsaker, turister."

"Det har gått bra för oss."

"Du är så blygsam. Det är nästan ett mirakel." Han skivade schalottenlök med snabbt, precist handlag. Doften var skarp, som havet. "Och allt tack vare den där fina stranden som ni har stulit. Du och din smarte vän Rouget."

Jag la försiktigt ner kniven på bordsskivan. Min hand darrade en aning.

"Var försiktig så att du inte skär dej."

"Jag förstår inte vad du menar."

"Jag menar att du borde vara lite försiktigare med den där kniven, Mado." Han skrockade. "Eller försöker du säja att du inte vet nånting om stranden?"

"Stränder flyttar sej. Sand flyttar sej."

"Ja, det gör dom, och ibland rör dom sej till och med av sej själva. Men inte den här gången, eller hur?" Han sträckte ut händerna i en vid gest. "Åh, tro inte att jag är sur. Jag är full av beundran för det ni har åstadkommit. Ni har dragit upp Les Salants ur havet igen. Ni har gjort det till en succé. Det enda jag gör är att bevaka mina intressen, Mado, försäkrar mej om att jag får njuta av min del. Kalla det kompensation, om du vill. Det är du skyldig mej."

"Det var du som startade översvämningarna", sa jag ilsket. "Ingen är skyldig dej nånting."

"Men det är dom." Brismand skakade på huvudet. "Var tror du att pengarna kom ifrån, va? Pengarna till Angélos kafé, Omers väderkvarn, Xaviers hus? Vem tror du stod för kapitalet? Vem la grunden till allt det här?" Han gestikulerade mot fönstret och svepte in La Goulue, byn, himlen och det skimrande havet i sin kladdiga handflata.

"Det kanske du gjorde", sa jag. "Men det är slut med det nu. Vi klarar oss på egen hand. Les Salants behöver inte dina pengar längre."

"Sch." Med överdriven koncentration hällde Brismand marinad över tomaterna. Den doftade frestande och aromatiskt. Jag kunde känna hur den skulle ha varit på den heta fisken, hur rosmarinvinägern skulle avdunsta, olivoljan fräsa. "Du skulle bli förvånad över hur saker och ting förändras när det finns pengar att tjäna", sa han. "Varför ska man nöja sej med ett par turister i ett extrarum när man, med lite kapital, kan bygga om ett garage till en semesterlägenhet eller bygga en rad stugor på nån ödetomt? Ni har fått smaka på framgången, Mado. Tror du verkligen att folk nöjer sej med så lite?"

Jag tänkte över det under tystnad en stund. "Du kanske

har rätt", sa jag till sist. "Men jag förstår fortfarande inte vad du skulle kunna få ut av det. Du kan inte bygga mycket på min fars markbit."

"Madeleine." Brismands axlar sjönk uttrycksfullt, förebråelsen var etsad i varje rynka. "Varför måste det alltid finnas ett bakomliggande motiv? Varför kan du inte helt enkelt acceptera att jag vill hjälpa till?" Han slog vädjande ut med händerna. "Det har funnits så lite tillit mellan de här båda samhällena. Så mycken antagonism. Till och med du har dragits med i den. Vad har jag gjort för att förtjäna dina misstankar? Jag har gett din far pengar i förskott i utbyte mot mark han inte behöver – misstankar. Jag erbjuder dej ett jobb på Les Immortelles – mera misstankar. Jag försöker reparera bron mellan våra samhällen för min familjs skull – den största misstanken av alla. Ha!" Han kastade dramatiskt upp armarna i luften. "Säg mej – vad misstänker du mej för nu?"

Jag svarade inte. Hans charm, helt frisläppt, var tydligt förnimbar och storslagen. Men trots allt visste jag att jag gjorde rätt som misstrodde honom. Han hade en plan av något slag – jag tänkte på *Brismand 2*, som varit halvfärdig för sex månader sedan och nu var klar att sjösätta, och jag undrade på nytt vad den planen bestod i. Brismand suckade tungt och drog i kragen för att lossa den.

"Jag är en gammal man, Mado. Och ensam. Jag hade en fru. En liten son. Båda blev offer för mina ambitioner. Jag erkänner att jag en gång i tiden värderade pengar mer än något annat. Men pengar blir gamla. Dom förlorar sin glans. Nu vill jag ha sånt som inte kan köpas för pengar. En familj. Vänner. Frid."

"Frid!"

"Jag är sextiofyra år, Madeleine. Jag sover dåligt. Jag dricker för mycket. Maskinen börjar bli sliten. Jag frågar mej själv om det var värt det, om jag har blivit lycklig av att tjäna pengar. Jag frågar mej detta allt oftare." Han sneglade mot ugnen. Timern stod på noll. "Madeleine, jag tror att din fisk är klar."

Han använde handskarna och tog ut makrillen ur ugnen. Han vecklade upp folien och hällde över resten av marinaden. Det luktade som jag hade föreställt mig, sött, hett och ljuvligt. "Nu ska jag låta er njuta av måltiden ifred." Han suckade teatraliskt. "Jag äter för det mesta på hotellet, förstår du. Jag kan välja vilket bord jag vill, vilken rätt som helst på menyn. Men min aptit", han klappade sig beklagande på magen, "min aptit är inte vad den har varit. Kanske är det åsynen av alla dom där tomma borden –"

Jag vet inte riktigt varför jag frågade honom. Kanske därför att en devinbo alltid är gästfri. Kanske för att hans ord hade väckt ett minne. "Varför äter du inte med oss?" föreslog jag impulsivt. "Det räcker åt oss alla."

Men Brismand skrattade plötsligt och högljutt, magen skakade häftigt i munterheten. Jag kände att mina kinder blev röda och förstod att jag manipulerats till att visa medlidande där inget behövdes, och att min gest hade roat honom.

"Tack ska du ha, Mado", sa han till sist och strök tårar från kinderna med hörnet på sin näsduk. "Vilken vänlig inbjudan. Men jag måste ge mej iväg. Jag har annat att stå i också."

47

NÄR JAG GICK FÖRBI blockhuset morgonen därpå syntes Flynn inte till någonstans. Fönsterluckorna var stängda, generatorn avstängd och jag såg inga av de vanliga tecknen på hans närvaro. När jag kikade in genom fönstret upptäckte jag ingen frukostdisk i diskhon, inget överkast på sängen, inga kläder. En snabb titt in – mycket få personer låser sina dörrar i Les Salants – avslöjade inte mycket mer än den instängda lukten i ett tomt hus. Men vad värre var, den lilla båt han hade uppe vid *l'étier* var borta.

”Han är nog ute och fiskar”, sa Capucine när jag hälsade på i hennes husvagn.

Alain instämde och sa att han tyckte att han sett Flynns båt ge sig ut tidigt samma morgon. Angélo verkade inte heller orolig. Men Aristide såg beymrad ut. ”Olyckor inträffar”, sa han dystert. ”Kom ihåg vad som hände Olivier.”

”Nåja”, sa Alain. ”Olivier hade alltid otur.”

Angélo nickade. ”Det är troligare att Rouget ställer till bekymmer själv än råkar ut för det. Han är en sån som alltid landar på fötterna.”

Men dagen gick och Flynn dök inte upp. Jag började känna mig lite orolig. Nog skulle han väl ha berättat för mig om han planerade att vara borta länge? När han inte kommit tillbaka på eftermiddagen gick jag till La Houssinière för att leta, just när *Brismand 1* skulle lägga ut. Turisterna stod i kö och väntade, i skydd för solen under Chat Noirs markis; väskor och ryggsäckar stod på rad utefter landgången. Jag sökte automatiskt i kön efter en rödhårig man.

Flynn fanns förstås inte bland de avresande turisterna. Men just när jag skulle gå tillbaka mot esplanaden såg jag ett bekant ansikte i kön. Hennes långa hår skymde ansiktet, men det gick inte att ta miste på de trånga jeansen och den mörkt brandgula, rygglösa toppen. Vid hennes fötter låg en stor ryggsäck som en hund.

”Mercédès?”

Hon vände sig om när hon hörde min röst. Ansiktet var blekt och osminkat. Det såg ut som om hon gråtit. ”Låt mej vara ifred”, sa hon och vände sig mot *Brismand 1* igen.

Jag var bekymrad. ”Mercédès? Är allt som det ska?”

Hon skakade på huvudet utan att se på mig. ”Det här har inget med dej att göra, La Poule. Lägg dej inte i.” Jag rörde mig inte utan stod tyst vid hennes sida och väntade. Mercédès skakade på håret. ”Du har alltid hatat mej. Du borde vara glad att jag ger mej iväg. Låt mej bara vara ifred nu.” Hennes ansikte var suddigt och olyckligt bakom hårgardinen.

Jag la min hand på hennes smala axel. ”Jag har aldrig hatat dej. Följ med så tar vi en kopp kaffe och pratar. Om du fortfarande vill åka sen –”

Mercédès snyftade våldsamt bakom håret. ”Jag *vill* inte åka!”

Jag tog upp hennes väska. ”Följ med mej då.”

”Inte till Chat Noir”, sa Mercédès hastigt när jag vände mig mot kaféet. ”Nån annanstans. Inte dit.”

Jag hittade en liten barservering bakom Clos du Phare

och beställde kaffe och munkar till oss båda. Mercédès lät fortfarande bräcklig och hade nära till tårarna, men fientligheten var borta.

"Varför ville du fly?" frågade jag till sist. "Jag är säker på att dina föräldrar är oroliga."

"Jag tänker inte återvända dit", sa hon envist.

"Varför inte? Det här handlar väl inte om den där fåniga brudklänningen?"

Hon såg förvånad ut. Och sedan log hon motvilligt. "Jo, det började med den."

"Men du kan väl inte fly bara för att en brudklänning inte passar", sa jag och försökte hålla mig för skratt.

Mercédès skakade på huvudet. "Det är inte orsaken", sa hon.

"Vad är det då?"

"Jag är med barn."

Jag lyckades få henne att berätta, med lite övertalning och en kanna kaffe till. Hon var en underlig blandning av arrogans och flickaktig naivitet, verkade ibland mycket äldre och ibland mycket yngre än hon var. Jag föreställde mig att det var det som attraherat Joël Lacroix, den där flörtiga självsäkerheten. Men trots de korta kjolarna och det sexuella övermodet var hon fortfarande en öflicka innerst inne, rörande och oroväckande oskuldsfull.

Tydligen hade hon litat på att helgonet skulle fungera som preventivmedel. "Dessutom", sa hon, "trodde jag inte att det kunde hända första gången."

Jag förstod att det bara hade hänt en gång. Han hade fått henne att känna sig som om det var hennes fel. Före det hade det bara handlat om kyssar, hemliga turer på hans motorcykel, en härlig känsla av upproriskhet.

”Han var så snäll i början”, sa hon tankfullt. ”Alla andra utgick ifrån att jag skulle gifta mej med Xavier och bara bli en fiskarhustru, och bli fet och ha sjalett på huvudet som mamma.” Hon torkade ögonen med hörnet på servetten. ”Nu är allting förstört. Jag sa att vi kunde rymma, kanske till Paris. Vi skulle kunna skaffa en lägenhet. Jag skulle kunna skaffa jobb. Och han bara...” Hon drog håglöst tillbaka håret. ”Han bara skrattade.”

Hon hade genast berättat för sina föräldrar, på inrådan av Père Alban. Överraskande nog hade det varit tysta, beskäftiga Charlotte som hade blivit mest arg; Omer La Patate hade bara satt sig vid bordet som en chockad man. Man skulle bli tvungen att berätta för Xavier, hade Charlotte sagt; det hade funnits ett avtal som inte längre kunde hållas. Mercédès snyftade tyst och tröstlöst när hon berättade för mig. ”Jag vill inte åka till fastlandet. Men det måste jag nu. Ingen här vill ha mej efter det som hänt.”

”Omer skulle kunna prata med Joëls far”, föreslog jag.

Hon skakade på huvudet. ”Jag vill inte ha Joël. Det har jag aldrig velat.” Hon torkade ögonen med baksidan av handen. ”Och jag tänker inte gå hem igen”, sa hon tårögt. ”Dom kommer att tvinga mej att träffa Xavier om jag återvänder. Och jag *dör* hellre.”

I fjärran hördes färjan vissla. *Brismand 1* skulle lägga ut.

”Ja, men du kommer att vara kvar till imorgon åtminstone”, sa jag bestämt. ”Kom så försöker vi hitta nånstans där du kan bo.”

48

JAG FANN TOINETTE PROSSAGE i trädgården där hon hackade fram vitlökar ur den sandiga jorden. Hon nickade vänligt mot mig när hon sträckte på sig, med ansiktet skuggat, inte av en *quichenotte* utan av en vid stråhatt, bunden runt huvudet med ett rött band. På torvtaket till stugan betade en get.

”Jaha, och vad har du på hjärtat en sån här dag?”

”Behöver jag en orsak?” Jag tog fram den stora påsen med bakverk som jag köpt i La Houssinière och sträckte fram den mot henne. ”Jag tänkte att du kanske skulle tycka om lite *pain au chocolat*.”

Toinette tog emot påsen och inspekterade girigt innehållet. ”Du är en snäll flicka”, förklarade hon. ”Det är förstås en muta. Fortsätt, du har fångat min uppmärksamhet. Åtminstone för så lång tid som det tar att äta upp dom här.”

Jag log brett när hon började på sin första *pain au chocolat*, och medan hon åt berättade jag för henne om Mercédès. ”Jag tänkte att du kanske kunde ta hand om henne ett tag”, sa jag. ”Tills det värsta har lagt sej.”

Toinette övervägde om hon skulle ta en kanelbulle. Hennes svarta ögon lyste hårda under hattbrättet. ”Hon är så tröttsam, min sondotter”, sa hon med en suck. ”Jag visste att det skulle bli problem med henne samma dag hon föddes. Jag är för gammal för allt det där nu. Men dom här är verkligen goda”, la hon till och tog en stor tugga.

”Du får allihop”, sa jag.

”Åhå.”

”Omer skulle aldrig ha berättat om Mercédès för dej”, försökte jag.

”På grund av pengarna, va?”

”Kanske.” Toinette lever knapert, men det går rykten om en gömd förmögenhet. Den gamla kvinnan gör inget för att vare sig bekräfta eller förneka detta, men hennes tystnad betraktas allmänt som ett erkännande. Omer älskar sin mor högt men är i hemlighet missbelåten med att hon lever så länge. Toinette är medveten om detta och planerar att leva i evighet.

Hon skrockade muntert. ”Han tror att jag ska göra honom arvlös om det blir skandal, va? Stackars Omer. Den där flickan har mer av mej i sej än av nån annan. Jag var mina föräldrars förbannelse, ska du veta.”

”Då har du inte förändrats mycket.”

”Ha!” Hon tittade i påsen igen. ”Nötkaka. Jag har alltid tyckt om nötkaka. Tur att jag har alla tänder i behåll, va? Men dom smakar bättre med honung. Eller lite getost.”

”Jag ska komma över med det.”

Toinette såg på mig ett ögonblick med cynisk munterhet. ”Ta med dej flickan hit, när du ändå håller på. Jag misstänker att hon kommer att ta livet av mej. Vid min ålder behöver man all vila man kan få. Det förstår inte ungdomarna. Dom är bara upptagna av sitt eget.”

Jag lät mig inte luras av att hon låtsades vara svag. Mindre än tio minuter efter sin ankomst misstänkte jag att Mercédès skulle få börja städa, laga mat och snygga upp i huset. Det skulle förmodligen vara nyttigt för henne.

Toinette läste mina tankar. ”Jag ska nog få henne att tänka på annat", sa hon myndigt. "Och om den där pojken kommer hit och slår sina lovar – ha!" Hon gjorde en vidlyftig gest med nötkakan och såg ut som världens äldsta goda fé. "Jag ska ge honom vad han tål. Jag ska visa honom vad salantsbor är gjorda av."

Jag lämnade Mercédès hos sin farmor. Klockan var över ett och solen var som hetast. Les Salants låg övergivet i det glasartat skarpa ljuset, fönsterluckorna var stängda och det fanns bara en smal skugga vid foten av de vitkalkade väggarna. Jag skulle ha velat lägga mig i skuggan under ett parasoll, kanske med en drink, men pojkarna skulle vara hemma – åtminstone tills spelhallen öppnade igen – och efter Brismands besök vågade jag inte vara i närheten av min far. Så istället gick jag mot dynerna. Det var svalare ovanför La Goulue, och vid den här tiden skulle det vara fritt från turister. Tidvattnet var högt; havet glittrade klart. Vinden skulle rensa huvudet från tankar.

Jag kunde inte låta bli att titta in i blockhuset på vägen. Det var lika övergivet som tidigare. Men La Goulue var inte helt övergivet. En ensam figur stod vid vattnet med en cigarett mellan tänderna.

Han struntade i min hälsning och när jag ställde mig bredvid honom vände han bort ansiktet, men inte tillräckligt snabbt för att dölja de rödsvullna ögonen. Nyheten om Mercédès hade spritts fort.

"Jag önskar att dom var döda", sa Damien med låg röst. "Jag önskar att havet bara kom och svalde hela ön. Tvättade allting rent igen. Inga människor alls." Han tog upp en sten som låg mellan fötterna och kastade den så hårt han kunde mot de inkommande vågorna.

”Det kanske känns så nu”, började jag, men han avbröt mig.

”Dom skulle aldrig ha byggt det där revet. Dom skulle ha låtit havet göra sitt. Dom trodde att dom var så listiga. Tjäna pengar. Skratta åt houssinborna. Allihop för upptagna av att tänka på pengar för att se vad som hände alldeles framför näsan på dom.” Han sparkade i sanden med stövelspetsen. ”Lacroix skulle aldrig ens ha sett åt henne om det inte hade varit för allt det här, eller hur? Han skulle ha försvunnit när sommaren var slut. Det skulle inte ha funnits nåt som höll honom kvar. Men han trodde han kunde tjäna *pengar* på oss.” Jag la min hand på hans axel men han skakade den av sig. ”Han låtsades vara min vän. Det gjorde dom båda två. Använde mej för att skicka meddelanden. Spionera åt dom i byn. Jag trodde att om jag gjorde nåt för henne, så kanske hon –”

”Damien. Det är inte ditt fel. Du kunde inte veta.”

”Men det *är* –” Damien avbröt sig plötsligt och tog upp en annan sten. ”Vad vet du, va? Du är inte ens en riktig salantsbo. Du klarar dej alltid, vad som än händer. Din syster är en Brismand, eller hur?”

”Jag förstår inte vad –”

”Låt mej bara vara, okej? Det angår inte dej.”

”Jo, det gör det.” Jag tog tag i hans arm. ”Damien, jag trodde vi var vänner.”

”Det trodde jag om Joël också”, sa Damien trumpet. ”Rouget försökte varna mej. Jag borde väl ha lyssnat på honom.” Han tog upp ytterligare en sten och kastade den mot bränningarna som rullade in. ”Jag försökte intala mej själv att det var min fars fel. Jag menar den där historien med humrarna och allt. Slå sej ihop med familjen Bastonnet. Efter allt dom gjort mot vår familj. Låtsas att allt var bra igen, bara på grund av några bra fångster."

"Och så var det Mercédès", sa jag mjukt.

Damien nickade. "I samma stund som familjen Prossage fick nys om gamle Bastonnets pengar – dom har fortfarande skulder upp över öronen – *knuffade* dom bara ihop dom. Hon hade aldrig ens sett åt Xavier innan dess. Dom växte ju upp tillsammans, för Guds skull."

"Motorcykelgänget", sa jag. "Var det du? Berättade du för dom om pengarna? För att hämnas på familjen Bastonnet?"

Damien nickade olyckligt. "Men det var inte meningen att göra Xavier illa. Jag trodde att han bara skulle lämna över kontanterna. Men efter det som hände sa Joël att jag lika gärna kunde gå med i gänget, jag hade inget mer att förlora."

Inte undra på att han sett så olycklig ut. "Och du har hållit allt det här för dej själv hela tiden? Har du inte berättat för nån?"

"Rouget. Honom kan man berätta saker för ibland."

"Vad sa han?"

"Han sa åt mej att berätta för min far och familjen Bastonnet. Sa att det bara skulle bli värre om jag inte gjorde det. Jag sa att han var galen; min far skulle ha sparkat skiten ur mej om jag berättat hälften av vad jag har gjort."

Jag log. "Jag tror att han kanske hade rätt, vet du."

Damien ryckte håglöst på axlarna. "Kanske. Men nu är det för sent."

Jag lämnade honom på stranden och gick tillbaka samma väg som jag kommit. När jag såg mig om stod den ensamma figuren och sparkade sand i havet med våldsam kraft, som om det skulle tvinga hela stranden tillbaka till La Jetée, där den hörde hemma.

49

NÄR JAG KOM HEM var Adrienne där med Marin och pojkarna och höll just på att avsluta en sen lunch. De tittade upp när jag kom in. Det gjorde inte GrosJean; istället höll han huvudet sänkt över tallriken, åt sin sallad med långsamma, metodiska rörelser.

Jag gjorde kaffe, och kände mig som en inkräktare. Det var tyst medan jag drack det, som om min närvaro hade tagit död på samtalet. Var det så här det skulle vara från och med nu? Min syster och hennes familj, GrosJean och hans pojkar, och jag, utbölingen, den objudna gästen som ingen riktigt vågade kasta ut? Jag kände att min syster iakttog mig med sina blå ö-ögon, smala som springor. Då och då viskade en av pojkarna något, för tyst för att jag skulle kunna uppfatta det.

”Farbror Claude sa att han pratat med dej”, sa Marin till sist.

”Jag är glad att han gjorde det”, sa jag. ”Eller hade ni tänkt göra det i sinom tid?”

Adrienne sneglade på GrosJean. ”Det är Papa själv som måste bestämma vad han vill göra med sin mark.”

”Vi hade diskuterat det tidigare”, sa Marin. ”GrosJean visste att han inte hade råd att utveckla egendomen. Han tyckte att det var vettigare att vi gjorde det.”

”Vi?”

”Claude och jag. Vi har diskuterat ett gemensamt företag.”

Jag såg på min far, som verkade helt uppslukad av att suga upp olja från botten av sin salladsskål med en bit bröd. ”Visste du om det här, far?”

Tystnad. GrosJean visade inte ens att han hört.

”Du gör honom upprörd, Mado”, mumlade Adrienne.

”Och jag då?” Min röst steg. ”Var det ingen som hade en tanke på att fråga mej till råds? Eller var det vad Brismand menade när han sa att han ville ha mej på sin sida? Var det det han ville? Försäkra sej om att jag tittade åt ett annat håll när ni skrev över marken för en struntsumma?”

Marin gav mig en menande blick. ”Vi kanske kan diskutera det här vid nåt annat –”

”Var det för pojkarnas skull?” Ilskan fladdrade inom mig som en fågel i bur. ”Mutade ni honom med dom? GrosJean och P'titJean som återvänt från dom döda?” Jag blängde på far, men han hade försvunnit in i sig själv, stirrade fridfullt ut i rymden som om ingen av oss vore där.

Adrienne såg förebrående på mig. ”Åh, Mado. Du har sett honom tillsammans med pojkarna. Dom är ren terapi för honom. Dom har redan gjort honom så mycket gott.”

”Och marken var inte till nån nytta”, sa Marin. ”Vi tyckte allihop att det skulle vara bättre att koncentrera sej på huset, göra det till en riktig familjesommarstuga, som vi allihop kan njuta av.”

”Tänk på vad det skulle betyda för Franck och Loïc”, sa Adrienne. ”En underbar sommarstuga vid havet.”

”Och en sund investering”, la Marin till, ”för den dag – du vet.”

”Ett arv”, förklarade Adrienne. ”Till barnen.”

”Men det är ingen sommarstuga”, sa jag och kände mig lätt illamående.

Min syster lutade sig mot mig med lysande ansikte. ”Vi hoppas att det kommer att bli det, Mado”, sa hon. ”Faktum är att vi bett Papa att följa med oss hem i september. Vi vill att han ska bo hos oss året runt.”

50

JAG GAV MIG AV PÅ SAMMA SÄTT som jag kommit, med min väska och min konstmapp, men den här gången gick jag inte mot byn. Istället tog jag den andra stigen, den som ledde till blockhuset ovanför La Goulue.

Flynn var fortfarande inte hemma. Jag gick in och la mig på den gamla tältsängen, jag kände mig plötsligt väldigt isolerad, väldigt långt hemifrån. I det ögonblicket skulle jag ha gett nästan vad som helst för att vara tillbaka i min lägenhet i Paris med brasseriet utanför och ljuden från Boulevard Saint-Michel som steg upp på den varma, grå luften. Flynn hade kanske haft rätt, tänkte jag. Kanske var det dags att fundera över att gå vidare.

Nu insåg jag tydligt hur far hade blivit manipulerad. Men han hade gjort sitt val; jag tänkte inte hindra honom. Om han ville bo hos Adrienne så fick han göra det. Huset i Les Salants skulle bli sommarstuga. Jag skulle självklart få bo där när jag önskade, och Adrienne skulle spela överraskad när jag höll mig borta. Hon och Marin skulle tillbringa alla semestrar där. Kanske skulle de hyra ut under lågsäsongen. Plötsligt såg jag mig själv och Adrienne som barn, hur vi bråkade om någon leksak, slet sönder den mellan oss, utan att bry oss om att vi spred ut stoppningen när vi slogs om den. Nej, sa jag till mig själv, jag behövde inte det där huset.

Jag ställde konstmappen mot väggen och väskan under sängen och gick ut på dynen igen. Nu var klockan nästan tre, solen hade svalnat en aning och tidvattnet sjönk. Långt borta på andra sidan bukten fladdrade ett ensamt segel i solreflexerna, långt utanför La Jetées skyddande ring. Jag kunde inte säkert se vilken form det hade, eller tänka mig vem som seglade så långt ut så här dags. Jag började gå ner mot La Goulue och slängde emellanåt ett öga mot bukten. Fåglar skriade där de kretsade omkring mig. I det besvärliga ljuset var det svårt att identifiera det avlägsna seglet; det var i alla fall ingen från byn. Ingen salantsbo skulle vara så klumpig vid rodret, slå så kraftlöst, tappa vind och till sist hamna på drift, med löst och fladdrande segel, medan strömmen förde bort farkosten.

När jag kom närmare klippkanten såg jag att Aristide stod och tittade på sitt vanliga ställe. Lolo satt bredvid honom med en kylväska med frukt till försäljning och en kikare om halsen.

”Vem är det där? Han kommer att hamna på La Jetée om det fortsätter så där.”

Den gamle mannen nickade. Han såg ogillande ut. Inte för den slarvige seglarens skull – på öarna får man lära sig att klara sig själv, och att be om hjälp är något skamligt – utan på grund av att den fina båten var på drift. Folk kommer och går. Ägodelar består.

”Tror du inte att det är nån från La Houssinière?”

”Nä. Till och med en houssinbo vet bättre än att gå så där långt ut. Kanske nån turist, med mer pengar än vett. Eller något som är på drift. Man kan inte vara säker på så här stort avstånd.”

Jag tittade ner på den fullpackade stranden. Gabi och

Laetitia var där. Laetitia satt på en av de gamla pålarna intill klippan.

"Vill du ha en bit melon?" sa Lolo och såg längtansfullt på Laetitia. "Jag har bara två kvar."

"Visst." Jag log mot honom. "Jag tar båda."

"Coolt!"

Melonen var söt och god i min torra strupe. När jag inte hade Adrienne i närheten återvände aptiten, och jag åt långsamt där jag satt i skuggan av den vindlande stigen nerför klippväggen. Jag tyckte att det oidentifierade seglet verkade ha kommit lite närmare nu, men det var troligen bara en synvilla.

"Jag tycker att jag känner igen den där båten", sa Lolo och kisade genom kikaren. "Jag har suttit och tittat på den jättelänge."

"Får jag se", sa jag och tog ett par steg mot honom. Lolo gav mig kikaren och jag tittade i den mot det avlägsna seglet.

Det var typiskt rött, kvadratiskt, och hade inga särskilda kännetecken. Själva båten – lång och smal, knappt mer än en jolle – låg lågt i vattnet som om den tagit in vatten. Mitt hjärta gjorde en plötslig volt.

"Känner du igen den?" frågade Lolo ivrigt.

Jag nickade. "Jag tror det. Det ser ut som Flynns båt."

"Är du säker? Vi kan fråga Aristide. Han känner igen alla båtar. Han skulle kunna säja om det är den."

Den gamle mannen tittade i kikaren en stund under tystnad. "Visst är det han", sa han till sist. "På drift långt därute visserligen, men jag sätter ändå en slant på det."

"Men vad gör han där?" frågade Lolo. "Han är ända ute vid La Jetée. Tror ni han har gått på grund?"

"Nä", grymtade Aristide. "Hur skulle han kunna göra det? Men hur som helst", han reste sig, "så ser det ut som om han har problem."

Att vi identifierat farkosten förändrade allt. Rouget var ingen okänd turist, berusad i en hyrbåt, utan en av oss, nästan en salantsbo. Inom några minuter hade en liten grupp samlats på toppen av klippan och iakttog den avlägsna båten med orolig nyfikenhet. En salantsbo i svårigheter? Något måste göras.

Aristide ville omedelbart gå ut med *Cécilia*, men Alain hann före honom i *Eleanore 2*. Och han var inte den ende. Det spred sig till Angélos att det var problem vid La Goulue och tio minuter senare stod ett halvdussin frivilliga på stranden, beväpnade med hakar, stänger och rep. Angélo var själv där – han sålde glas med *devinnoise* för femton franc stycket – och Omer, Toinette, Capucine och familjen Guénolé. Längre bort på stranden stod några turister och tittade och spekulerade. Från klippan var havet silvergrönt och kräppaktigt, rörde sig knappt.

Räddningsaktionen tog nästan två timmar. Det kändes längre. Det tar tid att nå La Jetée, till och med i motorbåt, och Rougets lilla jolle var på andra sidan, för nära det grunda vattnet runt sandbankarna för att de större fartygen enkelt skulle kunna nå den. Alain var tvungen att manövrera *Eleanore 2* i läge runt de uppstickande sandbankarna medan Ghislain drog in Flynns båt med hjälp av hakar och stänger för att hålla den på säkert avstånd från *Eleanores* skrov, och sedan drog de den räddade farkosten ut mot öppet vatten. Aristide, som hade insisterat på att följa med, stod på post vid rodret och luftade sin pessimism med jämna mellanrum.

Vinden var kraftig utanför bukten, sjön gick hög, och jag

var tvungen att stå bredvid Alain i aktern på *Eleanore 2* för att kontrollera den svängande bommen när den lilla båten krängde och gungade. Ännu hade inte Flynn synts till, vare sig i båten eller i vattnet.

Jag var glad att ingen kommenterade min närvaro. Det var ändå jag som känt igen seglet. Det gav mig ett slags rätt, i deras ögon, att vara med. Alain, som satt i fören på *Eleanore 2*, hade bäst uppsikt över vad som försiggick, och informerade hela tiden medan Ghislain manövrerade Flynns båt inom räckhåll. Han hade fäst ett par gamla bildäck på sidan av *Eleanore 2* för att skydda skrovet vid en möjlig kollision.

Aristide var dyster som vanligt. ”Jag visste att det var något galet”, sa han för femte gången. ”Jag hade det på känn, precis som den där natten då stormen tog min *Péoch ha Labour*. En känsla av fördömelse.”

”Snarare matsmältningsbesvär”, muttrade Alain.

Aristide struntade i honom. ”Vi har haft för mycket tur, det är vad det beror på”, sa han. ”Det måste vända förr eller senare. Varför skulle det här annars hända Rouget av alla människor, turgubben?”

”Det kanske inte är så farligt”, sa Alain.

Aristide slog ut med händerna. ”Jag har seglat i sextio år och jag har sett det hända tjugo gånger eller mer. En man går ut ensam, blir oförsiktig, vänder ryggen mot bommen – vinden vänder – godnatt!” Han satte fingret mot halsen i en uttrycksfull gest.

”Du vet inte att det är det som har hänt”, sa Alain envist.

”Jag vet vad jag vet”, svarade Aristide. ”Det hände Ernest Pinoz nittonhundrafyrtionio. Svepte honom rätt överbord. Död innan han träffade vattnet.”

Till slut fick vi den lilla båten inom räckhåll för *Eleanore* och Xavier hoppade ombord. Flynn låg orörlig på botten. Han måste ha legat där i timmar, gissade Xavier, för han hade en rand av solbränna på sidan av ansiktet. Med viss svårighet lyfte Xavier Flynn under armarna, kämpade för att dra honom inom räckhåll för den gungande *Eleanore* medan Alain försökte förtöja båten. Runt omkring dem fladdrade och slog den lilla jollens oanvändbara segel, de lösa tamparna flög åt alla håll. Även om han inte visste vad det var så var Xavier förståndig nog att inte röra vid föremålet – det liknade de blöta resterna av en plastpåse – som var lindat kring Flynns arm och delvis släpade i vattnet.

Till slut, efter flera försök, var båten förtöjd.

"Vad var det jag sa?" förkunnade Aristide. "Det krävs mer än en lyckobringande röd pärla för att rädda en när ens tid är inne."

"Han är inte död", sa jag med en röst som jag inte kände igen.

"Nej", flämtade Alain och drog Flynns lealösa kropp från den vattenfyllda jollen upp i *Eleanore 2*. "Inte än i alla fall."

Vi la honom i aktern på båten och Xavier hissade varningsflaggan. Med ostadiga händer sysselsatte jag mig med *Eleanores* segel tills jag kunde förmå mig att se på Flynn utan att darra. Han var svårt bränd av solen. Ögonen öppnades då och då, men han reagerade inte när jag pratade med honom. Genom den halvgenomskinliga saken som klängde sig fast vid hans hud såg jag röda infektionsränder som sköt upp längs armen. Jag försökte hålla rösten stadig, men trots det tyckte jag att den lät skrikig, farligt nära hysteri. "Alain, vi måste få bort den där saken från honom!"

"Det är Hilaires jobb", sa Alain kort. "Låt oss nu bara få

båten tillbaka till stranden så snabbt som möjligt. Håll honom borta från solen. Tro mej, det finns inget mer vi kan göra här."

Det var ett gott råd och vi lydde. Aristide höll ett stycke segelduk över den medvetslöse mannens ansikte medan Alain och jag manövrerade *Eleanore* in i La Goulue så fort vi kunde. Men trots en god västlig vind i ryggen tog det nästan en timme. Vid det laget väntade ännu fler hjälpredor på stranden, folk med flaskor, rep, filtar. Ryktena flög redan. Någon sprang för att hämta Hilaire.

Ingen var säker på vad den där saken – som fortfarande var lindad kring Flynns arm – kunde vara. Aristide trodde att det var en kubmanet, som spolats upp i Golfströmmens nyckfulla kölvatten från varmare hav. Matthias, som hade kommit tillsammans med Angélo, avfärdade hånfullt det troliga i det.

"Det är det inte", fräste han. "Är du blind? Det är en portugisisk örlogsman. Kommer ni inte ihåg när vi hade dem utanför La Jetée? Det måste ha varit nittonhundrafemtioett, det var hundratals som flöt vid kanten av Nid'Poule. En del kom ända till La Goulue och vi var tvungna att dra upp dem från strandlinjen med krattor."

"Kubmanet", sa Aristide bestämt och skakade på huvudet. "Jag sätter en slant på det."

Matthias antog hans vad, till en summa av hundra franc. Ett antal andra personer gick med.

Vad det än var för något så var det inte lätt att få bort det. Tentaklerna – om nu verkligen de där fjäderlika, ormbunksliknande banden var tentakler – satt fast vid den bara huden på alla ställen där de rört vid den. De satt fastklistrade och trotsade alla försök att enkelt lossa dem.

”Det måste ha sett ut som ett plastskynke som flöt i vattnet”, spekulerade Toinette. ”Han lutade sej ut för att ta upp det...”

”Tur att han inte simmade, va. Då skulle den ha varit över hela honom. Dom där tentaklerna måste vara minst ett par meter långa.”

”Kubmanet”, upprepade Aristide med bister tillfredsställelse. ”Dom där märkena är tecken på blodförgiftning. Har sett det förut.”

”Portugisisk örlogsman”, protesterade Matthias. ”Har du nånsin sett en kubmanet så här långt norrut?”

”Cigaretter. Det använder man mot blodiglar”, sa Omer La Patate.

”Kanske ett glas *devinnoise*”, föreslog Angélo.

Capucine trodde på vinäger.

Aristide var fatalistisk och sa att om den där saken verkligen var en kubmanet så var det ute med Rouget i vilket fall som helst. Det fanns inget motgift mot det giftet. Han gav honom högst tolv timmar. Så kom Hilaire tillsammans med Charlotte, som bar på en flaska vinäger.

”Vinäger”, sa Capucine. ”Jag sa ju att det skulle hjälpa.”

”Släpp fram mej”, grymtade Hilaire. Han var barskare än vanligt och dolde sin oro bakom en irriterad min. ”Folk verkar tro att jag inte har nåt annat för mej. Jag måste se till Toinettes getter och hästarna i La Houssinière. Kan folk inte vara försiktiga? Tror dom att jag gillar sånt här?” Den lilla gruppen tittade nervöst på medan Hilaire avlägsnade de fastklistrade tentaklerna med pincett och vinäger.

”Kubmanet”, mumlade Aristide.

”Envis som synden”, svarade Matthias.

De förde Flynn till Les Immortelles. Det var den vettigaste platsen, hävdade Hilaire, med sängar och medicinförråd. En adrenalininjektion var allt Hilaire kunde göra på plats, och han ville inte gärna utfärda någon prognos på det här stadiet. Från sin mottagning ringde han kusten, först en läkare – det fanns en snabb motorbåt i Fromentine för nödlägen – och sedan till kustbevakningen för att utfärda en manetvarning. Ännu hade inga fler varelser synts till vid La Goulue, men man hade redan vidtagit försiktighetsåtgärder på den nya stranden, spänt ett band med flöten tvärs över badområdet och satt upp ett nät som skulle filtrera bort oönskade gäster. Alain och Ghislain skulle senare segla över till La Jetée för att kontrollera. Det är en procedur som vi ibland tillämpar efter höststormarna.

Jag strök omkring i utkanten av den lilla gruppen och kände mig överflödig nu när jag inte hade något vettigt att göra. Capucine erbjöd sig att följa med Rouget till Les Immortelles. Det pratades om att tillkalla Père Alban.

”Är det så allvarligt?”

Hilaire, som inte kände till någon av de båda manetsorterna, kunde inte säga säkert. Lolo ryckte på axlarna. ”Aristide säjer att vi får veta hur det går imorgon.”

51

JAG TROR INTE PÅ OMEN. På det viset är jag inte någon typisk öbo. Och ändå var luften full av dem den här kvällen; de flöt som måsar på vågorna. Ett mörkt tidvatten vände någonstans. Jag kände när det vände. Jag försökte föreställa mig att Flynn var döende; Flynn död. Det var otänkbart. Han var vår – öns; en del av Les Salants. Vi hade format honom, och han oss.

När kvällen närmade sig gick jag till Sainte-Marines helgedom på udden, som nu var fläckig av ljusvax och fågelträck. Någon hade lagt ett dockhuvud av plast bland offergåvorna på altaret. Huvudet var väldigt skärt; håret blont. Det brann redan ljus där. Jag stoppade handen i fickan och tog fram den röda korallpärlan. Jag vände den i handflatan ett ögonblick och la den sedan på altaret. Sainte-Marine tittade ner, hennes stenansikte var outgrundligare än vanligt. Fanns det inte ett leende i de där grova anletsdragen? Var inte en arm höjd till välsignelse?

Santa Marina. Ta tillbaka stranden, om det är vad du vill. Ta vad du vill. Men inte detta. Snälla. Inte detta.

Något – kanske en fågel – skrek bland dynerna. Det lät som ett skratt.

Toinette Prossage hittade mig där jag satt. Hon rörde vid min arm och jag såg upp; bakom henne, på väg mot mig på udden, såg jag fler människor. En del bar på lyktor. Jag kände igen familjerna Bastonnet och Guénolé, Omer, Angélo, Capucine. Bakom dem såg jag Père Alban med sin drivvedsstav och syster Thérèse och syster Extase, deras *coiffes* guppade mot solnedgången.

”Jag bryr mej inte om vad Aristide säjer”, sa Toinette. ”Sainte-Marine har varit här längre än nån av oss och man kan aldrig veta vilka andra underverk hon kan utföra. Hon har gett oss stranden, eller hur?”

Jag nickade, vågade inte säga någonting. Bakom Toinette kom byborna på rad, en del med blommor i händerna. Jag såg Lolo längre bort, och i byn såg några turister nyfiket på.

”Jag har aldrig sagt att jag *vill* att han ska dö”, protesterade Aristide. ”Men om han gör det så har han förtjänat sin plats i La Bouche. Jag ska hitta en plats åt honom bredvid min egen son.”

”Det finns ingen anledning att prata om död och begravning”, sa Toinette. ”Helgonet kommer inte att tillåta det. Hon är Marine-de-la-Mer och hon är salantsbornas speciella helgon. Hon kommer inte att svika oss.”

”Men Rouget är ingen salantsbo”, påpekade Matthias. ”Sainte-Marine är ett öhelgon. Hon kanske inte bryr sej om fastlänningar.”

Omer skakade på huvudet. ”Helgonet har kanske gett oss stranden, men det var Rouget som byggde Bouch’ou.”

Aristide grymtade. ”Ni ska få se”, sa han. ”I Les Salants är oturen aldrig långt borta. Detta är beviset. Maneter i bukten, efter alla dessa år. Tror ni att det kommer att förbättra affärerna?”

”Affärerna?” Toinette var indignerad. ”Är det allt du bryr dej om? Tror du att helgonet bryr sej om det?”

”Kanske inte”, sa Matthias, ”men det är i alla fall ett dåligt tecken. Sist det hände var under det Svarta Året.”

”Det Svarta Året”, upprepade Aristide mörkt. ”Och lyckan vänder som tidvattnet.”

”Vår lycka har *inte* vänt!” protesterade Toinette. ”Vi skapar vår egen lycka i Les Salants. Det här bevisar ingenting.”

Père Alban skakade ogillande på huvudet. ”Jag förstår inte varför ni ville att jag skulle komma hit”, sa han. ”Om ni vill be kan ni väl gå till en kyrka som fortfarande är hel. Om inte – ha! Allt detta vidskepliga trams. Jag borde aldrig ha uppmuntrat det.”

”Bara en bön”, manade Toinette. ”Bara Santa Marina.”

”Ja, ja. Men sen går jag hem och låter er stå här och dra döden på er om ni vill. Det ser ut som om det ska bli regn.”

”Jag bryr mej inte om vad ni säjer”, muttrade Aristide. ”Affärerna är viktiga. Och om hon är vårt helgon så borde hon förstå det. Det handlar om Les Salants lycka.”

”*Monsieur Bastonnet!*”

”Ja, ja.”

Vi böjde våra huvuden som barn. Det latin som används på ön är rena kökslatinet, till och med med kyrkans mått mätt, men alla försök att modernisera gudstjänsten har avvisats. Det är något magiskt med de gamla orden, något som skulle gå förlorat i en översättning. Père Alban har för länge sedan slutat försöka förklara att det inte är orden i sig som innehåller kraften utan känslan bakom dem. Tanken är obegriplig för de flesta salantsbor, till och med lite hädisk. Katolicismen har acklimatiserat sig här på öarna, återgått till sitt förkristna ursprung. Amuletter, symboler, besvärjelser, ritualer är fortfarande starkt rotade här, i dessa samhällen där man inte läser många böcker – inte ens Bibeln. Den muntliga traditionen är stark, nya detaljer läggs till varje återberättande, men vi tycker bättre om underverk än siffror och regler. Det vet Père Alban och han spelar med, i vetskap om att utan honom kanske kyrkan snart skulle bli helt överflödig.

Han gav sig av så snart bönen var klar. Jag hörde det krasande ljudet av hans stövlar i sanden när han lämnade den lilla cirkeln av lyktor. Toinette sjöng med en gammal kvinnas höga röst; jag uppfattade en del ord men det var på gammal dialekt som jag förstod lika lite som latinet.

De två gamla nunnorna hade blivit kvar, de stod på var sin sida om drivvedsaltaret och övervakade bönerna. Byborna väntade tysta på rad. Flera personer – bland annat Aristide – tog sina lyckopärlor från halsen och la dem på altaret under Sainte-Marines mörka, dubbeltydiga, stirrande blick.

Jag lämnade dem åt deras böner och gick ner mot La Goulue, som låg öppen och röd i solens sista glöd. Långt långt ute vid vattenbrynet, nästan osynlig i glittret från havsbottnen, stod en figur. Jag gick mot den och njöt av kylan från den blöta sanden under fötterna och tidvattnets mjuka skvalpande när det drog sig tillbaka. Det var Damien.

Han såg på mig med ögonen fyllda av solens röda kaos. Därbortom lovade ett svart streck över himlen att det skulle bli regn. ”Ser du?” sa han. ”Allt rasar ihop. Det är slut.”

Jag rös. Långt bakom oss hördes Toinettes spöklikt drillande sång.

”Jag tror inte att det kommer att gå så illa”, sa jag.

”Inte?” Han ryckte på axlarna. ”Min far gick ut till La Jetée i sin *platt*. Han säjer att han såg fler av dom där sakerna därute. Stormarna måste ha fört upp dom med Golfströmmen. Farfar säjer att det är ett omen. Det är dåliga tider på väg."

"Jag trodde inte att du var vidskeplig."

"Nej. Men det är vad dom klamrar sej fast vid när det inte finns nåt annat kvar. Det är vad dom tar till för att låtsas att dom inte är rädda. Sånger och böner och blomsterkransar på helgonet. Som om nåt av det skulle kunna hjälpa Rou... Roug..." Rösten sprack och han stirrade på vattnet med förnyat raseri.

"Han kommer att klara sej", sa jag. "Det gör han alltid."

"Jag bryr mej inte", svarade Damien oväntat, utan att höja rösten. "Det var han som startade allt det här. Jag bryr mej inte om ifall han dör."

"Du menar inte vad du säjer!"

Damien verkade prata med någonting vid horisonten. "Jag trodde att han var min vän. Jag trodde att han var annorlunda än Joël och Brismand och dom andra. Men det visade sej att han bara var en bättre lögnare."

"Vad menar du?" frågade jag. "Vad har han gjort?"

"Jag trodde att han och Brismand hatade varandra", sa Damien. "Det låtsades han hela tiden. Men dom är *vänner*, Mado. Han och Brismands familj. Dom jobbar ihop. Han jobbade åt dom igår, när han råkade ut för olyckan. Det var därför han gått så långt ut. Jag hörde Brismand säja det!"

"Jobbade åt Brismand? Med vadå?"

"Några slags beräkningar borta vid Bouch'ou", sa Damien. "Det har han hållit på med hela tiden. Brismand har betalat honom för att lura oss. Jag hörde honom prata med Marin om det utanför Chat Noir."

"Men Damien", protesterade jag. "Allt han har gjort för Les Salants –"

”Men vad *har* han gjort?” Damiens röst sprack; plötsligt lät han mycket ung. ”Byggt *den där* saken i bukten?” Han gestikulerade mot Bouch’ou i fjärran, där jag bara såg de två varningsljusen som blinkade som julprydnader. ”Varför? För vem? Inte för min skull, i alla fall. Inte för min far, som är skuldsatt upp över öronen och fortfarande går och hoppas på det stora klippet. Tror han ska göra sej en förmögenhet på lite fisk – hur dum får man bli? Inte för familjerna Grossel, Bastonnet eller Prossage. Inte för Mercédès!”

”Det där är orättvist. Stranden är inte skuld till det. Och inte Flynn heller.”

Solen hade gått ner. Himlen var ett blåmärke, blekt i kanterna. ”Och så var det en sak till”, sa Damien och såg på mig. ”Han heter inte Flynn. Inte Rouget heller. Han heter Jean-Claude. Efter sin far.”

Del fyra

Allting återvänder

52

JAG RUSADE UPPFÖR KLIPPSTIGEN, tankarna skramlade inuti min skalle som frön i en kalebass. Det var obegripligt. Skulle Flynn vara Brismands son? Det var omöjligt. Damien måste ha hört fel. Och ändå var det något inom mig som reagerade igenkännande; min varningsklocka hade äntligen slagits på och ringde ut sin varning högre än La Marinette.

Den sa mig att det funnits ledtrådar, om jag hade valt att se dem: de hemliga mötena; omfamningen; Marins fientlighet; Flynns splittrade lojalitet. Till och med smeknamnet, Rouget, Den Röde, anspelade på Räven Brismand. På öns sätt delar de namn.

Men Damien var ändå bara en pojke; en pojke som kämpade med en tonårsförälskelse. Knappast den mest pålitliga källan. Nej, jag var tvungen att veta mer innan jag dömde Flynn i mitt hjärta. Och jag visste vart jag skulle gå.

Lobbyn på Les Immortelles låg öde så när som på Joël Lacroix, som satt med cowboystövlarna på receptionsdisken och rökte en Gitane. Han såg förlägen ut när han fick syn på mig.

”Nämen, Mado.” Han smålog halvhjärtat och fimpade i askkoppen. ”Vill du ha ett rum?”

”Jag hörde att min vän var här”, sa jag.

”*L'Angliche?* Ja, han är här.” Han tände en ny cigarett

och blåste ut röken i en långsam ström, som på film. ”Doktorn sa att han inte fick flyttas. Du vill träffa honom, va?”

Jag nickade.

”Ja, men det får du inte. Monsieur Brismand sa ingen, och det, *ma belle*, inkluderar dej.” Han blinkade och kom lite närmare. ”Doktorn kom i specialbåt för ungefär en timme sen. Sa att han blivit bränd av nån sorts portugisisk manet. Läskigt.”

Aristides dystra prognos var alltså felaktig. En motvillig lättnad sköljde över mig.

”Inte en kubmanet, alltså?”

Joël skakade på huvudet, beklagande tyckte jag. ”Nä. Men läskigt i alla fall.”

”Hur läskigt?”

”*Bof*. Vad vet dom där läkarna egentligen om nånting, va?” Han drog ett bloss på sin Gitane. ”Det gör ju inte saken bättre att han låg avsvimmad i solen i flera timmar. Solsting kan vara allvarligt om man inte är försiktig. Det ska vara en fastlänning för att inte känna till det.” Joëls ton antydde att han, Joël, var alldeles för tuff för att låta sig påverkas av sådana saker.

”Och maneten?”

”Den korkade jäveln tog upp den ur vattnet!” Joël skakade vantroget på huvudet. ”Jag menar, hur dum får man bli? Doktorn säjer att giftet kommer att verka i tjugofyra timmar.” Han flinade. ”Så om din vän fortfarande är kvar imorgon bitti, så...” Han blinkade igen och kom lite närmare.

Jag gick åt sidan. ”I så fall behöver jag träffa Marin Brismand. Är han här?”

”Vad är det med dej, va?” Joël såg sårad ut. ”Gillar du inte mej?”

”Jag gillar dej på avstånd, Joël. Betrakta det på samma sätt som fiskerättigheter. Territorialvatten. Håll dej bara borta från mina.”

Joël grymtade. ”Tror att hon är Santa Marina”, muttrade han. ”Marin gick ut för en timme sen. Tillsammans med din syster.”

”Vart?”

”Det vete gudarna.”

Till slut hittade jag Marin och Adrienne på Chat Noir. Då hade det redan blivit sent och kaféet var fyllt av rök och oväsen. Min syster satt i baren; Marin spelade kort vid ett bord fullt med houssinbor. Han verkade förvånad när han såg mig.

”Mado! Dej ser vi inte ofta här. Är det nåt på tok?” Han kisade mot mig. ”Det är väl inget med GrosJean?”

”Nej, det är Flynn.”

”Åh?” Han såg överraskad ut. ”Han är väl inte död?”

”Naturligtvis inte.”

Marin ryckte på axlarna. ”Det hade väl varit att hoppas på för mycket.”

”Sluta spela teater, Marin”, sa jag häftigt. ”Jag vet allt om honom och din farbror. Era gemensamma affärer.”

”Åh.” Han flinade. Jag såg att han inte var helt missbelåten. ”Jaha. Vi går nånstans där vi får vara lite mer ostörda. Vi ska väl hålla det inom familjen, va?” Han slängde sina kort och reste sig. ”Jag var i alla fall på väg att förlora”, sa han. ”Jag har inte samma tur i kortspel som din vän.”

Vi gick ut på esplanaden där det var svalare och inte så trångt. Adrienne följde efter oss. Jag satte mig på muren och vände mig mot dem båda, hjärtat slog häftigt men rösten var behärskad. ”Berätta för mej om Flynn”, sa jag. ”Eller ännu hellre, berätta för mej om Jean-Claude.”

53

"DET SKULLE BLI JAG, FÖRSTÅR DU." Marins ansikte var bittert bakom leendet. "Jag var gubbens ende kvarvarande släkting. Jag har varit mer än en son för honom. Åtminstone mer än *hans* son någonsin varit. Det skulle bli mitt. Les Immortelles. Företaget. Alltihop."

I åratal hade Brismand fått honom att tro det. Ett lån här, en liten gåva där. Han hade hållit Marin under uppsikt precis som han gjort med mig, hållit alla vägar öppna, planerat för framtida möjligheter. Han hade aldrig nämnt sin försvunna hustru, sin förlorade son. Han hade fått Marin att tro att han inte ville ha något att göra med dem båda, att de hade flyttat till England, att pojken inte kunde någon franska, inte var någon Brismand mer än någon annan *Angliche* på den där stora ön med *rosbif* och plommonstop.

Men han hade förstås ljugit. Räven Brismand hade aldrig gett upp hoppet. Han hade hållit kontakten med Jean-Claudes mor; skickat pengar till skolgång, spelat dubbelspel i åratal medan han bidade sin tid och väntade. Det hade alltid varit hans avsikt, när tiden väl var inne, att överlåta sina företag på Jean-Claude. Men sonen hade inte varit samarbetsvillig; han hade gärna tagit emot pengarna Brismand skickat men inte varit lika entusiastisk när han pratat om att han skulle bli delaktig i affärerna. Brismand hade varit tålmodig, låtit pojken så sin vildhavre, försökt låta bli att tänka på att tiden höll på att rinna ut. Men vid det här laget var Jean-Claude över trettio och hans planer, om han hade några, var fortfarande oklara. Brismand började tro att hans son aldrig skulle återvända.

"Det skulle ha avgjort saken", sa Marin självbelåtet. "Det är möjligt att Claude är besatt av sin familj, men han skulle aldrig ha lämnat sina pengar till någon som inte hade gjort sej förtjänt av dom. Han gjorde klart att Jean-Claude var tvungen att komma hit om han var intresserad av sitt arv."

Brismand hade naturligtvis inte delat sin oro med Marin och Adrienne. Under denna ovissa tid hade han varit tvungen att mer än någonsin hålla Marin på gott humör. Marin var hans försäkring; hans livlina ifall Jean-Claude inte dök upp. Och Marin var trots allt en värdefull kontakt eftersom han var gift med GrosJeans dotter.

"Han ville skapa närmare band mellan sej själv och Les Salants. Han var särskilt intresserad av att köpa GrosJeans hus och marken som tillhörde det. Men GrosJean vägrade sälja. Dom blev osams – jag har aldrig förstått vad det handlade om. Eller också berodde det bara på hans envishet."

Men med Adrienne och Marin på tur att ärva när den dagen kom, behövde Brismand bara bida sin tid. Han hade varit mycket generös mot det unga paret, hade gett dem en rejäl hacka att starta sitt företag med.

Jag såg att Adrienne blev allt rastlösare när Marin pratade. "Vänta ett tag. Menar du att din farbror *mutade* dej att gifta dej med mej?"

"Var inte fånig." Marin såg besvärad ut. "Han utnyttjade bara ett tillfälle. Det är klart att jag hade gift mej med dej i vilket fall som helst. Även utan pengarna."

Markpriserna i det välmående La Houssinière var oöverkomliga. I Les Salants var det fortfarande billigt. Att få fotfäste där skulle vara otroligt värdefullt för Brismand. Gros-Jeans hus och den mark som gick ända till La Goulue skulle vara en viktig tillgång för den som var tillräckligt smart för att exploatera det. Och därför hade Brismand varit snäll mot Marin och Adrienne. Han hade skickat presenter till pojkarna. De hade förväntansfullt sett fram emot en framtida del av hans förmögenhet och hade levt långt över sina tillgångar i flera år.

Så hade då Flynn dykt upp.

”Den förlorade sonen”, sa Marin giftigt. ”Trettio år för sent, nästan en främling, men han förvred huvudet på gubben totalt. Man skulle ha kunnat tro att han kunde gå på vattnet.”

Plötsligt var Marin bara en brorson igen. Nu när sonen återvänt var Claude inte längre intresserad av affärerna i Tanger, och lånen och investeringarna som Marin och Adrienne var beroende av drogs tillbaka.

”Åh, till en början talade han inte om orsaken för oss. Les Immortelles behövde repareras, sa han. Stranden behövde nya skydd mot havet. Förbättrade faciliteter. Och när allt kom omkring så låg det också i *vårt* intresse, eftersom *vi* en gång skulle ärva Les Immortelles.”

Det hade ännu inte sagts något offentligt om Jean-Claude. Brismands naturliga försiktighet hade tidigt tagit överhanden, och han var inte villig att öppna sina företag för insyn förrän han var säker på att den förlorade sonen verkligen var hans son. Preliminära undersökningar verkade bekräfta det. Jean-Claudes mor hade återvänt till sitt gamla hem på Irland när hon lämnade Le Devin. Nu var hon omgift och hade en ny familj och hade berättat för

Brismand att Jean-Claude gett sig av några år tidigare och att hon inte haft mycket kontakt med honom sedan dess, även om hon alltid hade vidarebefordrat Brismands checkar till honom. Detta bekräftade Flynns historia i viss mån. Men viktigare var att det fanns brev skrivna av Brismand, fotografier av hans förra fru tillsammans med Jean-Claude, födelsedokument. Slutligen fanns det anekdoter som bara Jean-Claude och hans mor kunde ha känt till. Marin hade förespråkat ett blodprov. Men Brismand visste i sitt hjärta att han inte behövde ytterligare bekräftelse. Flynn hade sin mors ögon.

Han anlitade Flynn för att hjälpa honom med erosionsproblemen, och antydde att om han gjorde bra ifrån sig vid Les Immortelles så skulle han kunna göra sig förtjänt av delägarskap i företaget. Det var ett sätt att både hålla ett öga på honom och att testa honom.

"Min farbror är ingen dumskalle", sa Marin med syrlig tillfredsställelse. "Även om Jean-Claude var den han utgav sej för att vara, så var det uppenbart varför han återvänt. Han ville ha pengar. Varför skulle han annars ha väntat så länge innan han visade sin nuna?"

Det var en situation som Brismand, precis som alla devinbor, väl kände till. Desertörer välkomnas med öppna armar men med stängda plånböcker, med vetskapen att det som återvänder inte alltid stannar kvar. "Han skaffade honom ett jobb. Sa att om han skulle ärva företaget så fick han börja från botten." Marin skrattade. "Det enda i hela den här affären som ger mej nåt slags tillfredsställelse är den där jävelns ansiktsuttryck när min farbror sa åt honom att han var tvungen att göra sej förtjänt av sitt namn."

Det hade blivit gräl. Marin såg gladare ut när han mindes

det. ”Gubben berättade alltihop för mej. Han var rosenrasande. Jean-Claude insåg att han gått för långt och försökte lugna ner honom, men då var det för sent. Min farbror sa att om han inte gjorde sej förtjänt av det så skulle han aldrig få ett öre, och skickade iväg honom till Les Salants.”

Men det hade varit kontrollerade utbrott från båda håll. Jean-Claude hade gett sin far tid att lugna ner sig, medan han jobbade på att återigen tas till nåder. Undan för undan hade Brismand börjat inse fördelarna med att ha en spion i Les Salants.

”Jean-Claude hörde allt. Vem som hade ont om kontanter, vems affärer som gick dåligt, vem som träffade vems fru, vem som var skuldsatt. Han var bra på att ställa sej in hos folk. Dom litade på honom.”

Inom några månader kände Brismand till varenda hemlighet. Tack vare skydden mot havet vid Les Immortelles stod affärerna i Les Salants i stort sett stilla. Fisket hade upphört. Flera personer stod redan i skuld till honom. Han kunde driva in skulderna närhelst han önskade.

GrosJean var en av dem. Flynn hade adopterat honom från början, och hade genom en rad små händelser blivit hans vän och agerat mellanhand så att han kunde låna de pengar han behövde när sparpengarna till sist tog slut. Brismand var entusiastisk över planen. Om GrosJean kunde köpas så kunde Les Salants – det som återstod av det – vara hans inom ett eller ett par år.

”Men så återvände du”, sa Adrienne.

Det hade förändrat allt. GrosJean, som tidigare varit så medgörlig, slutade samarbeta. Min inblandning hade varit för uppenbar. Flynns subtila förarbete var förstört.

”Så Jean-Claude ändrade inriktning”, sa Adrienne med

ett elakt leende. ”Istället för att rikta in sej på Papa började han koncentrera sej på dej. För att hitta dina svagheter. Han smickrade dej –”

”Det är inte sant”, sa jag hastigt. ”Han hjälpte mej. Hjälpte oss.”

”Han hjälpte sej själv”, sa Marin. ”Han berättade för Brismand om revet så snart sanden började dyka upp vid La Goulue. Tänk efter, Mado”, sa han när han såg mitt ansiktsuttryck. ”Du trodde väl ändå inte att han gjorde det för din skull?”

Jag såg dystert på honom. ”Men Les Immortelles”, protesterade jag. ”Han visste från början vad som skulle hända med Claudes strand.”

Marin ryckte på axlarna. ”Sånt kan ändras igen”, sa han. ”Och lite tryck på Les Immortelles var precis vad Rouget behövde för att få min farbror att bekänna färg.” Marin såg på mig med bitter munterhet. ”Grattis, Mado”, sa han. ”Din vän har äntligen förtjänat sitt namn. Nu är han en Brismand, med ett checkhäfte som bevis och femtio procent i Brismand & Son. Tack vare dej.”

54

LES IMMORTELLES VAR MÖRKT. Ett litet ljus lyste i lobbyn men dörren var låst, och det var först när jag ringt på klockan gång på gång i fem minuter som någon äntligen svarade. Brismands skjortärmar var upprullade och han hade en Gitane i mungipan. Hans ögon vidgades för ett ögonblick när han såg mig genom glasrutan, sedan tog han upp en nyckelknippa ur fickan och låste upp dörren.

”Mado.” Han lät trött och kroppshållningen vittnade om utmattning; de hängande dubbelhakorna, den slokande mustaschen, de halvöppna ögonen. Axlarna var kutiga under hans oformliga *vareuse* och han liknade en urtidsmänniska och ett stenblock mer än någonsin; en gammal granitstaty av sig själv. ”Jag är inte så säker på att det här är det bästa tillfället.”

”Jag förstår det.” Ilskan rullade över mig som en het sten, men jag sköt undan den. ”Du måste vara förkrossad.”

Jag tyckte att jag såg hans ögon fladdra till ett ögonblick. ”Du menar maneterna? Dåligt för affärerna, va? Som om dom kunde bli sämre.”

”Jo, det är klart att maneterna måste vara ett problem”, sa jag. ”Men jag menade den olycka din son råkat ut för.”

Brismand iakttog mig sorgset i några sekunder och släppte sedan ut en av sina enorma suckar. ”Det var ovarsamt av honom”, sa han. ”Ett dumt misstag. Ingen äkta öbo skulle ha gjort det." Han log. "Men jag sa ju att jag skulle få tillbaka honom en dag, eller hur? Det tog tid, men han kom tillbaka till slut. Jag visste att han skulle göra det. När man är i min ålder behöver man sin son i närheten. Nån att luta sej mot. Nån som kan sköta affärerna när man är borta."

Jag tyckte att jag såg likheten nu; något i leendet, i kroppshållningen, i kroppsspråket, i ögonen.

"Du måste vara väldigt stolt", sa jag och kände mig illamående.

Brismand höjde ena ögonbrynet. "Ja, jag vill gärna tro att han har något av mej i sej."

"Men varför detta skådespel? Varför dölja det för oss övriga? Varför hjälpte han oss – varför hjälpte *du* oss – om han stod på din sida hela tiden?"

"Mado, Mado." Brismand skakade bedrövat på huvudet. "Varför måste det här handla om olika sidor? Är det krig eller nåt? Måste det alltid finnas en plan?"

"Goda gärningar i smyg?" sa jag hånfullt.

"Det där sårar mej, Mado." Hans kroppshållning var ett eko av det han sa, ryggen krökt och halvt bortvänd från mig, händerna djupt i fickorna. "Tro mej, jag vill bara det som är bäst för Les Salants. Det är det enda jag nånsin velat. Se vad 'smygandet' har gett hittills – tillväxt, inkomster, företag, eller hur! Tror du att dom hade låtit *mej* ge dom allt det där? Misstänksamhet, Mado. Misstänksamhet och stolthet. Det är det som tar död på Les Salants. Klamra sej fast vid klipporna, bli gammal, vara så rädd för förändringar att man hellre låter havet svepa bort en än fattar vettiga beslut, visar lite framåtanda." Han slog ut med händerna. "Det är så onödigt! Dom *visste* att marken var oanvändbar, men ingen ville sälja. Dom lät hellre havet stiga över deras huvuden än tog reson."

”Nu låter du till och med som han”, sa jag.

”Jag är trött, Madeleine. För trött för att bli förhörd på det här sättet.” Plötsligt såg han gammal ut igen, energin var som bortblåst. Dubbelhakorna hängde. ”Jag tycker om dej. Min son tycker om dej. Vi skulle alltid ha sett till att du hade det bra. Gå hem och vila lite nu”, sa han mjukt. ”Det kommer att bli en lång dag.”

55

SÅ DET VAR DETTA JAG LETAT EFTER utan att veta om det. Brismand och hans förlorade son. De hade arbetat tillsammans i hemlighet på varsin sida av ön, och planerat – planerat vadå? Jag kom ihåg Brismands sentimentala prat om att bli gammal. Men kunde det vara möjligt att Flynn på något sätt förmått honom att bättra sig? Kunde det vara så att de verkligen jobbade för oss? Nej. Jag visste det. Längst därinne, där ingenting är fördolt, förstod jag att jag vetat det hela tiden.

Jag sprang hela vägen till blockhuset. Inom mig hade jag en frånvarande känsla som jag vagt kände igen; jag hade upplevt den en gång tidigare, den dagen min mor dog. Det var som om en subtil mekanism som skapats enkom för dessa krisartade ögonblick hade börjat fungera, och avlägsnade mig från allt utom den uppgift som låg framför mig. Jag skulle få betala för det senare; med sorg, kanske med tårar. Men just nu hade jag kontroll. Flynns förräderi var något som inträffat i någon annans dröm; ett spöklikt lugn sköljde igenom mitt hjärta som en våg över något som skrivits i sanden.

Jag tänkte på GrosJean och den nybyggda ateljén. Jag tänkte på alla salantsbor som tagit lån för att betala för förbättringar, nya företag, alla små investeringar vi gjort i vår nya framtid. Bakom den nya målarfärgen, de nya trädgårdarna, saluständen, de skinande butiksdiskarna, nyutrustade fiskebåtar, fulla skafferier, nya sommarklänningar, färgglada fönsterluckor, blomkrukor, cocktailglas, grillplatser, hummerbehållare, hinkar och spadar låg det dolda glittret från Brismands pengar, Brismands inflytande.

Och *Brismand 2*, halvfärdig sex månader tidigare. Den måste vara klar nu, färdig att inta sin plats i planen – Jean-Claudes del i Brismands företag. Jag såg Flynns plats nu, en vital punkt i det brismandska triumviratet. Claude, Marin, Rouget. La Houssinière, Les Salants, fastlandet. Det fanns en ofrånkomlig symmetri där – lånen, revet, Brismands intresse för översvämmad mark. Jag hade sett en del av hans planer på ett tidigt stadium; det enda jag hade behövt för att fullborda ekvationen var kännedom om Flynns förräderi.

Om min mor hade varit jag skulle hon ha spritt nyheten direkt; men jag hade för mycket av GrosJean i mig för att göra det. Vi liknar varandra mer än jag hade insett, han och jag; vi ruvar på vår ilska i hemlighet. Vi ser på oss själva från insidan. Våra hjärtan är taggiga och har lika många täta lager som en kronärtskocka. Jag lovade mig själv att jag inte skulle ropa högt. Först skulle jag ta reda på sanningen. Jag skulle undersöka den lugnt och analytiskt. Jag skulle ställa diagnos.

Men jag behövde prata med någon. Inte med Capucine, som jag i vanliga fall skulle ha gått till först. Hon var för tillitsfull, för behaglig. Hon var inte misstänksam av naturen. Dessutom avgudade hon Rouget och jag tänkte inte oroa henne i onödan – åtminstone inte förrän jag fastställt omfattningen av hans svek. Han hade ljugit för oss, javisst. Men hans motiv var fortfarande oklara. Han kunde fortfarande, på något mirakulöst sätt, visa sig vara oskyldig. Det var förstås vad jag önskade. Men den sanningsälskande delen av mig – GrosJean-delen – arbetade obönhörligt emot det. Senare, sa jag till mig själv. Det skulle bli tid till det senare.

Toinette? Åldern hade gjort henne märkligt isolerad; hon betraktade rivaliteten i Les Salants med slött ointresse, hon hade för länge sedan slutat upptäcka något som roade henne. Faktum var att hon kanske till och med hade insett vem Rouget var, men hållit tyst om det för sitt eget outgrundliga nöjes skull.

Aristide? Matthias? Ett ord till någon i fiskarfamiljerna och hela Les Salants skulle känna till sanningen före morgonen. Jag försökte föreställa mig reaktionerna. Omer? Angélo? Lika omöjligt. Men jag måste få anförtro mig åt någon. Om inte annat så för att övertyga mig om att jag inte höll på att bli galen.

Jag hörde sanddynens nattljud genom det öppna fönstret. Från La Goulue kom en doft av stigande salt, av svalnande jord, av en miljon små saker som levde upp under stjärnorna. GrosJean skulle sitta i köket nu, en kopp kaffe vid armbågen, och betrakta stjärnorna som han alltid gjorde, i tyst förväntan...

Självklart. Jag skulle berätta för min far. Vem skulle kunna bevara en hemlighet om inte han?

Han tittade upp när jag kom in. Ansiktet såg svullet och spänt ut, och han hängde tungt på den lilla köksstolen som en figur gjord av lera. Jag kände en plötslig våg av kärlek och medlidande för honom, stackars GrosJean med sina sorgsna ögon och sin tystnad. Men den här gången gjorde det inget, tänkte jag. Den här gången ville jag bara att han skulle lyssna.

Jag kysste honom innan jag satte mig på andra sidan bordet. Jag hade inte gjort det på länge, och jag tyckte att jag anade förvåning i hans ansikte. Jag insåg att jag knappt pratat med min far sedan min syster anlänt. När allt kom omkring hade han knappt pratat med mig överhuvudtaget.

”Förlåt mej, Papa”, sa jag. ”Inget av det här är väl egentligen ditt fel?”

Jag hällde upp kaffe åt oss – la automatiskt i så mycket socker i hans kaffe som han gillade – och lutade mig bakåt på stolen. Han måste ha lämnat ett fönster öppet eftersom nattfjärilar fladdrade omkring under lampskärmen och fick ljuset att flämta. Långt borta kände jag doften av havet och visste att tidvattnet var på väg att vända.

Jag vet inte riktigt hur mycket av det som jag sa högt. På den tiden vi höll till på varvet samtalade vi ibland utan ord, med ett slags inlevelse – så tyckte i alla fall jag. En huvudrörelse, ett leende, frånvaron av leenden. Allt det där kunde vara så avslöjande för den som kunde tyda tecknen. Som barn upplevde jag hans tystnad som mystisk, nästan gudomlig. Jag läste hans lämningar som inälvor. Hur en kaffekopp stod eller en bordsservett låg kunde vara tecken på välvilja eller missnöje; en bortkastad brödkant kunde helt ändra inriktningen på dagen.

Men det var slut med det nu. Jag hade älskat honom; jag hade hatat honom. Jag hade egentligen aldrig riktigt sett honom. Nu gjorde jag det, en sorgsen, tyst gammal man vid ett bord. Kärleken gör oss till dårar. Till vildar.

Mitt misstag var att tro att den måste förvärvas. Förtjänas. Det är ön inom mig som talar, förstås; tanken att allting kostar, att man måste betala för allting. Men förtjänster har inget med det att göra. I så fall skulle vi bara älska helgon. Och det är ett misstag jag har gjort så många gånger. Med GrosJean. Med min mor. Med Flynn. Kanske, till och med, med Adrienne. Och mest av allt med mig själv, som jobbat så hårt för att göra mig förtjänt, för att bli älskad, för att förtjäna min plats i solen, min handfull jord, att jag förbisett det som är viktigast.

Jag la min hand över hans. Hans hud kändes slät och varm, som gammal drivved.

Min mors kärlek var översvallande; min har alltid varit trumpen, hemlighetsfull. Det är ön igen, GrosJean inom mig. Vi gräver ner oss som musslor. Öppenhet skrämmer oss. Jag tänkte på far uppe på klippkrönet där han betraktade havet. Han hade tillbringat så många timmar med att vänta på att Sainte-Marine skulle infria sitt löfte. GrosJean hade aldrig riktigt trott på att P'titJean var borta för evigt. Den kropp som bärgats av *Eleanore*, slät och formlös som en flådd säl, kunde ha varit vem som helst. Hans tystnadslöfte – var det en pakt med havet, något slags offergåva, hans röst i utbyte mot broderns återkomst? Hade det bara blivit en vana, en permanent knut i honom tills talet till slut blivit så svårt att det nästan var omöjligt i stunder av stress?

Hans blick fixerade min. Hans läppar rörde sig ljudlöst.

"Va? Vad sa du?"

Då tyckte jag att jag hörde det; ett rostigt litet ljud, knappt ett ord. *P'titJean*. Hans uttrycksfulla händer knöts i frustration över tungans tvekan.

"P'titJean?"

Han blev röd av ansträngningen att försöka prata med mig, men det kom inget mer. Det var bara hans läppar som rörde sig. Han pekade mot väggarna, mot fönstret. Hans händer fladdrade lätt, härmade det inkommande tidvattnets rörelser. Han gjorde det med häpnadsväckande skicklighet, stoppade händerna i fickorna, sjönk ihop. *Brismand.* Sedan visade han envist på två nivåer i luften. *Store Brismand, lille Brismand.* Därefter ett svep mot La Goulue.

Jag slog armarna om honom. "Såja. Du behöver inte säja nånting. Såja." Han kändes som en träfigur i mina armar, en grym karikatyr av honom själv gjord av en slarvig skulptör. Hans mun arbetade mot min axel i väldig och obegriplig vånda, hans andedräkt luktade fränt av Gitane och kaffe. Till och med när jag höll om honom kände jag hur hans händer fladdrade vid sidorna, märkligt känsligt, som om han försökte förmedla något som inga ord kunde uttrycka.

"Såja", upprepade jag. "Du behöver inte säja nånting. Det har ingen betydelse."

Han mimade på nytt: *Brismand. P'titJean.* Återigen svepet mot La Goulue. En båt? *Eleanore?* Ögonen var bedjande. Han drog i min ärm, upprepade gesten ännu ihärdigare. Jag hade aldrig tidigare sett honom så upprörd. *Brismand. P'titJean. La Goulue. Eleanore.*

"Skriv ner det om det är så viktigt", sa jag till sist. "Jag ska hämta en penna." Jag rev i en kökslåda och hittade till slut en liten bit röd krita och en papperslapp. Far tittade men tog dem inte. Jag sköt dem mot honom över bordet.

GrosJean skakade på huvudet.

"Kom igen. Snälla. Skriv det."

Han såg på pappret. Kritbiten såg löjligt liten ut mellan hans stora fingrar. Han skrev koncentrerat, med besvär, utan något av den flinkhet han en gång i tiden haft när han sydde segel eller tillverkade leksaker. Jag visste vad han hade skrivit nästan innan jag tittade. Det var det enda jag någonsin sett honom skriva. Hans namn, Jean-François Prasteau, med stora, darriga bokstäver. Jag hade till och med glömt att han hette Jean-François. För mig, och för alla andra, hade han alltid varit GrosJean. Han hade aldrig varit en läsare, han hade föredragit fisketidningar med färgbilder, hade aldrig varit en skrivare – jag drog mig till minnes de obesvarade breven från Paris – jag hade alltid antagit att min far helt enkelt inte var intresserad av att skriva. Nu förstod jag att han inte kunde.

Jag undrade hur många andra hemligheter han lyckats dölja för mig. Jag undrade om min mor ens hade vetat. Han satt orörlig, händerna hängde slappt vid sidorna, som om ansträngningen att skriva sitt namn hade slukat all hans återstående energi. Jag förstod att hans kommunikationsförsök var över. Nederlaget – eller likgiltighet – slätade ut hans anletsdrag till ett buddhalikt lugn. Ännu en gång blickade han ut över La Goulue. ”Såja”, upprepade jag och kysste hans svala panna. ”Det är inte ditt fel.”

Utanför hade det efterlängtade regnet äntligen börjat falla. Inom några sekunder var dynen bakom oss offer för tusentals ljud, väsanden och viskningar genom små rännilar i sanden mot La Bouche. Drivorna av tistlar glittrade, krönta av regn. Borta vid horisonten hissade natten sitt enda svarta segel.

56

SOMMARNÄTTER ÄR ALDRIG HELT MÖRKA och himlen började redan ljusna när jag långsamt promenerade tillbaka mot La Goulue. Jag letade mig fram över dynen, det fluffiga harsvansgräset slog mot mina bara anklar, och klättrade upp till blockhustaket för att se tidvattnet komma in. Två ljus blinkade på Bouch'ou – ett grönt, ett rött – för att markera revets position.

Det såg så säkert ut. Tryggt förankrat, liksom samtidigt hela Les Salants. Och ändå hade allting förändrats nu. Det var inte vårt längre. Det hade aldrig varit vårt på riktigt. Brismands pengar hade byggt våra drömmar; Brismands pengar, Brismands ingenjörskonst – Brismands lögner.

Men varför hade de gjort det?

För att ta över Les Salants. Det hade Brismand antytt. Marken är fortfarande billig här; om den exploateras på rätt sätt skulle den kunna bli lönsam. Det är bara invånarna som är ett hinder, som envist klamrar sig fast vid mark som de inte kan bruka och inte förstår att uppskatta; hänger sig kvar utan andra tankar eller ambitioner än de skaldjur de fångar.

Men knivmusslan, som prisas av gourmeter och gräver sig ner upp till tre meter i den blöta sanden, kan lätt fångas när tidvattnet vänder och den sticker upp sitt huvud för att känna doften av det öppna havet. Allt de hade gjort, familjen Brismand med sina pengar, var att vända tidvattnet åt oss och vänta på att vi skulle komma fram ur våra gömställen. Precis som humrarna i Guénolé-Bastonnet-buren växte vi oss feta och förhoppningsfulla och hade aldrig en tanke på av vilken anledning vi sparats.

Skulder är heliga på Le Devin. Att betala dem är en hederssak. Att inte göra det är otänkbart. Stranden hade svalt de små besparingar vi hade, myntrullarna som legat gömda under golvplankor och plåtburkarna med sedlar som stoppats undan för sämre tider. Uppmuntrade av våra framgångar hade vi lånat på våra förhoppningar. Vi började tro på vår tur. Det hade trots allt varit ett bra år.

Jag tänkte än en gång på "metallgrisen" på varvet i Fromentine, och mindes att Capucine frågat mig varför Brismand skulle vara intresserad av att köpa översvämmad mark. Det kanske inte var mark att *bygga* på som han var intresserad av, tänkte jag plötsligt. Det kanske var *översvämmad* mark han hade velat ha hela tiden.

Översvämmad mark. Men vad skulle han med det till? Vilken nytta kunde han ha av det?

Då slog det mig. "Ett färjeläge."

Om Les Salants var översvämmat – eller ännu hellre, om det var avskuret från La Houssinière vid La Bouche – så skulle bäcken kunna vidgas så att en färja kunde komma in och lägga till. Jämna husen med marken och låt hela området svämmas över. Det skulle finnas plats för två färjor, kanske fler. Brismand skulle kunna betjäna alla öar utefter kusten, om han ville, och försäkra sig om en jämn ström av besökare på Le Devin. Pendeltrafik till och från färjeläget skulle innebära att förstklassigt utrymme i La Houssinière inte skulle behöva gå till spillo.

Jag tittade ut mot Bouch'ou igen, dess ljus blinkade lugnt över vattenytan. Brismand ägde det, tänkte jag. Tolv moduler av bildäck och flygplansvajer, fastgjutna i havsbottnen. En gång hade det förefallit mig så beständigt; nu förskräcktes jag av hur bräckligt det var. Hur kunde vi någonsin ha litat så på en sån sak? Men det var förstås när vi trodde att Flynn stod på vår sida. Vi tyckte att vi hade varit så smarta. Vi hade stulit vår del av Les Immortelles framför näsan på Brismand. Och hela tiden hade Brismand konsoliderat sin ställning, hållit ögonen på oss, dragit fram oss ur oss själva, fått vårt förtroende, höjt insatserna så att när han gjorde sitt drag…

Plötsligt kände jag mig mycket trött. Huvudet värkte. Någonstans nedanför La Goulue hördes ett ljud – ett svagt brummande från vinden mellan klipporna, en förändring i luftens ton – ett enda återklingande ljud som nästan skulle ha kunnat komma från en sjunken klocka, och så, i cesuren mellan vågorna, ett spöklikt lugn.

Precis som alla inspirerade idéer var Brismands plan egentligen mycket enkel, när jag väl visste var jag skulle titta. Nu insåg jag hur vårt välstånd blivit det sätt på vilket han skulle tämja oss. Hur vi blivit manipulerade, ledda steg för steg till att tro på vår självständighet medan vi gick längre och längre in i fällan. Var det detta som GrosJean hade försökt säga mig? Var det hemligheten som gömde sig bakom de där sorgsna sommarögonen?

Luften var varm västerifrån och luktade salt och blommor. Nedanför mig såg jag *la grève* lysa i den falska gryningen; bortom den var havet en mörkgrå rand som bara var aningen ljusare än himlen. *Eleanore 2* var redan därute, *Cécilia* kom efter i hennes kölvatten. Molnbanken ovanför dem gjorde att de såg små ut, och avståndet gjorde att de inte såg ut att röra sig.

Jag tänkte på en annan natt, för länge sedan; den natt då vi satte revet på plats. Vår plan hade verkat omöjligt storslagen då, vördnadsbjudande i sin omfattning. Att stjäla en strand. Att förändra en kustlinje, som gudar. Men Brismands plan – den idé som låg till grund för alltihop – överskuggade totalt mina små ambitioner.

Att stjäla Les Salants.

Det enda han behövde göra nu var att flytta sin sista pjäs, så skulle stället vara hans.

57

"JAG KAN GISSA MEJ TILL varför *du* kommer hit så tidigt", sa Toinette.

Jag passerade hennes hus på min väg till byn. Det hade rullat in dimma från havet när tidvattnet steg, och solen skymdes av ett dis som senare skulle kunna förvandlas till regn. Toinette hade på sig en tjock cape och handskar medan hon matade sin get med grönsaksrester. Geten nafsade fräckt i ärmen på min *vareuse* och jag knuffade undan den lite irriterat.

Toinette skrockade. "Solsting, min sköna, är allt vad det är nu, men det kan också vara otäckt om man har sånt där tunt nordligt blod som han har, men det är knappast dödligt. Knappast dödligt." Hon flinade. "Om ett par dar är han på benen igen, lika kvick som vanligt. Lugnar det dej, flicka? Var det det du kom hit för att fråga mej om?"

Det tog mig ett ögonblick att förstå vad hon menade. Faktum var att jag hade varit så upptagen av mina tankar att Flynns sjukdom hade krympt – nu när jag visste att han var utom fara – till ett slags dov värk långt bak i mitt inre. Att få det kastat över mig så oväntat gjorde mig överraskad, och jag kände att mina kinder blev röda.

"Jag ville faktiskt se hur det var med Mercédès."

"Jag håller henne sysselsatt", sa den gamla kvinnan och

sneglade bakåt mot huset. ”Det är ett heltidsjobb. Och så måste jag ta itu med alla besökare – unge Damien Guénolé smyger omkring här alla tider på dygnet, och Xavier Bastonnet kan inte hålla sej borta, och hennes mor kommer hit och skriker som helvetets alla furier... Jag lovar att om den kvinnan sätter sin fot i närheten av mitt hus igen... Men hur är det med dej?” Hon tittade forskande på mig. ”Du ser inte kry ut. Du håller väl inte på att bli sjuk?”

Jag skakade på huvudet. ”Jag sov inte mycket inatt.”

”Det gjorde inte jag heller. Men dom säjer att rödhåriga karlar har mer tur än andra. Oroa dej inte, du. Det skulle inte förvåna mej om han kom hem ikväll.”

”Hallå! Mado!”

Ropet kom bakom mig; jag vände mig om, tacksam över avbrottet. Det var Gabi och Laetitia med dagens proviant. Laetitia vinkade myndigt åt mig från krönet på dynen. ”Har du sett den stora båten?” kvittrade hon.

Jag skakade på huvudet. Laetitia gjorde en vag gest mot La Jetée. ”Den är cool! Gå och titta!” Sedan skuttade hon iväg mot stranden med Gabi i släptåg.

”Hälsa Mercédès från mej”, sa jag till Toinette. ”Säj att jag tänker på henne.”

”Hm.” Jag tyckte att Toinette såg misstänksam ut. ”Kanske jag skulle gå med dej ett stycke. Titta på den stora båten, va?”

”Javisst.”

Från byn såg vi den tydligt; en lång, låg silhuett som bara var synlig till hälften i den vita dimman utanför Pointe Griznoz. För liten för att vara en tankbåt, fel form för ett passagerarfartyg, det skulle ha kunnat vara något slags beredningsfartyg, fast vi kände till vartenda fartyg som passerade förbi där och detta var inte ett av dem.

"Den kanske har råkat i svårigheter?" föreslog Toinette och tittade på mig. "Eller väntar på tidvattnet?"

Aristide och Xavier rensade nät i bäcken och jag frågade vad de trodde.

"Det har nog nåt med maneten att göra", förklarade Aristide och tog upp en stor *dormeur*-krabba ur en av sina tinor. "Den har legat där sen vi gick ut. Alldeles utanför Nid'Poule, en stor en, maskinerier och alla möjliga saker. Ett myndighetsfartyg, det tror i alla fall Jojo-le-Goëland."

Xavier ryckte på axlarna. "Verkar lite överdrivet, bara för några få maneters skull. Världen håller väl inte på att gå under för det."

Aristide gav honom en mörk blick. "Några få maneter? Du har ingen aning. Senast det här inträffade –" Han avbröt sin anmärkning tvärt och återgick till sitt nät.

Xavier skrattade nervöst. "Rouget kommer i alla fall att klara sej", sa han. "Jojo berättade det imorse. Jag har skickat honom en flaska *devinnoise*."

"Och jag har sagt åt dej att inte sladdra med Jojo-le-Goëland", sa Aristide.

"Jag *sladdrade* inte."

"Det är bäst att du sköter dina egna affärer. Om du hade gjort det hela tiden så hade du kanske fortfarande haft en chans på flickan Prossage."

Xavier tittade bort, han rodnade bakom glasögonen.

Toinette lyfte blicken mot himlen. "Låt pojken vara ifred, Aristide", sa hon med varnande stämma.

"Men", sa Aristide, "jag trodde att min sonson skulle ha mer vett."

Xavier brydde sig inte om dem. ”Du pratade väl med henne?” sa han tyst när jag vände mig om för att gå därifrån. Jag nickade. ”Hur såg hon ut?”

”Vad spelar det för roll hur hon ser ut?” frågade Aristide. ”Hon har fått *dej* att se ut som en jubelidiot, den saken är säker. Och vad hennes farmor anbelangar…” Toinette räckte ut tungan åt Aristide med så plötslig snorkighet att jag inte kunde låta bli att le.

Xavier struntade i dem, blygheten i hans ansikte fick vika för nervositeten. ”Mådde hon bra? Vill hon träffa mej? Toinette vägrar att säja nåt.”

”Hon är förvirrad”, sa jag. ”Hon vet inte vad hon vill. Ge henne tid.”

Aristide fnös. ”Ge henne ingenting!” fräste han. ”Hon har fått sin chans. Det finns flickor som är bättre än den där. Anständiga flickor.”

Xavier sa ingenting men jag såg uttrycket i hans ansikte.

Toinette knyckte på nacken. ”Oanständig? Min Mercédès?”

Jag la snabbt armen om hennes axlar. ”Kom nu. Det här är meningslöst.”

”Inte förrän han tar tillbaka det där!”

”Snälla. Toinette. Kom nu.” Jag sneglade på nytt mot fartyget, en märkligt hotfull närvaro vid den bleka horisonten. ”Vad är det för ena?” sa jag nästan tyst för mig själv. ”Vad gör dom här?”

* * *

Alla i byn verkade känna sig illa till mods den morgonen. När jag gick in i Prossages butik för att köpa bröd fanns ingen bakom disken, och jag hörde höjda röster från det bakre rummet. Jag tog vad jag behövde och la pengarna bredvid kassaapparaten. Bakom mig fortsatte Omer och Charlotte att gräla, deras röster hördes spökligt tydligt i den stilla luften. Ghislains och Damiens mor skurade hummertinor vid buren, hon hade en trasa knuten runt huvudet. Angélos var tomt så när som på Matthias, som satt ensam med en *café-devinnois*. Mycket få turister syntes till, kanske beroende på dimman. Luften var påträngande och luktade rök och annalkande regn. Ingen verkade riktigt känna för att prata.

På väg hem med min proviant mötte jag Alain. Precis som sin fru såg han spänd och färglös ut. Tänderna var sammanbitna runt en Gitane-fimp. Jag hälsade med en nick. "Inget fiske idag?"

Alain ruskade på huvudet. "Jag letar efter min son", sa han. "Och när jag hittar honom kommer han att önska att jag inte hade gjort det." Uppenbarligen hade Damien inte varit hemma på hela natten. Ilska och oro hade ristat djupa veck mellan Alains ögonbryn och runt munnen.

"Han kan inte ha gått så långt", sa jag. "Hur långt kan man gå på en ö?"

"Tillräckligt långt", svarade Alain med dyster stämma. "Han har tagit *Eleanore 2*."

De hade förtöjt henne utanför La Goulue, förklarade han. Alain hade planerat att åka till La Jetée med Ghislain på morgonen för att leta efter maneter.

"Jag trodde att grabben också ville följa med", sa han bittert. "Trodde att det skulle få honom att tänka på annat."

Men när de kom till stranden var *Eleanore 2* redan borta. Hon syntes inte till, och den lilla jollen som de använde vid högvatten låg förtöjd vid en markeringsboj.

"Vad tror han att han håller på med?" frågade Alain.

”Den där båten är för stor för honom att manövrera på egen hand. Han kommer att förlisa. Och vart i helvete ska han med henne en sån här dag?”

Jag insåg att jag måste ha sett *Eleanore 2* från min utsiktspunkt utanför blockhuset samma morgon. Vad hade klockan varit? Tre? Fyra? *Cécilia* hade också varit ute, men bara för att kolla hummertinorna ute i bukten; redan då hade dimman rullat in, och Bastonnets visste bättre än att chansa på sandbankarna under sådana förhållanden.

Alain bleknade när jag berättade det för honom. ”Vad håller grabben på med?” stönade han. ”Åh, när jag får tag i honom – du tror väl inte att han har gått och gjort nåt *riktigt* dumt? Som att försöka ta sej till fastlandet?”

Säkerligen inte. Det tar nästan tre timmar för *Brismand 1* att nå oss från Fromentine och det finns ett par svåra ställen däremellan. ”Jag vet inte. Varför skulle han göra det?”

Alain såg olustig ut. ”Jag sa honom en del sanningar. Du vet hurdana pojkar är.” Han studerade sina knogar ett ögonblick. ”Jag gick kanske lite för långt. Och han har tagit en del av sina grejer med sej.”

”Åh.” Det lät allvarligare.

”Hur skulle jag kunna veta att han skulle vara en sån idiot?” exploderade Alain. ”Det säjer jag dej, att när jag får tag i honom...” Han avbröt sig, lät gammal och trött. ”Om nånting har hänt honom, Mado, om nånting har hänt Damien... Du berättar väl för mej om du träffar honom, eller hur?” Han såg skarpt på mig med oroliga ögon. ”Han litar på dej. Säj åt honom att jag inte kommer att vara arg. Jag vill bara att han ska vara utom fara.”

”Det ska jag”, lovade jag. ”Jag är säker på att han inte har åkt långt.”

58

VID MIDDAGSTID hade dimman lättat något. Himlen hade ändrat färg till granitgrå, vinden hade friskat i och tidvattnet vänt igen. Jag gick långsamt mot La Goulue, kände mig oroligare än jag hade visat när jag tog ett optimistiskt avsked av Alain. Efter den där dagen med maneten kändes det som om allting höll på att rasa samman; till och med vädret och tidvattnet gaddade ihop sig mot oss. Som om Flynn varit Råttfångaren i Hameln som gett sig av och tagit vår tur med sig.

När jag kom till La Goulue var stranden nästan övergiven. Först blev jag överraskad, men sedan mindes jag manetvarningarna och såg den vita remsan i vattenbrynet, för tjock för att vara skum. Näten hade tagits bort och tidvattnet hade lämnat dussintals varelser där, som blev ogenomskinliga när de dog. Vi skulle bli tvungna att genomföra en upprensningsaktion senare. Ju förr desto bättre, med tanke på hur farliga de var.

Alldeles ovanför tidvattenlinjen såg jag någon som stod och iakttog vattnet på nästan exakt samma ställe som Damien stått på kvällen innan. Det skulle ha kunnat vara vem som helst: en urblekt *vareuse*, ansiktet dolt av en bredbrättad halmhatt. En öbo, i vilket fall som helst. Men jag visste vem det var.

”Hej, Jean-Claude. Eller ska vi kalla dej Brismand 2 nu?”

Han måste ha hört mig komma, för han var beredd. ”Mado. Marin berättade att du visste.” Han plockade upp en bit drivved från stranden och petade på en av de döda varelserna med den. Jag noterade att han hade armen i bandage under sin *vareuse*. ”Det är inte så illa som du tror”, sa han. ”Ingen kommer att bli lämnad i sticket. Tro mej, alla i Les Salants kommer att få det bättre än dom hade det förut. Tror du verkligen att jag skulle låta nåt hemskt hända dej?”

”Jag vet inte vad du skulle göra”, sa jag dystert. ”Jag vet inte ens vad jag ska kalla dej längre.”

Han såg sårad ut när jag sa det. ”Du kan kalla mej Flynn”, sa han. ”Det var min mors namn. Ingenting har förändrats, Mado.”

Hans röst var så full av ömhet att jag nästan började gråta. Jag blundade och lät kylan övermanna mej på nytt, kände mej glad över att han inte försökt röra vid mej.

”Allting har förändrats!” Jag hörde att min röst steg och jag kunde inte hindra det. ”Du ljög för oss! Du ljög för *mej!*”

Hans ansiktsdrag hårdnade. Jag tyckte han såg illamående ut, ansiktet var blekt och tärt. Han var solbränd på vänstra kindbenet. Mungiporna pekade aningen neråt. ”Jag sa det ni ville höra”, sa han. ”Jag gjorde det ni ville. Då var ni minsann glada.”

”Men du gjorde det ju inte för vår skull?” Jag kunde inte fatta att han försökte rättfärdiga sitt förräderi. ”Du gjorde det för din egen skull. Och det har gett resultat, eller hur? Delägarskap i Brismand-företagen, ett fett bankkonto.”

Flynn sparkade på en av de döda varelserna med plötslig våldsamhet. ”Du har ingen aning om hur det var”, sa han. ”Hur skulle du kunna veta det? Du har aldrig velat ha nåt annat än det här stället. Det har aldrig bekymrat dej att du bodde i nån annans hus där ingen brydde sej om dej, att du inte hade några egna pengar, inget riktigt jobb, ingen framtid. Jag ville ha mer än så. Om jag hade velat ha det på det viset hade jag stannat i Kerry." Han såg ner på den strandade maneten och sparkade på den igen. "Äckliga saker." Han såg plötsligt upp på mig och nu var hans blick utmanande. "Säj mej sanningen, Mado. Har du aldrig frågat dej vad du skulle ha gjort om saker och ting varit annorlunda? Har du aldrig varit frestad, inte ens lite grann?"

Jag struntade i frågan. "Varför Les Salants? Varför höll du dej inte bara i La Houssinière och skötte ditt?"

Han krökte på munnen. "Brismand är inte enkel. Han tycker om att ha kontroll. Han tog inte bara emot mej med öppna famnen, förstår du. Allt det där tog tid. Planering. Arbete. Han kunde ha låtit mej gå och vänta i flera år. Det hade passat honom perfekt."

"Så du lät oss ta hand om dej medan du använde oss för att få honom över på din sida?"

"Jag gjorde rätt för mej!" Nu lät han arg. "Jag arbetade. Jag är inte skyldig er nånting." Han gjorde en abrupt rörelse med sin oskadade arm och fick en flock måsar att skrikande lyfta mot himlen. "Du har ingen aning om hur det är", upprepade han med mjukare stämma. "Jag har varit fattig halva mitt liv. Min mor –"

"Men Brismand skickade pengar till er", protesterade jag.

"Pengar till –" Han bet av slutet av meningen. "Inte tillräckligt", avslutade han med livlös röst. "Inte på långa vägar tillräckligt." Han mötte trotsigt min föraktfulla blick.

Tystnad, som moln.

"Jaha." Jag gjorde min röst uttryckslös. "När ska det ske?

Hur länge dröjer det innan ert folk börjar montera ner Bouch'ou?"

Det tog honom med överraskning. "Vem har sagt att vi ska göra det?"

Jag ryckte på axlarna. "Det är väl självklart. Alla är skyldiga Brismand pengar. Alla räknar med god förtjänst den här säsongen. Gott om pengar att betala tillbaka honom med. Men utan revet kommer folk att tvingas sälja till absoluta bottenpriser för att betala sina skulder; ett år senare tar Brismand över. Sen behöver han bara vänta på att tidvattnet ska ta över igen och börja bygga sitt nya färjeläge. Bränns det?"

"Det bränns", medgav han.

"Din skitstövel", sa jag. "Var det din idé eller hans?"

"Min. Nja, din faktiskt." Han ryckte på axlarna. "Om man kan stjäla en strand, varför inte en by? Varför inte en hel ö? Brismand äger redan hälften av den. Han sköter i praktiken resten. Han ska göra mej till kompanjon. Och nu..." Han såg mitt ansiktsuttryck och rynkade pannan. "Se inte så där på mej, Mado", sa han. "Det är inte så illa som du tror. Det finns ett alternativ, för alla som vill."

"Vadå för alternativ?"

Flynn vände sig mot mig med glittrande ögon. "Mado, tror du verkligen att vi är monster?" sa han. "Han behöver arbetare. Tänk på vad ett färjeläge skulle betyda för ön. Jobb. Pengar. Liv. Det kommer att skapas jobb för alla i Les Salants. Bättre än allt dom har nu."

"Till ett visst pris, antar jag." Vi kände båda till Brismands villkor.

"Än sen då?" Äntligen tyckte jag att jag kunde uppfatta en försvarsställning i hans röst. "Vad är det för problem med det? Alla får arbete – bra betalt, bra affärer. Allting är oorganiserat här, alla drar åt olika håll. Det finns mark här som inte används därför att ingen har initiativförmågan eller pengarna som behövs för att använda den. Brismand skulle kunna ändra på allt det där. Det vet du; det är bara stolthet och envishet som hindrar dej från att erkänna det."

Jag stirrade på honom. Han lät som om han verkligen trodde på det han sa. För ett ögonblick övertygade han mig nästan. Och det var lockande; ordning ur kaos. Det är ett billigt trick, den där otvungna charmen; som ett kort solblänk i vattnet som fångar ögat, bara för ett ögonblick men tillräckligt länge för att distrahera en, ibland på ett ödesdigert sätt, från faror som lurar.

"Gamlingarna då?" Jag hade upptäckt bristerna i hans resonemang. "Vad händer med dom som inte har något att bidra med, eller som inte vill?"

Han ryckte på axlarna. "Les Immortelles finns ju alltid."

"Det kommer dom inte att gå med på. Dom är salantsbor. Det vet jag att dom inte gör."

"Tror du att dom har nåt val? Men det får vi snart reda på hur som helst", tillade han mjukare. "Det ska bli möte på Angélos ikväll."

"Lika bra att göra det direkt, medan kustinspektören fortfarande är här."

Han gav mig en uppskattande blick. "Jaså, så du har sett skeppet?"

"Du kan knappast ta bort Bouch'ou utan det", sa jag hånfullt. "Det är ju ett illegalt byggnadsverk, som du sa till mej en gång. Det ingår inte i planerna. Det har ställt till skada. Det enda man behöver göra är att viska i rätt öra, luta sej tillbaka och låta byråkraterna göra jobbet åt en." Jag var tvungen att medge att det var elegant. Salantsbor är rädda för byråkrater, har stor respekt för myndigheter. En blankett kan lyckas där dynamit skulle gå bet.

”Vi hade inte planerat att skrida till verket omedelbart, men vi hade varit tvungna att hitta en orsak till att kalla hit dom förr eller senare”, sa Flynn. ”Manetvarning verkade vara en orsak så god som någon. Jag önskar bara att jag inte hade varit offret.” Han tog ett steg bakåt och visade på sin skadade arm.

”Kommer du till mötet ikväll?” frågade jag.

Flynn log. ”Det tror jag inte. Jag åker kanske tillbaka till fastlandet och sköter min del av företaget därifrån. Jag tror inte att jag kommer att vara särskilt populär i Les Salants när dom hör vad Brismand har att säja.”

För ett ögonblick var jag säker på att han skulle be mig följa med honom. Mitt hjärta gjorde en volt; men Flynn hade redan vänt sig bort. Jag kände en vag känsla av lättnad över att han inte frågat; han hade i alla fall gjort slut på ett snyggt sätt, utan att låtsas.

Tystnaden sträckte ut sig som en ocean mellan oss. Långt borta på andra sidan havsbottnen hörde jag vågornas brus. Det förvånade mig att jag kände så lite; jag var som ett ihåligt stycke torr drivved, lätt som skum. De disiga molnen formade ett lysande band framför solen. När jag kisade in i det där bedrägliga ljuset tyckte jag att jag såg en båt långt ute vid La Jetée. Jag tänkte på *Eleanore 2* och tittade närmare, men det fanns inte längre något att se.

”Det kommer att ordna sej, vet du”, sa Flynn. Hans röst slungade mig tillbaka till verkligheten. ”Det kommer alltid att finnas jobb åt dej. Brismand pratar om att öppna ett galleri för dej i La Houssinière, eller till och med på fastlandet.

Jag ska se till att han hittar ett fint hus åt dej. Du kommer att få det bättre än du nånsin haft det i Les Salants."

"Vad bryr du dej om det?" fräste jag. "*Du* har det väl bra?"

Då såg han på mig och slöt sedan ansiktet. "Ja", sa han till sist med hård, klar röst. "Jag har det bra."

59

JAG KOM SENT TILL MÖTET. Klockan nio var det över, med undantag för skrikandet, som det redan varit mycket av. Jag hörde de höjda rösterna och ljudet av stampningar och slag i bord ända borta vid Rue de l'Océan. När jag tittade genom fönstret såg jag Brismand vid baren med ett glas *devinnoise* i handen, han såg ut som en överseende lärare med en grupp stökiga elever.

Flynn var inte där. Det hade jag inte väntat mig – hans närvaro skulle otvivelaktigt ha förvandlat en redan kaotisk tillställning till upplopp eller massaker – men jag kände ett underligt styng över hans frånvaro. Ilsken på mig själv skakade jag av mig det.

Det saknades en del andra ansikten: familjerna Guénolé och Prossage – som förmodligen fortfarande var ute och letade på ön efter Damien – Xavier, GrosJean. Annars verkade nästan hela Les Salants vara närvarande, till och med fruar och barn. Folk stod och trängdes runt borden och med varandra; dörren var uppställd så att det skulle bli mer plats. Inte undra på att Angélo såg omtumlad ut; inkomsterna från den här kvällen skulle slå alla rekord.

Utanför stod tidvattnet nästan som högst; ett byigt, hafsigt, lila moln dolde horisonten. Vinden hade också vänt en aning, vridit mot söder som den ofta gör när en storm är i antågande. Luften var kylig.

Trots det dröjde jag mig kvar vid fönstret, försökte urskilja individuella röster och tvekade att gå in. Jag såg Aristide i närheten och Désirée som höll hans hand; bredvid dem såg jag Philippe Bastonnet och hans familj – till och med Laetitia och hunden Pétrole. Även om jag inte såg Aristide prata med Philippe, tyckte jag att det var något mindre aggressivt över hans hållning, ett slags avslappning, som om ett viktigt stöd tagits bort. Efter nyheten om Mercédès hade mycket av den gamle mannens självsäkerhet försvunnit och han såg förvirrad och ömklig ut under den buttra fasaden.

Plötsligt hörde jag ett ljud vid bäcken bakom mig. Jag vände mig om och såg Xavier Bastonnet och Ghislain Guénolé komma nerför dynen tillsammans i rasande fart och med allvarliga ansikten. De såg mig inte utan satte kurs direkt mot *l'étier*, som nu hade svällt av tidvattnet från havet, där *Cécilia* låg förtöjd.

”Ni tänker väl inte gå ut med henne ikväll?” ropade jag när jag såg att Xavier började lossa förtöjningarna.

Ghislain såg sammanbiten ut. ”En båt har siktats utanför La Jetée”, sa han kort. ”Men vi kan inte veta säkert i den här dimman om vi inte går dit ut.”

”Säj inget till farfar”, sa Xavier medan han kämpade med *Cécilias* motor. ”Han skulle bli galen om han visste att jag skulle gå dit ut tillsammans med Ghislain en sån här kväll. Han har alltid sagt att det var en Guénolés slarv som tog livet av min far. Men om Damien är därute nu och inte kan ta sej tillbaka –”

”Men Alain då?” frågade jag. Borde inte nån mer följa med er åtminstone?”

Ghislain ryckte på axlarna. ”Han har åkt till La Houssinière med Matthias. Tiden är knapp. Vi måste få ut *Cécilia* dit innan vinden blir för stark.”

Jag nickade. ”Lycka till, då. Var försiktiga.”

Xavier log blygt mot mig. ”Alain och Matthias är redan i La Houssinière. Nån borde gå dit och berätta nyheten för dom. Berätta att vi har situationen under kontroll.”

Motorn morrade och fick liv. Medan Ghislain höll *Cécilias* bom styrde Xavier den lilla båten mellan de trädbevuxna strandbankarna och ut mot La Goulue och öppna havet.

60

ARISTIDE VAR FORTFARANDE PÅ ANGÉLOS och eftersom jag föredrog att inte behöva förklara att Xavier och *Cécilia* försvunnit, bestämde jag mig för att själv överlämna meddelandet.

Det var nästan mörkt när jag kom fram till La Houssinière. Det var kallt också; det som varit en byig vind i Les Salants fick linor att tjuta och flaggor att skallra på den här delen av ön. Himlen var tumultartad, den bleka randen ovanför stranden var redan halvt uppslukad av grälla lila åskmoln; vågorna hade vita kammar; fåglar landade och sökte skydd inför det som skulle komma. Jojo-le-Goëland lämnade esplanaden bärande på ett plakat där det stod att kvällens tur till Fromentine med *Brismand 1* var inställd på grund av annalkande oväder. Ett par dystra turister med resväskor följde honom i hälarna under protester. Varken Alain eller Matthias syntes till på esplanaden. Jag stod vid muren och kisade ut över Les Immortelles, huttrade lite och ångrade att jag inte tagit med mig en jacka. Från kaféet bakom mig hördes plötsligt röster, som om en dörr öppnats.

”Nämen, det är ju Mado, *ma sœur*, som kommer och hälsar på oss.”

”Lilla Mado, du ser frusen ut, mycketmycket frusen.”

Syster Extase och syster Thérèse kom ut från Chat Noir med koppar som innehöll något som liknade *café-devinnoise*.

”Du borde komma in, Mado. Dricka nåt varmt.”

Jag skakade på huvudet. ”Tack. Jag klarar mej.”

”Det är den där illavarslande sunnanvinden igen”, sa syster Thérèse. ”Det var den som förde tillbaka maneterna, säger Brismand. Dom plågar oss vart –”

”Trettionde år, *ma sœur*, när tidvattnet kommer från Golfen. Otäcka saker.”

”Jag minns förra gången”, sa syster Thérèse. ”Han väntade och väntade vid Les Immortelles, och tittade på tidvattnet –”

”Men hon återvände aldrig, eller hur *ma sœur?*” Båda nunnorna skakade på huvudet. ”Nej, det gjorde hon aldrig. Aldrigaldrig. Inte alls.”

”Vilken *hon*?” frågade jag.

”Den där flickan, förstås.” De två nunnorna såg på mig. ”Han var kär i henne. Det var dom båda två, dom där bröderna.”

Bröderna? Jag stirrade förbluffad på nunnorna. ”Menar ni min far och P'titJean?”

”Sommaren det Svarta Året.” Systrarna nickade och log förtjust. ”Vi minns det som igår. Vi var unga då –”

”Yngre, i alla fall –”

”Hon sa att hon skulle ge sej av. Hon gav oss ett brev.”

”Vem då?” frågade jag förvirrat.

Systrarna fixerade mig med sina svarta ögon. ”Flickan, förstås”, sa syster Extase otåligt. ”Eleanore.”

Jag blev så överraskad av namnet att jag knappt märkte ljudet från klockan först; det klingade platt över hamnen, ljudet rikoschetterade mot vattnet som en sten. Några personer trängde sig ut från Chat Noir för att se vad som var på gång. Någon slog emot mig och spillde ut en drink. När jag tittade upp igen efter ett ögonblicks förvirring hade syster Thérèse och syster Extase försvunnit.

"Vad har Père Alban för sej, varför ringer han i kyrkklockan så här dags?" frågade Joël sävligt med en cigarett i mungipan. "Det är väl inte mässa nu?"

"Det tror jag inte", sa René Loyon.

"Det kanske brinner", föreslog Lucas Pinoz, borgmästarens kusin.

Folk verkade tycka att eldsvåda var det troligaste; på en liten ö som Le Devin finns det ingen räddningstjänst att tala om och kyrkklockan är ofta det snabbaste sättet att slå larm. Någon skrek: "Det brinner!" och viss förvirring uppstod och fler gäster skyndade ut ur kaféentrén, men som Lucas påpekade fanns det inget rött sken på himlen och det luktade inte brand.

"Vi ringde ju i klockan femtiofem, när den gamla kyrkan träffades av blixten", sa gamle Michel Dieudonné.

"Det är nånting utanför Les Immortelles", sa René Loyon som hade stått uppe på muren. "Nånting vid klipporna."

Det var en båt. Det var lätt att se den nu när vi visste var vi skulle titta, hundra meter ut, grundstött på samma trassel av klippor där *Eleanore* fastnat året innan. Jag höll andan. Utan synligt segel, och på det avståndet, var det omöjligt att avgöra om det var någon av de båda salantsbåtarna.

"Det är en riktig bjässe", sa Joël bestämt. "Den måste ha varit därute i timmar. Finns ingen anledning till panik nu." Han stampade på cigaretten med stöveln.

Men Jojo-le-Goëland var inte övertygad. "Vi borde försöka lysa dit ut", föreslog han. "Det kanske är nån som måste räddas. Jag hämtar traktorn."

Folk började redan samlas nedanför muren. Kyrkklockan, som fullbordat sitt varningsjobb, tystnade. Jojos traktor tog sig vinglande fram över den ojämna stranden mot sandkanten; de kraftfulla strålkastarna lyste över vattnet.

”Jag ser henne nu”, sa René. ”Hon är hel, men inte länge till.”

Michel Dieudonné nickade. ”Tidvattnet är för högt för att nå henne nu, till och med för *Marie Joseph*. Och i den här byiga vinden...” Han slog uttrycksfullt ut med händerna. ”Vems hon än är så är det ute med henne nu.”

”Gode Gud!” Det var Paule Lacroix, Joëls mor, som stod ovanför oss på esplanaden. ”Det är nån därute i vattnet!”

Ansikten vändes mot henne. Traktorns strålkastare var för stark; det var bara det obrukbara fartygets skrov som syntes bland reflexerna.

”Släck ljuset!” vrålade borgmästare Pinoz, som just anlänt tillsammans med Père Alban.

Det tog en stund innan våra ögon vande sig vid mörkret. Havet såg svart ut nu, båten hade en violett nyans. Vi ansträngde ögonen och försökte urskilja något blekt och suddigt bland vågorna.

”Jag ser en arm! Det är en man i vattnet!”

En bit ifrån mig på min vänstra sida skrek någon, jag kände igen rösten. Jag vände mig om och såg Damiens mor, hennes ansikte var formlöst av förtvivlan under den tjocka sjaletten. Alain stod på muren med en kikare, men med den sydliga vinden i ansiktet och vågornas ökande höjd tvivlade jag på att han såg mer än vi andra. Matthias stod bredvid honom och såg hjälplöst på vattnet.

Damiens mor fick syn på mig och sprang över stranden mot mig, hennes kappa fladdrade i vinden. ”Det är *Eleano-*

re 2!" Hon klamrade sig andlöst fast vid mig. "Jag vet att det är Damien!"

Jag försökte lugna henne. "Det kan du inte veta", sa jag så lugnt jag förmådde. Men hon var otröstlig. Hon började ge ifrån sig ett högt genomträngande ljud, hälften jämmer, hälften ord. Jag uppfattade hennes sons namn vid flera tillfällen men inget annat. Jag insåg att jag inte nämnt det faktum att Xavier och Ghislain tagit *Cécilia*, men att prata om det nu skulle bara förvärra det hela.

"Om det finns några därute måste vi väl försöka rädda dom?" Det var den halvfulle borgmästaren Pinoz som beslutsamt försökte ta kommando över situationen.

Jojo-le-Goëland skakade på huvudet. "Inte med min *Marie Joseph*", sa han med eftertryck.

Men Alain rusade redan nerför stigen från esplanaden mot hamnen. "Försök stoppa mej", skrek han.

Marie Joseph var definitivt den enda farkost som var tillräckligt stabil för att manövrera i närheten av den grundstötta båten; men trots det var operationen nästan omöjlig i detta väder.

"Det finns ingen där!" vrålade Jojo indignerat och började springa över stranden efter Alain. "Du kan inte gå ut med henne ensam!"

"Följ med honom då!" sa jag med eftertryck. "Om pojken är därute –"

"Om han är det så är det ute med honom", muttrade Joël. "Det är ingen mening med att göra honom sällskap."

"Då följer jag med!" Jag tog trapporna upp till Rue des Immortelles två steg i taget. Det fanns en båt på klipporna; en salantsbo var i fara. Trots min oro sjöng det i hjärtat. En våldsam glädje omslöt mig – det var *så här* det kändes att vara öbo, det var så här det kändes att höra till; inget annat ställe frammanar sådan lojalitet, sådan stenhård, orubblig kärlek.

Det sprang folk bredvid mig. Jag såg Père Alban och Matthias Guénolé, som jag gissat inte kunde vara långt borta; Omer lufsade efter dem så fort han kunde; Marin och Adrienne stirrade ut genom La Marées upplysta fönster. Grupper av houssinbor tittade på när vi sprang, en del förvirrat, andra misstroget. Jag brydde mig inte. Jag sprang mot hamnen.

Alain var redan där. Folk såg på honom från kajen men det verkade inte vara många som var sugna på att göra honom sällskap på *Marie Joseph*. Matthias ropade till honom från gatan; jag hörde fler höjda röster bakom honom. En man i en urblekt *vareuse* tog in *Marie Josephs* segel med ryggen vänd mot mig. När Omer kom ikapp, andfådd, vände mannen sig om och jag såg att det var Flynn.

Jag hade inte tid att reagera. Han fångade min blick och tittade sedan bort, nästan likgiltigt. Alain höll redan på att sätta sig vid rodret. Omer kämpade med den obekanta motorn. Père Alban stod på kajen och försökte lugna Damiens mor, som hade kommit några minuter efter de övriga. Alain gav mig ett snabbt ögonkast, som om han försökte uppskatta om jag skulle vara till någon hjälp, och sedan nickade han.

"Tack."

Folk samlades fortfarande runt oss, en del försökte hjälpa till där de kunde. Föremål slängdes – nästan på måfå som det verkade – ombord på *Marie Joseph*: en båtshake; en rulle rep; en hink; en filt; en ficklampa. Någon gav mig en plunta med konjak; någon annan gav Alain ett par handskar.

När vi la ut från kajen slängde Jojo-le-Goëland till mig sin jacka. "Försök att inte blöta ner den", sa han strävt.

Att ta sig ut ur hamnen var bedrägligt enkelt. Även om båten krängde lite så var hamnen skyddad och vi styrde ganska lätt ut genom den smala centrala farleden mot öppna havet. Bojar och jollar guppade runt omkring oss; jag lutade mig framåt i fören för att fösa undan dem när vi gick förbi.

Sedan träffades vi av havet. På den korta tid det hade tagit oss att komma i ordning hade vinden friskat i; nu stönade den i linorna och skummet var hårt som grus. *Marie Joseph* var en duktig liten arbetshäst men inte byggd för storm. Hon låg lågt i vattnet, som en ostronbåt; vågor slog in över fören. Alain svor.

"Ser du henne än?" ropade han till Omer.

"Jag ser något", skrek han mot vinden. "Men jag vet fortfarande inte om det är *Eleanore 2*."

"Vänd helt om!" vrålade Alain. Jag hörde knappt hans röst. Vattnet förblindade mig. "Vi måste ta den rakt framifrån!"

Jag förstod vad han menade. Att styra rakt mot vinden var knepigt; men vågorna var tillräckligt höga för att vräka omkull oss om vi lät dem knuffa oss åt sidan. Vi rörde oss förskräckligt långsamt, red på en våg bara för att bli nerpressade av nästa. *Eleanore 2* – om det nu var hon – syntes knappt i de skumkaskader som omgav henne. Av den figur vi anat i vattnet syntes inga spår.

Tjugo minuter senare var jag inte säker på att vi ens tagit oss några dussin meter; det är lätt att missbedöma avstånd på natten, och havet krävde all vår uppmärksamhet. Jag var vagt medveten om att Flynn satt på botten och öste vatten, men det fanns ingen tid att fundera över det, eller att minnas det senaste tillfället då vi befunnit oss i en liknande situation tillsammans.

Jag såg fortfarande ljusen från Les Immortelles; långt i fjärran tyckte jag att jag hörde röster. Alain lyste med lampan ut över havet. Vattnet var grågrönt i det bleka ljuset men till slut fick jag syn på den obrukbara båten, nu var den närmare och igenkännbar, nästan bruten mitt itu över en ryggrad av klippor.

"Det är hon!" Vinden hade stulit ångesten ur Alains röst; den lät svag och avlägsen i mina öron, en susning i vinden. "Ner med dej!" Det var till Flynn, som hade gått så långt fram att han nästan hängde över *Marie Josephs* nos. Plötsligt anade jag någonting i vattnet, något blekt som inte var skum. Det syntes bara ett kort ögonblick och verkade sedan rulla i vågorna.

"Jag ser nån!" skrek Flynn.

Alain rusade mot förstäven och lät Omer hantera båten. Jag tog tag i ett rep och slängde det, men en häftig vindby blåste det tillbaka i ansiktet på mig, genomblött, och piskade mig våldsamt över ögonen. Jag ramlade bakåt med slutna och rinnande ögon. När jag lyckades öppna dem igen var världen märkligt oskarp; jag såg ett par suddiga Flynn och Alain, den ene höll tag i den andre som i en desperat trapets medan havet höjde och sänkte sig under dem. Båda två var genomblöta. Alain hade slagit ett rep runt fotleden för att inte åka överbord; Flynn, som höll i en repögla, lutade sig ut med ena foten inkilad i Alains maggrop och den andra i spjärn mot sidan av *Marie Joseph*, båda armarna var utsträckta mot turbulensen nedanför. Någonting vitt blixtrade förbi. Flynn dök efter det men missade. Bakom oss kämpade Omer för att hålla upp båtens nos mot vinden. *Marie Joseph* krängde sjukligt; Alain vinglade till, en våg fick båda männen att ramla och vred båten åt sidan. Kallt vatten slog in över våra huvuden. För ett ögonblick fruktade jag att båda männen spolats överbord. *Marie Josephs* förstäv sjönk, bara någon centimeter ovanför vattenytan. Jag gjorde vad jag kunde för att ösa vatten medan klipporna kom inom synhåll, skrämmande nära. Då hördes ett fruktansvärt ljud mot skrovet, ett gnisslande oljud och ett brakande som om blixten slagit ner. Vi stelnade till av oro, men det var *Eleanore 2* som gett efter, hennes ryggrad hade knäckts till slut, och hon gick i två delar mot de skummande klipporna. Men vi var ändå långt ifrån på den säkra sidan, där vi drev mot de flytande vrakspillrorna. Jag kände hur något vibrerade mot båtsidan. Någonting verkade fastna undertill – men så lyftes vi av en våg och *Marie Joseph* gick fri från klippan i sista sekunden, och Omer använde sig av en båtshake för att befria oss från vrakspillrorna. Jag tittade upp. Alain höll fortfarande sin position i fören men Flynn var försvunnen. Men bara för ett ögonblick; med ett hest skrik av lättnad såg jag hur han dök upp bakom en vägg av vatten med repet i händerna. Något guppade hastigt inom synhåll medan han och Alain började dra in det. Något vitt.

Hur gärna jag än ville veta vad det var som hände var jag tvungen att fortsätta ösa; *Marie Joseph* var så full att hon inte skulle klara mer. Jag hörde rop och vågade kika upp, men jag såg inte mycket på grund av Alains rygg. Jag öste i minst fem minuter, eller tills vi var borta från de där hemska klipporna. Jag tyckte jag hörde ett avlägset, spöklikt jubel från Les Immortelles.

”Vem är det?” skrek jag. Rösten rycktes bort från munnen

av vinden. Alain vände sig inte om. Flynn kämpade med en presenning på båtens botten. Presenningen skymde totalt sikten för mig.

"Flynn!" Jag visste att han hört mig; han såg snabbt på mig och vände sig bort igen. Något i hans ansikte sa mig att det inte var goda nyheter. "Är det Damien?" skrek jag igen. "Lever han?"

Flynn knuffade undan mig med en hand som fortfarande delvis var omlindad med ett droppande bandage. "Det tjänar ingenting till", ropade han knappt hörbart genom vinden. "Det är slut."

Med tidvattnet i aktern gick vi med god fart mot hamnen; jag tyckte redan att jag kände att vågorna höll på att lugna sig. Omer såg frågande på Alain; Alain svarade med en bestört och oförstående blick. Flynn såg inte på någon av dem; istället tog han en hink och började ösa, trots att det inte behövdes längre.

Jag tog tag i Flynns arm och tvingade honom att se på mig. "För Guds skull, Flynn, tala om för mej! Är det Damien?"

Alla tre männen såg på presenningen och sedan på mig. Flynns uttryck var mångtydigt, outgrundligt. Han såg ner på sina händer, som var alldeles blodiga efter att ha kämpat med det blöta repet. "Mado", sa han till sist. "Det är din far."

61

JAG MINNS DET SOM EN TAVLA, en våldsam van Gogh med virvlande lila skyar och suddiga ansikten; i tystnad. Jag minns att båten krängde som ett hjärta. Jag minns att jag höll upp händerna framför ansiktet och såg den bleka huden som var skrynklig av havsvattnet. Jag tror att jag kanske ramlade.

GrosJean låg till hälften täckt av presenningen. För första gången blev jag riktigt medveten om hur stor han var, hans döda, aningslösa tyngd. Han hade förlorat sina skor någonstans på vägen och fötterna såg små ut i jämförelse med resten av honom, nästan späda. När man hör talas om döden får man ofta höra att de döda ser ut som om de sover, fridfullt. GrosJean såg ut som ett djur som dött i en fälla. Hans hull kändes så där gummiartat som på en gris i en slakteributik; munnen var öppen, läpparna uppdragna i en grimas som avslöjade gula tänder, som om han i sista ögonblicket, inför döden, äntligen hittat en röst. Jag kände mig inte heller så där bortdomnad som så många som drabbats av sorg pratar om; den där barmhärtiga känslan av overklighet. Istället kände jag hur en fruktansvärd ilska vällde upp inom mig.

Hur hade han mage att göra så här? Efter allt vi gått igenom tillsammans, hur *kunde* han? Jag hade litat på honom, jag hade anförtrott mig åt honom, jag hade försökt börja om på ny kula. Var det så här han känt för mig? Var det så här han känt för sig själv?

Någon tog tag i min arm; jag slog med knytnävarna på min fars klibbiga kropp. Den kändes som kött. "Snälla Mado." Det var Flynn. Min vrede flammade upp på nytt; utan att tänka snodde jag runt och slog honom över munnen. Han ryggade tillbaka. Jag snubblade bakåt och föll omkull på däck. Jag såg en glimt av Sirius bakom ett framilande moln. Stjärnorna fördubblades, tredubblades och fyllde sedan himlen.

Senare fick jag höra att de hittat Damien i en av *Brismand 1*:s godshangarer där han gömde sig, frusen och hungrig men oskadd. Uppenbarligen hade han försökt smita ombord som fripassagerare på fastlandsfärjan när turen ställdes in.

Ghislain och Xavier kom aldrig fram till Les Immortelles. De försökte i flera timmar men till sist tvingades de sätta *Cécilia* på land vid La Goulue, och återvände till byn precis när de frivilliga från La Houssinière kom tillbaka.

Mercédès väntade. Hon hade träffat Aristide i byn och de hade släppt alla hämningar och skrikit åt varandra. Hennes möte med Ghislain och Xavier hade varit mer återhållsamt. De båda unga männen var utmattade men lustigt euforiska. Deras ansträngningar till sjöss hade inte burit frukt men det var tydligt att det hade uppstått en ny förståelse mellan dem. Efter att en gång ha varit bittra rivaler var de nu nästan vänner igen. Aristide började läxa upp sin sonson för att han tagit *Cécilia*, men för första gången verkade Xavier inte skrämd. Istället tog han Mercédès åt sidan, med ett leende som var mycket annorlunda i jämförelse med hans vanliga blyga sätt, och även om det var för tidigt att prata om att de försonats, så hoppades Toinette i hemlighet att det skulle bli en lyckad utgång.

Jag drog på mig en förkylning ombord på *Marie Joseph*, som under natten utvecklades till lunginflammation. Det är kanske därför jag knappt minns någonting av vad som hände; ett par sepiabruna stillbilder, det är allt. Fars kropp som lyftes upp på kajen i en filtögla. Den reserverade familjen Guénolé som kramades med häftig och oåterhållen passion. Père Alban som väntade tålmodigt med sutanen uppfäst över fiskarstövlarna. Flynn.

Det tog nästan en vecka innan jag blev verkligt medveten om vad som hände runt omkring mig. Fram till dess hade allt varit suddigt, starka färger, inga ljud. Min lungor var fyllda med cement; febern steg.

Jag flyttades till Les Immortelles direkt, där akutläkaren var kvar. Stegvis, i takt med att febern gav med sig, blev jag medveten om rummet med vita väggar, blommor, presenter som lämnats som offergåvor vid dörren av en konstant ström av besökare. I början tog jag knappt någon notis om det. Jag kände mig så sjuk och svag att det var ett arbete bara att hålla ögonen öppna. Att andas krävde medveten ansträngning. Till och med minnet av fars död kom i andra hand jämfört med de kroppsliga plågorna.

Adrienne hade fått panik av tanken på att behöva sköta mig och hade flytt till fastlandet med Marin så snart vädret tillät. Doktorn förklarade att jag var på bättringsvägen och lät Capucine vaka över mig och en muttrande Hilaire ge mig penicillinsprutor.

Toinette gjorde sina örtdekokter och tvingade mig att dricka dem. Père Alban satt hos mig natt efter natt, sa Capucine. Brismand höll sig borta. Ingen hade sett till Flynn.

Det var kanske bra för honom att ingen hade gjort det; i slutet av veckan hade alla fått klart för sig hans roll i det som hänt och fientligheten mot honom i Les Salants var oerhörd. Förvånande nog var den inte lika stor mot Brismand; han var, när allt kom omkring, en äkta houssinbo. Vad annat kunde man vänta sig? Men Rouget hade varit en av oss. Det var bara familjen Guénolé som vågade ta honom i försvar – han hade trots allt gått ut till *Eleanore 2* när ingen annan ville – och Toinette vägrade att ta det hela på allvar överhuvudtaget, men många salantsbor pratade om hämnd. Capucine var övertygad om att Flynn åkt tillbaka till fastlandet och ruskade sorgset på huvudet åt alltihop.

Manetplågan var under kontroll, med nät spända över sandbankarna som hindrade fler att komma in i bukten, och kustbevakningsfartyg som samlade upp dem som fanns kvar. Den officiella förklaringen var att nyckfulla stormar fört med sig dem uppför Golfströmmen, kanske ända från Australien; byskvallret föredrog att tolka det som en varning från helgonet.

”Jag har sagt hela tiden att det skulle bli ett svart år”, bekräftade Aristide med dyster tillfredsställelse. ”Ser ni vad som händer när man inte lyssnar?”

Trots sin ilska mot Brismand verkade den gamle mannen resignerad. Bröllop kostar pengar, noterade han; om hans unge dåraktige sonson fortsatte att framhärda i sin envishet... Han skakade på huvudet. ”Men, jag kommer inte att leva för evigt. Det är skönt att veta att pojken ändå har nåt att ärva, nåt annat än kvicksand och röta. Kanske turen vänder igen.”

Det trodde inte alla. Familjen Guénolé höll stånd mot Brismands projekt – så gott de kunde. Med fem personer att försörja, en skolpojke och en gammal man på åttiofem, hade de alltid haft det knapert. Nu befann de sig i kris. Ingen visste exakt hur mycket de hade lånat, men man trodde allmänt att det handlade om bortemot hundratusen. Förlusten av *Eleanore 2* var spiken i kistan. Alain gjorde ett våldsamt utfall efter mötet, sa att det inte var rättvist, att det fanns ett gemensamt ansvar, att han inte hade kunnat vara med i diskussionen därför att Damien försvunnit; men det var ingen som tog någon särskild notis om hans invändningar. Vår bräckliga gemenskapskänsla hade fått sig en knäck; återigen var det varje salantsbo för sig.

Matthias Guénolé vägrade naturligtvis att flytta till Les Immortelles. Alain stödde hans beslut. Det pratades om att de skulle lämna ön. Fientligheten mellan familjerna Guénolé och Bastonnet hade blossat upp igen; Aristide, som anade en svaghet och att deras allvarligaste fiskerival skulle ge sig av, hade uppenbarligen gjort sitt bästa för att vända övriga salantsbor mot dem.

”Dom kommer att förstöra alltihop med sin envishet! Vår enda möjlighet. Det är själviskt, det är vad det är, och jag tänker inte låta Guénolés själviskhet förstöra min pojkes framtid. Vi måste rädda nånting ur den här soppan nu, annars går vi alla under!”

Många var tvungna att erkänna att han hade rätt. Men Alains vrede var explosiv när han hörde vad som sagts. ”Jaså, det är på det viset?” vrålade han. ”Det är så vi tar hand om våra egna i Les Salants! Hur blir det med *mina* pojkar? Hur blir det med min far, som slogs i kriget? Tänker ni överge oss nu? Och för vad? Pengar? Rutten houssinvinst?”

För ett år sedan hade det kanske varit ett kraftfullare argument. Men nu hade vi känt doften av pengar. Vi visste vad det innebar. Det var tystnad och en del röda ansikten. Men få lät sig rubbas. Vad betydde en enstaka familj när ett helt samhälle stod på spel? När allt kom omkring var det bättre med Brismands färjeläge än ingenting alls.

Min far begravdes medan jag fortfarande låg på Les Immortelles. Lik håller sig inte länge på sommaren och öbor har inte mycket av fastlandets ritualer med obduktioner och balsamering. Vi hade ju en präst, eller hur? Père Alban utövade sitt ämbete ute på La Bouche, som vanligt klädd i sutan och fiskarstövlar.

Gravstenen är en klump gråskär granit från Pointe Griznoz. De använde min traktor för att dra den. Senare, när sanden satt sig, ska jag låta gravera den – Aristide gör det kanske åt mig om jag ber honom.

”Varför gjorde han det?” Jag upptäckte att min ilska var oförändrad sedan natten på *Marie Joseph*. ”Varför tog han *Eleanore 2* den där dagen?

”Vem vet”, sa Matthias och tände en Gitane. ”Det enda jag vet är att vi hittade en del förbannat konstiga saker när vi till slut fick in henne –”

”Inte när flickan är sjuk, din idiot!” avbröt Capucine och fångade upp cigaretten med kvicka fingrar.

”Vadå för saker?” frågade jag och satte mig upp i sängen.

”Rep. Lyftsaxar. Och en halv låda dynamit.”

”Va?”

Den gamle mannen ryckte på axlarna och suckade. ”Jag förmodar att vi aldrig kan vara säkra på vad han hade för sej. Jag önskar bara att han inte valt *Eleanore 2* att göra det i.”

Eleanore. Jag försökte komma ihåg exakt vad nunnorna

berättat för mig den där stormiga natten. ”Hon var nån han kände”, sa jag. ”Nån som både han och P’titJean tyckte om. Den där Eleanore.”

Matthias skakade misstroget på huvudet. ”Du ska inte tro på dom där skatorna. Dom säjer vad som helst.” Han såg på mig och jag tyckte att han rodnade en aning. ”Nunnor, va! Dom värsta sladdertackor som finns. Dessutom hände den där historien, vad det nu var, för så länge sen. Hur skulle det kunna ha nåt att göra med hur GrosJean dog?”

Kanske inte *hur*, men *varför*. Jag kunde inte låta bli att fundera över det, kopplingen till hans brors självmord för trettio år sedan, hans självmord ombord på *Eleanore*. Hade min far gjort samma sak? Och varför hade han dynamit med sig?

Jag grubblade så länge över det att Capucine tyckte att det påverkade min återhämtning. Hon måste ha pratat med Père Alban om det, för den gamle torre prästen kom för att hälsa på mig två dagar senare och såg lika sorgsen ut som vanligt.

”Det är över, Mado”, sa han. ”Din far har fått frid. Du borde låta honom vila nu.”

Vid det laget kände jag mig mycket bättre, även om jag fortfarande var trött. Uppstöttad mot kuddarna såg jag den klara augustihimlen bakom honom. Det skulle bli en bra fiskedag. ”Père Alban, vem var Eleanore? Kände du henne?”

Han tvekade. ”Jag kände henne, men jag kan inte prata om henne med dej.”

”Var hon från Les Immortelles? Var hon en av nunnorna?”

”Tro mej, Mado. Det bästa är att glömma henne.”

”Men om han döpte en båt efter henne...” Jag försökte förklara hur viktigt det varit för min far; att han aldrig gjort det igen, inte ens för min mor. Det var säkerligen ingen tillfällighet att han valt just den båten. Och vad betydde det som Matthias hittat ombord på henne?

Men Père Alban var ännu mindre talför än vanligt. ”Det betyder ingenting”, upprepade han för tredje gången. ”Låt GrosJean vila i frid.”

62

VID DET LAGET HADE JAG VARIT PÅ LES IMMORTELLES i mer än en vecka. Hilaire rekommenderade ytterligare en veckas vila men jag började bli otålig. Landskapet på himlen hånade mig; gyllene dammkorn silades ner på min säng. Månaden gick mot sitt slut; om några dagar skulle månen vara full och det skulle ännu en gång vara dags för Sainte-Marines högtid på udden. Det kändes som om alla de här välkända sakerna hände för sista gången; varenda sekund var ett farväl jag inte klarade av att missa. Jag gjorde mig redo att återvända hem.

Capucine protesterade men jag struntade högaktningsfullt i hennes argument. Jag hade varit borta alldeles för länge. Jag var tvungen att stå ansikte mot ansikte med Les Salants. Jag hade inte ens sett min fars grav.

La Puce gav sig när hon såg min beslutsamhet. ”Bo i min husvagn en tid”, föreslog hon. ”Jag tänker inte låta dej bo ensam i det där tomma huset.”

”Det ordnar sej”, lovade jag henne. ”Jag tänker inte återvända dit. Men jag behöver vara ensam ett tag.”

Jag återvände inte till GrosJeans hus den dagen. Det överraskade mig att jag inte var nyfiken på det, inte kände någon längtan efter att titta in. Istället gick jag till dynerna ovanför La Goulue och tittade ut över det som återstod av min värld.

De flesta av sommargästerna var borta. Havet såg ut som sammet; himlen var grov och blå som en barnteckning. Les Salants bleknade tyst under den sena augustisolen, som den gjort i så många år. Blomsterlådorna och trädgårdarna, som negligerats på sistone, hade vissnat och dött; förkrympta fikonträd lämnade ifrån sig små sura frukter; hundar drev omkring utanför förbommade hus; harsvansgräset blev vitt och sprött. Människorna hade också återgått till sina gamla vanor. Omer tillbringade nu timmar på Angélos med att spela kort och dricka bägare efter bägare med *devinnoise*. Charlotte Prossage, som hade levt upp så när sommarbarnen anlänt, dolde åter sitt ansikte under jordfärgade sjaletter. Damien var trumpen och grälsjuk. Inom tjugofyra timmar efter min återkomst såg jag med egna ögon att familjen Brismand inte bara hade knäckt Les Salants, de hade svalt det med hull och hår.

Det var få som pratade med mig, det räckte med att de visat sin omsorg genom presenter och kort. Nu när jag var frisk igen uppfattade jag ett slags tröghet bland dem, en återgång till gamla vanor. Hälsningarna hade åter förkortats till en enda nick. Samtalen svek. Först trodde jag att de kanske inte tyckte om mig; min syster var ju trots allt gift med en Brismand. Men efter ett tag började jag förstå det. Jag såg det i det sätt på vilket de betraktade havet, ett öga ständigt fixerat på det där flytande föremålet ute i bukten, vårt Bouch'ou, vårt eget damoklessvärd. De var inte ens medvetna om att de gjorde det. Men de betraktade det, till och med barnen, blekare och tystlåtnare än de varit på hela sommaren. Det var ännu värdefullare nu, sa vi till oss själva, eftersom det hade krävt offer. Ju större offer, desto mer värdefullt blev det. En gång hade vi älskat det; nu hatade vi det, men att förlora det var otänkbart. Omers lån hade äventyrat Toinettes egendom, trots att han inte hade rätt att sätta den på spel. Aristide hade belånat sitt hus långt över vad det var värt. Alain höll på att förlora sin son – kanske båda sina söner, nu när företaget gick dåligt; familjen Prossage hade förlorat sin dotter. Xavier och Mercédès pratade om att lämna Le Devin för gott, att slå sig ner på något ställe som Pornic eller Fromentine, där barnet kunde födas utan att det blev skandal.

Aristide var förkrossad över nyheterna, även om han var alldeles för stolt för att medge det. Pornic ligger inte så långt borta, upprepade han för alla som ville lyssna. Det är en tretimmars färjeresa två gånger i veckan. Det kan man väl inte kalla långt, eller hur?

Rykten surrade fortfarande om GrosJeans död. Jag hörde dem i andra hand av Capucine – byetiketten krävde att jag lämnades ifred under den här tiden – men spekulationer var i omlopp. Många trodde att han begått självmord.

Det fanns vissa skäl att tro det. GrosJean hade alltid varit labil; kanske insikten om Brismands förräderi hade fått bägaren att rinna över. Och så tätt inpå årsdagen av P'titJeans död och Sainte-Marines högtid... Historien upprepar sig, sa de med sänkta röster. Allting återvänder.

Men andra var inte lika övertygade. Betydelsen av dynamiten ombord på *Eleanore 2* hade inte undgått uppmärksamhet; Alain trodde att GrosJean hade försökt förstöra vågbrytaren vid Les Immortelles när han förlorade kontrollen över båten och kastades upp mot klipporna.

"Han offrade sej", upprepade Alain för alla som ville höra på. "Han insåg före oss andra att det var enda sättet att hindra Brismand från att ta över."

Det var inte mer långsökt än någon av de andra förklaringarna. En olycka, självmord, en heroisk gest... Sanningen var att ingen visste; GrosJean hade inte berättat för någon om sina planer och det enda vi kunde göra var att spekulera. I döden, precis som i livet, behöll min far sina hemligheter för sig själv.

Jag gick ner till La Goulue på morgonen efter min återkomst. Lolo satt tillsammans med Damien nere vid vattenbrynet, båda två var tysta och orörliga som klippor. De verkade vänta på något. Tidvattnet höll på att vända och lämnade mörka kommatecken av våt sand efter sig. Damien hade ett färskt blåmärke på hakan. Han ryckte på axlarna när jag kommenterade det. ”Jag ramlade”, sa han och brydde sig inte ens om att låta övertygande.

Lolo såg på mig. ”Damien hade rätt”, sa han dystert. ”Vi skulle aldrig ha skaffat den här stranden. Den har förstört allting. Vi hade det bättre förr.” Han sa det utan bitterhet men med en djup trötthet som jag fann mer oroande. ”Vi visste det bara inte då.”

Damien nickade. ”Vi skulle ha överlevt. Om havet kommit för nära skulle vi bara ha byggt nytt högre upp.”

”Eller flyttat.”

Jag nickade. Plötsligt kändes det inte som ett så fruktansvärt alternativ att flytta.

”Det är ju bara en plats, eller hur?”

”Visst. Det finns andra platser.”

Jag undrade om Capucine visste vad hennes dotterson tänkte. Damien, Xavier, Mercédès, Lolo... Med den här takten skulle det inte finnas några ungdomar kvar i Les Salants nästa år.

Båda pojkarna tittade ut mot La Bouch'ou. Nu var det

osynligt men skulle visa sig igen om ungefär fem timmar, när tidvattnet avtäckte ostronbankarna.

”Tänk om dom tar det?” Lolos röst var vass.

Damien nickade. ”Dom kan få tillbaka sin sand. Vi har ingen användning för den.”

”Nä. Vi ville ändå inte ha hit houssinsand.”

Jag var chockad över att inse att jag halvt om halvt höll med dem.

Men trots det hade jag upptäckt efter min återkomst att salantsborna tillbringade mer tid på stranden än någonsin tidigare. Inte med att bada eller sola – det gör bara turister – eller ens med angenäma samtal, som vi så ofta gjort tidigare under sommaren. Nu var det inga grillfester eller eldar eller dryckesslag vid La Goulue. Istället smög vi dit i hemlighet, tidigt om morgnarna eller när tidvattnet vände, silade sanden mellan våra dolda fingrar utan att se varandra i ögonen.

Sanden fascinerade oss. Vi såg på den på ett annat sätt nu; inte längre som guldstoft utan som århundradens avfall: ben, snäckskal, mikroskopiska fossilbitar, pulvriserat glas, krossad sten, fragment av oöverskådlig tid. Det fanns människor i sanden: älskande par, barn, förrädare, hjältar. Där fanns tegelstenar från sedan länge rivna hus. Där fanns krigare och fiskare, där fanns naziflygplan och trasigt porslin och utspridda varor. Där fanns upproriskhet och där fanns nederlag. Där fanns allt, och allt var likadant.

Vi såg det nu; hur meningslöst alltihop var, vår kamp mot tidvattnet, mot houssinborna. Nu såg vi hur det skulle komma att bli.

63

TVÅ DAGAR FÖRE SAINTE-MARINES högtid bestämde jag mig äntligen för att besöka fars grav. Min frånvaro vid begravningen hade varit oundviklig, men nu var jag tillbaka och det förväntades av mig.

Houssinborna hade sin egen gräsbevuxna kyrkogård, med en parkarbetare som skötte alla gravarna. Vid La Bouche utför vi allt arbete själva. Vi har inget val. Våra gravstenar ser hedniska ut i jämförelse med deras, monolitiska. Och vi sköter dem noggrant. En mycket gammal grav tillhör ett ungt par och inskriften är kort och gott ”Guénolé–Bastonnet, 1861–1887”. Någon lägger fortfarande blommor där, fast det uppenbarligen inte kan finnas någon som är så gammal att hon kan komma ihåg dem.

De hade placerat far bredvid P'titJean. Deras stenar är nästan likadana i storlek och färg, fast man kan se att P'titJeans är äldre med ytan luddig av lav. När jag kom närmare såg jag att rent grus hade krattats runt de två gravarna och att någon redan förberett marken för plantering.

Jag hade tagit med några lavendelskott som jag skulle sätta runt stenen och en liten spade att gräva med. Det verkade som om Père Alban hade gjort detsamma; hans händer var jordiga och röda pelargoner hade planterats framför båda stenarna.

Den gamle prästen verkade överraskad av att se mig, som

om han blivit tagen på bar gärning. Han gned sina smutsiga händer flera gånger. ”Det är roligt att se att du verkar må så bra”, sa han. ”Jag ska låta dej ta farväl i lugn och ro.”

”Gå inte.” Jag tog ett steg framåt. ”Père Alban, jag är glad att du är här. Jag ville –”

”Förlåt.” Han skakade på huvudet. ”Jag vet vad du vill att jag ska göra. Du tror att jag vet nåt om din fars död. Men jag har ingenting att berätta. Låt det vara.”

”Varför?” frågade jag. ”Jag behöver förstå! Det finns en orsak till att min far dog, och jag tror att du känner till den!”

Han såg allvarligt på mig. ”Din far omkom till havs, Mado. Han gick ut med *Eleanore 2* och spolades överbord. Precis som sin bror.”

”Men du vet nånting”, sa jag mjukt. ”Eller hur?”

”Jag har mina misstankar. Precis som du.”

”Vadå för misstankar?”

Père Alban suckade. ”Släpp det, Madeleine. Jag kan inte berätta nåt för dej. Om jag vet nåt så är jag bunden av tysthetslöftet och kan inte diskutera det med dej.” Men jag tyckte jag uppfattade något i hans röst, ett udda tonfall, som om orden han sa inte stämde överens med något annat han förmedlade.

”Men det finns andra som kan?” sa jag och tog hans hand. ”Är det vad du försöker säja?”

”Jag kan inte hjälpa dej, Madeleine.” Var det min fantasi eller var det något med det sätt han sa ”*Jag* kan inte hjälpa dej”, en liten betoning på första stavelsen? ”Jag ger mej av nu”, sa den gamle prästen och drog försiktigt bort sin hand från min. ”Jag måste reda ut några gamla arkiv. Födelse- och dödsregister, såna saker du vet. Det är ett arbete jag har skjutit upp länge. Men jag har ett ansvar. Det gnager på mitt samvete." Där var det igen; det där märkliga tonfallet.

"Papper?" upprepade jag.

"Register. Jag hade en sekreterare tidigare. Sedan nunnorna. Nu har jag ingen."

"Jag skulle kunna hjälpa till." Det var inget jag föreställde mig; han *försökte* säga mig någonting. "Père Alban, låt mej få hjälpa dej."

Han gav mig ett märkvärdigt mjukt leende. "Vad snällt av dej, Mado. Det skulle vara en stor lättnad för mej."

64

ÖBOR MISSTROR ADMINISTRATION. Det är därför vi har låtit en präst bevara våra hemligheter, våra konstiga födslar och våldsamma dödsfall, vårda våra familjeträd. Informationen är naturligtvis offentlig, åtminstone teoretiskt sett. Men biktens skugga vilar över den, gömd under dammet som den är. Det har aldrig funnits, och kommer aldrig att finnas, någon dator här. Istället finns det liggare, tättskrivna med rödbrunt bläck, och svampfärgade pärmar som innehåller dokument som är spröda av ålder.

Namnteckningarna som vräker sig och virvlar över de här sidorna innehåller hela historier: här har en mamma som inte kan läsa och skriva satt fast ett rosenblad på sitt barns födelseintyg; där har en manshand stakat sig när hans hustrus död antecknats. Vigslar, dödfödda barn, dödsfall. Här två bröder som skjutits av tyskarna för att de smugglat svartabörsvaror från fastlandet; där en hel familj som dött i influensa; på den här sidan har en flicka – ytterligare en Prossage – fött ett barn, ”fader okänd”. På motsatta sidan en annan flicka, ett barn på fjorton år, som dött när hon födde ett missbildat barn som inte överlevde.

De oändliga variationerna var aldrig trista; lustigt nog fann jag dem rätt upplyftande. Att gå vidare som vi trots allt gör förefaller märkligt heroiskt, när man vet att det är så här det slutar. Öns namn – Prossage, Bastonnet, Guénolé, Prasteau, Brismand – marscherade över sidorna som soldater. Jag glömde nästan anledningen till att jag var där.

Père Alban lämnade mig ensam. Han kanske inte litade på sig själv. Ett tag förlorade jag mig helt i Le Devins historier, tills det började bli skumt och jag kom ihåg varför jag kommit dit. Det tog mig ytterligare en timme att hitta den anteckning jag sökte.

Jag var fortfarande inte säker på vad jag letade efter, och jag slösade bort tid på mitt eget familjeträd – min mors namnteckning fick mina ögon att tåras när jag av en tillfällighet stötte på den överst på en sida, med GrosJeans prydliga analfabetbokstäver intill. Sedan GrosJeans födelse och hans brors, på samma sida fast med år emellan. GrosJeans död och hans brors –”Förolyckad till havs”. Sidorna, så tättskrivna att de nästan var oläsliga, tog många minuter att gå igenom. Jag började undra om jag kanske hade missförstått och att det inte fanns något för mig trots allt.

Men då, plötsligt, såg jag det. En anteckning om vigsel mellan Claude Saint-Joseph Brismand och Eleanore Margaret Flynn, två namnteckningar med lila bläck – ett kort ”Brismand” följt av ett jublande ”Eleanore”, med en ögla på l:et som nästan aldrig ville ta slut, som slingrade sig som en murgröna bland namnen ovanför och under.

Eleanore. Jag sa det högt, med en klump i halsen.

Jag hade hittat henne.

”Ja, det har hon, *ma sœur.*”

”Jag visste att hon skulle göra det om hon inte gav upp.”

De två systrarna stod i dörröppningen och log som äppelkindade dockor. I det svaga ljuset såg de nästan unga ut igen, med ögon som glittrade. ”Du påminner om henne,

bara en aning, eller hur *ma sœur*? Hon påminner oss om –"
"Eleanore."
Efter det gick det lätt. Eleanore var där det började och *Eleanore* var där det tog slut. Vi rullade upp historien, nunnorna och jag, i kyrkans arkivrum, och tände ljus för att lysa upp de gamla pappren när dagen mörknade.
Jag hade redan gissat mig till delar av historien. Systrarna kände till resten. Kanske hade Père Alban pratat bredvid mun när de hjälpte honom med registren.
Det är en öhistoria, dystrare än de flesta, men vi är ju så vana vid att klamra oss fast vid de här klipporna att vi har utvecklat en förmåga att återhämta oss – åtminstone en del av oss. Den börjar med två bröder, som var som ler och långhalm, Jean-Marin och Jean-François Prasteau. Och så förstås flickan, eldig och temperamentsfull. Det fanns passion också; det syntes på det sätt som hennes namnteckning slingrade sig och flöt ut över sidan, ett slags rastlös romantik.
"Hon var inte härifrån", förklarade syster Thérèse. "Monsieur Brismand hade tagit med henne efter en av sina utlandsresor. Hon hade inga föräldrar, inga vänner, inga egna pengar. Hon var tio år yngre än han, knappt mer än en tonåring –"
"Men en riktig skönhet", sa syster Extase. "Vacker och rastlös, en explosiv kombination –"
"Och monsieur Brismand var så upptagen av att tjäna pengar att han nästan inte verkade lägga märke till henne efter bröllopet."
Han ville ha barn; det vill alla öbor. Men hon ville ha mer än så. Hon fick inga vänner bland houssinfruarna – hon var för ung och utländsk för deras smak – och började

sitta ensam vid Les Immortelles varje dag och betrakta havet och läsa böcker.

"Åh, hon älskade berättelser", sa syster Extase. "Att läsa dom och berätta –"

"Riddare och jungfrur –"

"Prinsar och drakar."

Det var där bröderna första gången fick syn på henne. De hade kommit för att hämta en leverans material till varvet som de drev tillsammans med sin far, och hon satt där. Hon hade varit på Le Devin i mindre än tre månader.

Den impulsive P'titJean hade blivit betagen direkt. Han började besöka henne i La Houssinière, sitta bredvid henne på stranden och prata med henne. GrosJean iakttog likgiltigt, roat till att börja med, sedan nyfiket, lite svartsjukt, och till slut ödesdigert snärjd.

"Hon visste vad hon gjorde", sa syster Thérèse. "Till en början var det en lek – hon tyckte om lekar. P'titJean var en pojke; han skulle ha kommit över henne. Men GrosJean..."

Min far, en tystlåten man med djupa känslor, var annorlunda. Det kände hon; han lockade henne. De möttes i hemlighet, på dynerna vid La Goulue. GrosJean lärde henne segla; hon berättade historier för honom. Båtarna han byggde på varvet återspeglade hennes inflytande, de där fantasifulla namnen från böcker och dikter han aldrig skulle komma att läsa.

Men vid det här laget hade Brismand blivit misstänksam. Det var till största delen P'titJeans fel; hans beundran hade inte gått spårlöst förbi i La Houssinière, och trots att han var så ung var han mycket närmare Eleanore i ålder än hennes make. För Eleanores del blev det inga fler turer till Les Salants på egen hand, och Claude försäkrade sig om att det alltid fanns en nunna ute vid Les Immortelles som höll ett öga på henne. Dessutom var Eleanore gravid nu, och Claude var överlycklig.

Pojken föddes lite för tidigt. Hon döpte honom efter Claude – öns tradition påbjuder det – men med typisk perversitet la hon till ytterligare ett, hemligare, namn på födelsebeviset, som vem som helst kunde se.

Ingen förstod kopplingen. Inte ens min far – den där komplicerade kurviga handstilen kunde han inte dechiffrera – och under några månader dämpades Eleanores rastlöshet av den uppmärksamhet spädbarnet krävde.

Men Brismand hade blivit mer dominerande nu när han fått en son. Söner är viktiga på Le Devin, viktigare än på fastlandet där det är så vanligt med friska barn. Jag försökte föreställa mig hurdan han varit, så stolt över den där pojken. Jag föreställde mig hur bröderna iakttog honom, med hån och skuldkänslor och avundsjuka och lust. Jag hade alltid trott att min far hatade Claude Brismand på grund av något Brismand hade gjort mot honom. Nu först förstod jag att de personer vi hatar mest är de som vi själva gjort fel mot.

Och Eleanore då? Under en tid försökte hon verkligen hänge sig åt babyn. Men hon var inte lycklig. Precis som min mor upplevde hon ölivet som outhärdligt. Kvinnorna såg misstänksamt och avundsjukt på henne; männen vågade inte prata med henne.

”Hon läste och läste sina böcker”, sa syster Thérèse, ”men ingenting hjälpte. Hon magrade, förlorade sin glans. Hon var som en del vilda blommor som man aldrig ska plocka, därför att de slokar och vissnar i en vas. Hon pratade med oss ibland –”

”Men vi var för gamla för henne, till och med på den tiden. Hon behövde liv.”

Båda systrarna nickade, deras intensiva ögon glittrade.

”En dag gav hon oss ett brev att lämna i Les Salants. Mycketmycket nervös var hon –”

”Men skrattade så att hon skulle ha kunnat spricka –”

”Och dagen därpå – *svisch!* Hon och babyn var borta.”

”Ingen visste vart de åkt eller varför –”

”Men vi kan gissa, eller hur *ma sœur*, vi tar inte emot bikt men –”

”Folk berättar saker och ting för oss i alla fall.”

När hade P'titJean insett sanningen? Hade han fått reda på den av en slump, eller berättade hon själv för honom, eller såg han den, som jag trettio år senare, skriven på barnets födelsebevis med hennes yppiga handstil?

Båda systrarna såg förväntansfullt och leende på mig. Jag tittade ner på födelsebeviset på skrivbordet framför mig; det lila bläcket, namnet skrivet med den där kurviga, raffinerade stilen...

Jean-Claude Désiré St-Jean François Brismand.

Pojken var GrosJeans son.

65

JAG VET VAD SKULD ÄR. Mycket väl. Det är min far i mig, hans bittra kärna som jag ärvt. Den paralyserar; den kväver. Så måste han ha känt sig när P'titJean och hans båt spolades upp vid La Goulue. Paralyserad. Förseglad. Han hade alltid varit den tystlåtne; nu verkade det som om han aldrig skulle kunna vara tillräckligt tyst. En levande P'titJean måste ha försorsakat honom tillräcklig hjärtesorg; en död P'titJean var ett hinder som aldrig kunde avlägsnas.

När far kom sig för med att ta kontakt med Eleanore hade hon redan försvunnit och lämnat efter sig brevet som han hittade, öppnat, adresserat till honom, i sin brors ficka.

Jag hittade det när jag gjorde en sista genomsökning av fars gamla hus. Det var med hjälp av brevet jag kunde pussla ihop de sista detaljerna: min fars död; P'titJeans självmord; Flynn.

Jag föreställer mig inte att jag förstår allting. Min far lämnade ingen annan förklaring efter sig. Jag vet inte varför jag förväntade mig det; han gjorde det aldrig under sin livstid. Men vi diskuterade det länge, systrarna och jag, och jag tror att vi kom ganska nära sanningen.

Det var naturligtvis Flynn som var katalysatorn. Utan att veta om det hade han startat motorn. Min fars son, den son GrosJean aldrig kunde erkänna, för om han gjorde det så skulle han tvingas erkänna att han var ansvarig för sin brors självmord. Nu kunde jag förstå fars reaktion när han fick reda på vem Flynn var. Allting återvänder; från det ena svarta året till det andra, Eleanore till *Eleanore*, cirkeln var sluten; och den bittra poesin i det här slutet måste ha talat till romantikern inom honom.

Alain hade kanske haft rätt i att det inte var meningen att han skulle dö, tänkte jag. Det hade kanske varit en desperat handling, ett försök till gottgörelse; min fars försök att bättra sig. Den man som var ansvarig för allt detta var trots allt hans son.

Systrarna och jag la tillbaka pappren och registren. I tysthet var jag tacksam för deras närvaro, det oupphörliga tjattret som hindrade mig från att syna min egen del i berättelsen alltför noga.

Natten hade fallit och jag gick långsamt tillbaka till Les Salants, lyssnade till syrsorna i tamariskbuskarna och såg på stjärnorna. Då och då lyste en lysmask sjukligt mellan mina fötter. Jag kände mig som om jag hade gett blod. Min ilska var borta. Sorgen också. Till och med det fruktansvärda jag fått veta syntes overkligt, lika fjärran som de sagor jag läst som barn.

Någonting inom mig hade kapats, och för första gången i livet kändes det som om jag skulle kunna lämna Le Devin utan den där avskyvärda känslan av att *vara på drift*, av tyngdlöshet, av vrakgods i ett främmande tidvatten. Slutligen visste jag vart jag var på väg.

Fars hus var tyst. Men jag hade ändå en underlig känsla av att inte vara ensam. Det var något i luften, en doft av gammalt stearinos, en obekant genklang. Jag var inte rädd. Istället kände jag mig märkvärdigt hemmastadd, som om far bara hade gett sig ut och fiskat, som om mor fortfarande var där, kanske i sovrummet och läste en av sina tummade romantiska pocketböcker.

Jag tvekade ett ögonblick vid fars dörr innan jag sköt upp den. Rummet såg ut så som han lämnat det, kanske lite prydligare än vanligt, med kläderna hopvikta och sängen bäddad. Det stack till när jag såg GrosJeans gamla *vareuse* som hängde på en krok bakom dörren, men annars kände jag mig lugn. Den här gången visste jag vad jag skulle leta efter.

Han hade sina hemliga papper i en skokartong, som sådana män brukar, ombunden med en bit metrev, längst in i garderoben. En liten samling; när jag skakade på kartongen kände jag att den knappt var halvfull. Några fotografier – mina föräldrars bröllop, hon klädd i vitt, han i ödräkt. Under den platta hatten såg han väldigt ung ut. Några bilder av mig och Adrienne; flera av P'titJean i olika åldrar. De flesta av de andra pappren var teckningar.

Han ritade på smörpapper, mest med kol och tjock svart penna, och tidens tand och friktionen av pappren mot varandra hade gjort strecken suddiga, men trots det såg jag att GrosJean en gång haft en enastående talang. Ansiktsdragen var tecknade med en sparsamhet som nästan stod i motsvarighet till hans konversation, men vartenda streck, varenda fläck var uttrycksfull. På ett ställe hade hans tumme dragit en kraftig skugglinje utefter käkens kontur; på ett annat kikade ett par ögon fram med märklig intensitet bakom en mask av ritkol.

Det var enbart porträtt, allihop av samma kvinna. Jag visste vad hon hette; jag hade sett hennes eleganta handstil i kyrkboken. Nu såg jag hennes skönhet också; hennes arroganta kindben, huvudets hållning, munnens kurva.

Detta var hans kärleksbrev, insåg jag, dessa teckningar av

henne. Min tysta analfabet till far hade en gång funnit en underbar röst. Mellan två smörpappersblad gled en torkad blomma ut; en strandglim, gulblek av ålder. Och så en bit band som en gång kunde ha varit blått eller grönt. Och ett brev.

Det var det enda skrivna dokumentet. En enda sida som höll på att gå sönder i vecken på grund av att det vikts upp och vikts ihop så många gånger. Jag kände igen den snirkliga handstilen direkt, det violetta bläcket.

Min käre Jean-François,

Det kanske var bra att du höll dig undan från mig så länge. I början kände jag mig kränkt, och jag var arg, men nu förstår jag att det var för att ge mig tid att tänka.

Jag vet att jag inte hör hemma här. Jag är av en annan sort. Ett tag trodde jag att vi kanske kunde förändra varandra, men det var för svårt för oss båda två.

Jag har bestämt mig för att resa med färjan imorgon. Claude kan inte hindra mig, han har åkt till Fromentine i affärer några dagar. Jag väntar på dig på kajen till kl. 12.

Jag klandrar dig inte om du inte följer med mig. Du hör hemma här och det skulle vara fel av mig att tvinga dig att resa. Men försök att inte glömma mig. Kanske kommer vår son att återvända en dag, även om jag aldrig gör det.

Allting återvänder.

Eleanore

Jag vek omsorgsfullt ihop brevet och la tillbaka det i skokartongen. Där var det, tänkte jag. Den slutliga bekräftelsen, om det nu behövdes någon. Jag visste inte hur P'titJean fått tag i det; men för en lättpåverkad och känslig ung man måste chocken över broderns svek ha varit fruktansvärd. Hade det varit självmord eller en dramatisk handling som gick snett? Ingen visste säkert, utom kanske Père Alban.

Jag visste att GrosJean måste ha gått till honom. Som houssinbo och präst var han den ende som skulle ha stått tillräckligt långt från händelsernas centrum för att kunna anförtros dechiffreringen av Eleanores brev. Det var tillräcklig bikt för en gammal präst, och han hade bevarat hemligheten väl.

GrosJean hade inte berättat för någon annan. Efter Eleanores avfärd hade han blivit alltmer tillbakadragen, tillbringat timmar vid Les Immortelles med att stirra ut mot havet, dragit sig längre och längre inom sig själv. Ett tag hade det verkat som om giftermålet med min mor kanske skulle dra fram honom igen, men förändringen hade varit kortlivad. En annan sort, hade Eleanore sagt. En annan värld.

Jag satte locket på skokartongen igen och bar ut den i trädgården. När dörren stängdes bakom mig slogs jag av en känsla av visshet: jag skulle aldrig mer sätta foten i GrosJeans hus.

”Mado.” Han stod och väntade vid grinden till varvet, nästan osynlig i svarta jeans och svart bussarong. ”Jag tänkte väl att du skulle komma om jag väntade tillräckligt länge.”

Mina händer kramade skokartongen hårdare. ”Vad vill du?”

”Jag är ledsen för det här med din far.” Hans ansikte låg i skugga; skuggor hoppade i hans ögon. Jag kände hur något knöt sig inombords.

”Min far?” sa jag bryskt.

Jag såg hur han blinkade till åt tonen i min röst. ”Snälla Mado.”

”Kom inte i närheten av mej.” Flynn hade sträckt ut handen för att nudda vid min arm. Trots att jag hade jacka på mig föreställde jag mig att jag kunde känna hans beröring bränna genom det kraftiga tyget och jag kände en sjuklig skräck vid tanken på den lust som ringlade sig som en orm i maggropen. ”Rör mej inte!” skrek jag och slog ut med armen. ”Vad vill du? Varför har du kommit tillbaka?”

Mitt slag träffade honom över ansiktet. Han satte handen för munnen och iakttog mig lugnt. ”Jag vet att du är arg”, sa han.

”*Arg?*”

Jag säger för det mesta inte så mycket. Men nu hade min vrede fått röst. En hel orkester av röster. Jag gav honom alltihop: Les Salants, Les Immortelles, Brismand; Eleanore, min far, honom själv. Till sist slutade jag, andfådd, och slängde skokartongen mot honom. Han gjorde inget försök att ta den; den föll ner på marken och alla de sorgliga minnena från min fars liv hamnade i en hög. Jag böjde knä för att plocka upp dem med darrande händer.

Hans röst ekade tom. ”GrosJeans son? Hans *son?*”

”Berättade Eleanore inte för dej? Var det inte anledningen till att du var så angelägen om att hålla det inom familjen?”

”Jag hade ingen aning.” Hans ögon smalnade; jag anade att han tänkte igenom något snabbt. ”Det spelar ingen roll”, sa han till sist. ”Det förändrar ingenting.” Han verkade prata för sig själv snarare än med mig. Han vände sig mot mig igen med en snabb rörelse. ”Mado”, sa han ivrigt. ”Ingenting har förändrats.”

”Vad menar du?” Jag var nära att slå till honom igen. ”Det är klart att det har förändrats. Allting har förändrats. Du är min *bror*.” Jag kände att ögonen började svida; halsen kändes rå och sträv. ”Min bror”, sa jag igen med nävarna fulla av GrosJeans papper och började skratta ett hest skrikande skratt som slutade i en lång, smärtsam hostattack.

En tystnad uppstod. Sedan började Flynn skratta mjukt i mörkret.

”Vad är det?”

Han fortsatte att skratta. Det borde inte ha varit ett otrevligt ljud, men det var det. ”Åh, Mado”, sa han till sist. ”Det skulle bli så enkelt. Så tjusigt. Den största bluff någon någonsin lyckats med. Allting fanns där: gubben, hans pengar, hans strand, hans desperata behov av att hitta någon som kunde ärva.” Han skakade på huvudet. ”Allt stämde. Allt som behövdes var lite tid. Mer tid än jag hade tänkt mej, men vadå, det enda jag behövde göra var att låta sakerna ha sin gång. Att tillbringa ett år i en håla som Les Salants var inget högt pris att betala.” Han gav mig ett av sina farliga, solglittrande leenden. ”Och då”, sa han, ”dök du upp.”

”Jag?”

”Du och dina idéer. Dina önamn. Dina omöjliga planer. Envisa, naiva, omutliga du.” Han rörde hastigt vid min nacke; jag kände den statiska elektriciteten i hans fingertoppar.

Jag knuffade undan honom. ”Och nu kommer du att säja att det var för min skull du gjorde det.”

Han flinade. ”För vems skull *tror* du att jag gjorde det?” Jag kände fortfarande hans andedräkt mot pannan. Jag blundade, men hans ansikte verkade inbränt på mina näthinnor. ”Åh, Mado. Om du bara visste hur mycket jag har försökt att hålla dej på avstånd. Men du är som det här stället; långsamt och försåtligt tar det över en. Och innan man vet ordet av är man insyltad."

Jag öppnade ögonen. "Du får inte", sa jag.

"För sent." Han suckade. "Det skulle ha varit underbart att vara Jean-Claude Brismand", sa han bedrövat. "Ha pengar, mark, göra vad jag ville."

"Det kan du fortfarande", sa jag. "Brismand behöver aldrig få veta."

"Men jag är inte Jean-Claude."

"Vad menar du? Det står där, på födelsebeviset."

Flynn ruskade på huvudet. Hans ögon var nästan svarta och gick inte att tolka. Eldflugor dansade där. "Mado", sa han, "killen på det där födelsebeviset är inte jag."

66

NÄR HAN BERÄTTADE HISTORIEN kändes den spöklikt bekant, en klassisk öberättelse, och motvilligt lyssnade jag med växande fascination. Detta var trots allt hans hemlighet, det ställe dit jag aldrig blivit inbjuden som nu slutligen öppnades på vid gavel. En berättelse om två bröder.

De föddes på tusen mils och lite mindre än två års avstånd från varandra. Trots att de bara var halvbröder tog de båda efter modern, och som ett resultat var de anslående lika, även om de på alla andra sätt var mycket olika. Deras mor hade dålig smak när det gällde män och ändrade sig ofta. Till följd av detta hade John och Richard haft många fäder.

Men Johns far var en rik man. Trots att han bodde utomlands fortsatte han att försörja pojken och hans mor, och höll kontakten även om han aldrig visade sig personligen. Följden blev att de två pojkarna kom att betrakta honom som en generös skuggfigur; en person som de kunde vända sig till när de behövde.

"Det var ett skämt", sa Flynn. "Det fick jag klart för mej den dagen jag började skolan." John hade två år tidigare skickats till ett läroverk där han fick lära sig latin och spelade i cricketlagets förstaelva; men Richard gick i den lokala grundskolan, en riktig kloak där skillnaderna – framför allt när det gällde intelligens – lyftes fram utan barmhärtighet och ledde till sinnrika och brutala förföljelser.

”Vår mor berättade aldrig för honom om mej. Hon var rädd att han skulle sluta skicka underhållet om hon berättade om de andra karlarna.” Följden blev att Richards namn aldrig nämndes, och Eleanore var noga med att ge Brismand intrycket att hon och John levde ensamma.

Flynn fortsatte. ”När det fanns pengar så var det alltid till Pojken med guldbyxorna. Skolresor, skoluniform, sportutrustning. Ingen förklarade varför. John hade ett sparkonto på postkontoret. John hade en cykel. Det enda jag hade var saker som John tröttnat på eller haft sönder eller var för dum för att lista ut hur man använde. Ingen trodde nånsin att jag ville ha nåt eget.” Jag tänkte hastigt på mig själv och Adrienne. Jag nickade, nästan utan att vara medveten om det.

När skolan var slut fortsatte John på universitetet. Brismand hade gått med på att finansiera hans studier under förutsättning att han valde en utbildning som skulle vara användbar i företaget; men John hade ingen fallenhet för ingenjörskonst eller företagsledning och avskydde att bli tillsagd vad han skulle göra. Faktum var att John avskydde tanken på att behöva arbeta överhuvudtaget, efter att ha blivit bortskämd under så lång tid, han hoppade av universitetet under andra året och levde på sina besparingar och hängde ihop med ett gäng vänner som hade dåligt rykte och ständigt var panka.

Eleanore höll honom om ryggen så länge det gick. Men John var bortom hennes inflytande nu, tjänade egna pengar på ett lätt sätt genom att sälja stulna bilradioapparater och smuggelcigaretter och skröt ständigt, efter några glas, om sin förmögne far.

”Det var alltid likadant. En vacker dag skulle han få ett

jobb, gubben skulle få ordning på honom, inget att oroa sej för, det var gott om tid. I hemlighet tror jag att han hoppades att Brismand skulle dö innan han var tvungen att bestämma sej. John har aldrig varit bra på att ägna sej åt nåt under en längre tid, och tanken på att flytta till Frankrike, lära sej språket, lämna sina kompisar och det ljuva livet..." Flynn skrattade rått. "Och vad mej anbelangar så hade jag jobbat på varv och byggen tillräckligt länge, och rollen som Jean-Claude var obesatt. Pojken med guldbyxorna verkade inte ha nån brådska."

Det hade sett ut som det perfekta tillfället. Flynn hade tillräckligt med dokumentära och anekdotiska bevis för att kunna vara sin bror, liksom en slående likhet med John. Han lämnade sitt jobb på ett byggföretag och använde sina besparingar för att köpa en biljett till Le Devin.

Till en början hade planen helt enkelt varit att lura Brismand på så mycket kontanter som möjligt innan han flydde. "Ett Guldkort skulle ha varit bra till att börja med, eller kanske en fond. Det är inget ovanligt arrangemang mellan far och son. Men öbor är annorlunda."

Han hade rätt; öbor litar inte på fonder. Brismand ville ha mer engagemang. Han ville ha hjälp. Först med Les Immortelles. Sedan med La Goulue. Sedan Les Salants. "Les Salants var det avgörande", sa Flynn med viss besvikelse. "Det skulle ha gjort mej rik. Först stranden, sedan byn – och till slut hela ön. Jag kunde ha fått alltihop. Brismand var redo att dra sej tillbaka. Han skulle ha gjort mej till chef för det mesta av företaget. Jag skulle ha fått tillgång till alltihop."

"Men inte nu längre."

Han log brett och strök min kind med fingertopparna. "Nej, Mado. Inte nu längre."

I fjärran hörde jag väsandet av det inkommande tidvattnet vid La Goulue. Ännu längre bort, skrikande måsar när någon störde ett rede. Men ljuden var avlägsna, dämpade av det kraftiga ljudet från mitt pumpande blod. Jag kämpade för att förstå Flynns berättelse men den höll redan på att glida ifrån mig. Mina tinningar bultade; det kändes som om jag hade en klump i halsen som gjorde det svårt att andas. Det var som om allting överskuggades av en enda jättelik insikt.

Flynn var inte min bror.

"Vad var det där?" Jag drog mig undan nästan utan att uppfatta att jag hört det. Ett varningsljud, något djupt och klangfullt, knappt hörbart över havsljudet.

Flynn kastade en blick på mig. "Vad är det?"

"Sch!" Jag satte fingret för munnen. "Lyssna."

Där var det igen, knappt mer än ett brummande i den stilla kvällsluften; pulsen från en dränkt klocka som dunkade mot våra trumhinnor.

"Jag hör inget." Otåligt tänkte han lägga armen om mina axlar. Jag reste mig och knuffade undan honom, kraftfullare den här gången.

"Hör du inte vad det är? Känner du inte igen det?"

"Jag bryr mej inte."

"Flynn, det är La Marinette."

67

DET ÄR SÅ DET SLUTAR – som det började. Klockan – inte den mytomspunna La Marinette bevars utan kyrkklockan i La Houssinière, som lät larmsignalen ljuda för andra gången samma månad, med en röst som bar budskapet över sankmarkerna. På natten har klockor en annorlunda klang än dagtid; en mörk enträgenhet hördes i klangen nu och jag reagerade på den med instinktiv brådska. Flynn försökte hindra mig, men jag var inte på humör för någon inblandning. Jag anade en katastrof ännu värre än förlusten av *Eleanore 2*, och jag sprang nerför sanddynen mot Les Salants innan Flynn insåg vart jag var på väg.

Byn var förstås det enda ställe dit han inte kunde följa mig; han stannade på krönet av dynen och lät mig gå. Angélo hade öppet och en grupp dryckesgäster hade samlats utanför efter att ha hört klockan. Jag såg Omer där och Capucine och familjen Bastonnet. ”Det där är väl larmet”, sa Omer med grötig röst. Han hade redan druckit tillräckligt med *devinnoise* för att ha gått ner i varv rejält. ”Det där är houssinlarmet.”

Aristide skakade på huvudet. ”Ja, då är det inte vårt bekymmer, eller hur? Låt houssinborna drabbas som omväxling. Ön håller väl inte precis på att sjunka?”

”Nån borde i alla fall ta reda på vad det är”, föreslog Angélo besvärat.

”Nån kan väl cykla dit, va”, sa Omer.

Flera personer höll med om detta, fast ingen anmälde sig som frivillig. Det kom ett antal förhoppningsfulla förslag om vad det kunde handla om för nödläge, alltifrån nya manetvarningar till att Les Immortelles höll på att lyftas bort av en orkan. Den möjligheten föll i god jord hos en majoritet av folksamlingen och Angélo föreslog en ny omgång drinkar.

Det var då Hilaire kom runt hörnet på Rue de l'Océan och viftade med armarna och skrek. Detta var ovanligt nog – veterinären visade för det mesta inga känslor – och dessutom var det hans märkliga klädedräkt: det verkade som om han i hastigheten dragit sin *vareuse* ovanpå pyjamasen, och han var barfota sånär som på ett par urblekta espadriller. För Hilaire, som för det mesta var mycket korrekt klädd, även när det var som varmast, var detta mer än ovanligt. Han skrek något om en radio.

Angélo hade en drink i beredskap åt honom när han kom fram, och det första Hilaire gjorde var att svälja den snabbt och med bistert välbehag. ”Vi behöver en allihop”, sa han kort, ”om det jag just hört är sant.”

Han hade lyssnat på radio. Han tyckte om att lyssna på den internationella nyhetssändningen klockan tio innan han gick och la sig, trots att öbor sällan hänger med i nyheterna. Tidningar är oftast gamla när de når Le Devin och det är bara borgmästare Pinoz som säger sig ha något intresse för politik eller dagshändelser, det förväntas av honom i hans position.

”Ja, den här gången hörde jag nåt”, sa Hilaire, ”och det är inte bra!”

Aristide nickade. ”Det är ingen överraskning”, sa han. ”Jag har ju sagt att det här är ett svart år. Det var väntat.”

"Ett svart år, sannerligen!" Hilaire grymtade och sträckte sig efter nästa *devinnoise*. "Och som det verkar nu kommer det att bli ännu svartare."

Jag antar att ni har läst om det. En skadad oljetanker utanför Bretagnes kust, som släppte ut hundratals liter olja i minuten. Det är den sortens historier som fångar människors intresse i några dagar, kanske i en vecka. Tevestationerna visar bilder av döda sjöfåglar, indignerade studenter protesterar mot miljöförstöringen, några frivilliga från städerna putsar sina sociala samveten genom att städa upp en strand eller två. Turismen blir lidande ett tag, även om kustmyndigheterna för det mesta vidtar åtgärder för att städa upp de mer inkomstbringande områdena. Fisket drabbas förstås under längre tid.

Ostron är känsliga; minsta lilla nedsmutsning kan utrota dem. Det är likadant med krabba och hummer; när det gäller multe är det ännu värre. Aristide minns multe från nittonhundrafyrtiofem med magarna uppsvällda av olja; vi minns alla oljeutsläppen på sjuttiotalet – mycket, mycket längre bort än det här – som gjorde att vi fick skrapa stora klumpar av svart tjära från klipporna vid Pointe Griznoz.

När Hilaire var klar hade ett antal andra personer kommit in på Angélos bar med motstridig eller bekräftande information, och vi var nära att drabbas av panik; fartyget var mindre än sjuttio kilometer bort, nej femtio – hon var lastad med råolja, det värsta tänkbara; och oljebältet var redan flera kilometer långt och fullkomligt utom kontroll. Några av oss gick till La Houssinière för att prata med Pinoz, som möjligen hade mer information. Många av de övriga stannade kvar för att se om de kunde få fler detaljer från tevekanalerna, eller drog fram gamla kartor ur fickorna för att spekulera om hur oljebältet möjligen kunde röra sig.

"Om det är här", sa Hilaire dystert och pekade på ett ställe på Aristides sjökort, "så förstår jag inte hur det skulle kunna missa oss, eller hur? Det här är Golfströmmen."

"Det finns inget som säjer att oljebältet har nått Golfströmmen", sa Angélo. "Dom kanske får tag i det innan det gör det. Eller så går det kanske runt här, runt insidan av Noirmoutier, och missar oss helt och hållet."

Aristide var inte övertygad. "Om det träffar Nid'Poule", mässade han, "så skulle det kunna sjunka rakt ner där och förgifta oss i ett halvt århundrade."

"Ja, det har ju *du* hållit på med i nästan dubbelt så lång tid", anmärkte Matthias Guénolé, "och ändå har vi överlevt."

Det hördes nervösa skratt när han sa det. Angélo serverade en ny omgång *devinnoise*. Sedan äskade någon tystnad inifrån baren och vi gjorde sällskap med den lilla grupp av bargäster som flockades runt teveapparaten. "Sch, allihop! Nu kommer det!"

Det finns en del nyheter man bara kan ta emot under tystnad. Vi lyssnade som barn, med uppspärrade ögon, när bildskärmen sände ut sitt meddelande. Till och med Aristide var tyst. Vi stod som bedövade, fastnaglade vid skärmen och det lilla röda kors som markerade olycksplatsen. "Hur nära är det?" frågade Charlotte oroligt.

"Nära", sa Omer med låg röst och mycket vitt ansikte.

"Jävla fastlandsnyheter", exploderade Aristide. "Kan dom inte ens använda en ordentlig karta? Den där får det att se ut som om det är tjugo kilometer härifrån! Och var finns *detaljerna?*"

”Vad händer om det kommer hit?” viskade Charlotte.

Matthias försökte låta oberörd. ”Vi får hitta på nåt. Vi sluter oss samman. Det har vi gjort förr.”

”Inte på det här sättet!” sa Aristide.

Omer muttrade något ohörbart.

”Vad sa du?” frågade Matthias.

”Jag sa att jag önskade att Rouget var här.”

Vi såg på varandra allihop. Ingen sa emot honom.

68

SAMMA NATT BÖRJADE VI, eldade av *devinnoise*, göra vad vi kunde. Frivilliga samlades för att sitta i skift framför teven och radion för att samla in ny information om utsläppet. Hilaire, som hade telefon, utsågs till vår officiella fastlandskontakt. Hans jobb var att hålla kontakt med kustbevakningen och sjöfartsmyndigheten, så att vi skulle bli förvarnade. Utkikar posterades i tretimmarspass vid La Goulue; om det fanns något att se, sa Aristide bistert, så skulle det synas där först. Dessutom tömdes bäcken på ostron och stängdes av från havet med hjälp av sten från La Griznoz och cement som blivit över från Bouch'ou. ”Om vi åtminstone kan hålla *l'étier* ren så har vi nånting kvar”, sa Matthias. Aristide höll för en gångs skull med utan att klaga.

Xavier Bastonnet dök upp omkring midnatt – uppenbarligen hade han och Ghislain gått ut med *Cécilia* vid två tillfällen – med nyheten att kustbevakningsfartyget fortfarande låg utanför La Jetée. Det verkade som om den sjöodugliga tankern hade varit i farozonen under en tid, men att myndigheterna bara hade släppt nyheter om det de senaste dagarna. Prognoserna var inte optimistiska, rapporterade Xavier. Det var sydlig vind på gång, sa han, som skulle driva oljan rakt mot oss om den höll i sig. Om det inträffade skulle bara ett mirakel kunna rädda oss.

På Sainte-Marine-högtidens morgon var vi nedstämda. Vi hade gjort en del framsteg utefter *l'étier*, men inte tillräckliga. Till och med om vi hade riktigt material så skulle det ta åtminstone en vecka att avskärma den ordentligt, sa Matthias. Klockan tio på morgonen hade nyheten om att svarta fläckar siktats några kilometer utanför La Jetée nått byn och vi var lättretliga och ängsliga. Sandbankarna var redan svarta och trots att oljan ännu inte nått stranden skulle den säkerligen göra det inom tjugofyra timmar.

Men hur som helst, påpekade Toinette, dög det inte att negligera helgonet på hennes högtidsdag, och i byn pågick redan de vanliga förberedelserna: ommålningen av det lilla altaret, blommor på udden, fyrfaten tända bredvid kyrkoruinen.

Inte ens med kikare gick det att avgöra vad de svarta fläckarna var, men Aristide rapporterade att det var en helvetes massa fläckar, och att de förmodligen skulle spolas upp på La Goulue när som helst när tidvattnet vände och om sydvinden höll i sig. Nästa högvatten skulle inträffa omkring klockan tio samma kväll och på eftermiddagen stod redan ett antal bybor och spanade från Pointe Griznoz, med offergåvor och blommor och avbilder av helgonet. Toinette, Désirée och många andra gamla bybor lutade åt att den enda lösningen var att be.

"Hon har gjort underverk förr", förklarade Toinette. "Det finns alltid hopp."

Man hade kunnat se det svarta tidvattnet med blotta ögat sedan sent på eftermiddagen. Glimtar under en våg, något som rullade från sandbankarna, en ovanlig bärkraft i skuggan av en klippa. Ännu fanns dock inga tecken på någon olja på vattnet, inte ens en hinna, men som Omer sa kunde det här vara en speciell olja, en elak sort, till och med värre än vi haft tidigare. Istället för att flyta på ytan klumpade den ihop sig, sjönk, rullade ner på bottnen och förgiftade allting. Tekniken kunde uppfinna hemska saker, eller hur? Det skakades på huvuden åt detta, men ingen visste riktigt. Det var inte vårt specialområde, och när kvällen kom hade berättelserna om det svarta tidvattnet spritts. Det skulle dyka upp tvåhövdade fiskar, hävdade Aristide, och giftiga krabbor. Bara man rörde vid dem skulle man riskera att få en fruktansvärd infektion. Fåglar skulle bli galna, båtar skulle dras ner av tyngden av det stelnande bottenslammet. Vem vet om det inte varit det svarta tidvattnet som fört hit manetplågan. Men trots allt detta – eller kanske tack vare det – höll Les Salants stånd.

Det svarta tidvattnet hade åtminstone fört med sig detta. Vi hade åter en inriktning, ett gemensamt mål. Andan på Les Salants – den hårda kärnan längst inne i oss, som jag sett glimtar av i Père Albans böcker – hade återvänt. Jag kände det. Gammalt groll glömdes åter bort. Xavier och Mercédès hade övergett sina planer på att ge sig av – åtminstone för tillfället – och ägnade sig åt att hjälpa till. Philippe Bastonnet, som väntat på nästa färja i La Houssinière, återvände till Les Salants med Gabi, Laetitia, babyn och hunden Pétrole, och var, trots Aristides allt lamare protester, fast besluten att stanna och hjälpa till. Désirée hade gjort plats för dem i huset och den här gången hade Aristide inget att invända.

När mörkret föll och tidvattnet steg samlades alltfler vid La Griznoz. Père Alban var upptagen i La Houssinière, där en särskild gudstjänst skulle firas i kyrkan, men de gamla nunnorna var på plats, lika pigga och alerta som vanligt.

Fyrfaten tändes, röda, brandgula och gula lyktor lyste nedanför kyrkoruinen och ännu en gång radade salantsborna upp sig, rörande på något sätt i sina öhattar och söndagsklänningar, vid foten av Sainte-Marine-de-la-Mer för att be och vädja högljutt till havet.

Familjen Bastonnet var där med François och Laetitia; familjen Guénolé, familjen Prossage. Capucine var där med Lolo; Mercédès var där, hand i hand med Xavier och med den andra handen lite blygt på magen. Toinette sjöng Santa Marina med sin vibrerande stämma; och Désirée, som stod mellan Philippe och Gabi vid statyns fötter, såg lika rosig och nöjd ut som om hon var på ett bröllop. "Även om helgonet väljer att inte ingripa", sa hon fridfullt, "är det värt det bara för att mina barn är här."

Jag stod vid sidan av de övriga, på dynkrönet, och lyssnade och tänkte tillbaka på förra årets högtid. Det var en stilla natt och syrsorna var högljudda i sina varma, gräsbevuxna hålor. Den hårda sanden kändes sval under fötterna. Från La Goulue hördes väsandet från det stigande tidvattnet. Sainte-Marine såg ner från sin stenhårda isolering, hennes ansiktsdrag fick liv av de hoppande lågorna. Jag såg på när salantsborna en och en drog sig närmare stranden.

Mercédès var först, och släppte en näve blomblad i vattnet. "Sainte-Marine. Välsigna min baby. Välsigna mina föräldrar och bevara dom."

"Santa Marina. Välsigna min dotter. Låt henne bli lycklig med sin unge man och bosätta sej tillräckligt nära för att besöka oss då och då."

"Marine-de-la-Mer, välsigna Les Salants. Välsigna våra stränder."

"Välsigna min man och mina söner."

”Välsigna min far.”

”Välsigna min hustru.”

Långsamt blev jag medveten om att något ovanligt höll på att hända. Salantsborna tog varandras händer i ljusskenet: Omer med armen om Charlotte; Ghislain arm i arm med Xavier; Capucine och Lolo; Aristide och Philippe; Damien och Alain. Människor log trots sin oro; istället för förra årets buttra, böjda huvuden såg jag glittrande ögon och stolta ansikten. Sjaletter drogs av, hår släpptes ut; jag såg ansikten upplysta av något annat än eldsken; dansande figurer slängde nävar med blomblad och band och örtknippen i vågorna. Toinette började sjunga igen, och den här gången stämde fler in, rösterna smälte långsamt samman till en: Les Salants röst.

Jag upptäckte att jag nästan kunde höra GrosJeans röst bland dem om jag lyssnade noga; och min mors; och P'titJeans. Plötsligt ville jag vara med, gå ut i eldskenet och be till helgonet. Men istället viskade jag min bön från dynen, mycket tyst, nästan för mig själv...

”Mado?” Han kan röra sig absolut tyst när han vill. Det är öbon i honom – om det *finns* en öbo under alla masker. Jag vände mig tvärt med bultande hjärta.

”Herregud, Flynn, vad gör du här?” Han stod bakom mig på stigen, utom synhåll för den lilla ceremonin. Han hade på sig en mörk *vareuse* och skulle nästan ha varit osynlig om det inte varit för härvan av månsken i håret.

”Var har du varit?” väste jag och tittade nervöst bakåt mot salantsborna, men innan han hunnit svara hördes ett högt vrål från utkiken på Pointe Griznoz och några ögonblick senare ekade ett klagande ljud från La Goulue.

”Hallå! Tidvattnet! Hallå!”

Sången avstannade vid altaret. Ett ögonblicks förvirring uppstod; några av salantsborna sprang ut till kanten av udden, men i det osäkra ljuset från lyktorna var det inte mycket som någon kunde urskilja. *Någonting* flöt på vågorna, en mörk, halvflytande massa, men ingen kunde riktigt säga vad det var. Alain tog en lykta och började springa; Ghislain gjorde likadant. Det dröjde inte länge förrän en rad lyktor och facklor guppade över dynen mot La Goulue och det svarta tidvattnet.

Flynn och jag glömdes bort i villervallan. Folkmassan passerade alldeles förbi oss, skrikande och frågande med svängande lyktor, men ingen verkade lägga märke till oss. Alla ville komma först till La Goulue. En del tog med sig krattor och nät från byn när de sprang förbi, som om de tänkte börja uppröjningsarbetet med en gång.

”Vad är det som händer?” frågade jag Flynn medan vi lät folkmassan föra oss med sig.

Han skakade på huvudet. ”Kom så får du se.”

Vi hade kommit till blockhuset, som alltid är en bra utsiktspunkt. Nedanför oss var La Goulue levande av ljus. Jag såg flera personer som stod i det grunda vattnet med lyktor, som en rad ljusfiskare. Runt omkring dem såg jag mörka konturer, dussintals, halvt flytande, halvt dränkta, som rullade med vågorna. Jag hörde höjda röster i fjärran och – det där var väl skratt? De svarta skepnaderna var för otydliga i ljuset från lyktorna för att man skulle se vad de var, men för ett ögonblick tyckte jag att jag anade ett regelbundet mönster, för geometriskt för att vara naturligt.

”Titta nu”, sa Flynn.

Nedanför oss hade de höjda rösterna blivit allt starkare; fler människor hade samlats vid vattenbrynet; en del stod i vatten upp till armhålorna. Ljuset från lyktorna gled över ytan; här uppifrån hade det grunda vattnet en kuslig grön färg.

"Fortsätt titta", sa Flynn.

Det var definitivt skratt; nere vid La Goulue såg jag folk som plaskade i det grunda vattnet. "Vad är det som händer?" frågade jag. "Är det det svarta tidvattnet?"

"På sätt och vis."

Nu såg jag att Omer och Alain rullade upp runda föremål ur bränningarna. Andra hjälpte till. Föremålen var ungefär en meter i diameter och regelbundna i formen. På avstånd tyckte jag att de liknade bildäck.

"Det är just vad det är", sa Flynn tyst. "Det där är Bouch'ou."

"*Va?*" Det kändes som om något inom mig släppt från förtöjningarna. "Bouch'ou?"

Han nickade. Hans ansikte var underligt upplyst av glöden från stranden.

"Mado. Det var det enda att göra."

"Men varför? Allt vårt arbete..."

"Just nu måste vi förhindra att det driver mot La Goulue. Vi gör oss av med revet och samtidigt med strömmen. På så vis kommer oljan, om den når Le Devin, att driva förbi Les Salants. Ni har åtminstone en chans."

Han hade gått ut vid ebb. Han hade klippt av flygplansvajrarna som höll ihop modulerna med bultsax. En halvtimmes arbete; tidvattnet gjorde resten.

"Och du är säker på att det kommer att räcka?" sa jag till sist. "Är vi på den säkra sidan nu?"

Han ryckte på axlarna. "Jag vet inte."

"Vet du inte?"

"Åh, Mado, vad hade du väntat dej?" Han lät uppretad nu. "Jag kan inte ge dej allt du vill ha!" Han skakade på huvudet. "Ni kan åtminstone kämpa emot nu. Les Salants behöver inte dö."

"Och Brismand då?" frågade jag klanglöst.

"Han är för upptagen med sin sida av ön för att bry sej om vad som händer här. Det senaste jag hörde var att han rådbråkade sin hjärna för att försöka räkna ut hur man flyttar en hundra tons vågbrytare på tjugofyra timmar." Han log. "Det verkar som om GrosJean var på rätt spår när det gällde det i alla fall."

En kort stund begrep jag inte vad han menade. Jag hade varit så upptagen av mina tankar på det svarta tidvattnet att jag faktiskt hade glömt bort Brismands planer. Plötsligt kände jag en jublande, vild glädje inom mig. "Om Brismand tar ner sina försvar också så kunde det bli slut på alltihop", sa jag. "Tidvattnen skulle återgå till hur dom var förr i världen."

Flynn skrattade. "Små grillfester på stranden. Tre gäster i extrarummet. Tre franc för att titta på helgonet. Räkna ören. Inga pengar, ingen utvidgning, ingen framtid, ingen förmögenhet, ingenting."

Jag skakade på huvudet. "Du har fel", sa jag. "Les Salants skulle finnas kvar."

Han skrattade igen, ganska högt. "Just det. Les Salants."

69

JAG VET ATT HAN INTE KAN STANNA I LES SALANTS. Det är dumt av mig att tro det. Det är för många lögner och lurendrejerier som kan fälla honom. För många som hatar honom. Och i själ och hjärta är han en fastlänning. Han drömmer om städer och ljus. Hur gärna jag än vill kan jag inte förstå hur han skulle kunna stanna. På motsvarande sätt vill jag inte ge mig iväg; det är GrosJean inom mig, ön inom mig. Min far älskade Eleanore, men i slutänden åkte han inte med henne. Öarna hittar sätt att hålla en kvar. Den här gången är det det svarta tidvattnet. Oljebältet ligger tio kilometer ifrån oss nu, på Noirmoutier-sidan. Ingen vet om det kommer att träffa oss eller flyta förbi – inte ens kustbevakningen. Det har redan varit förödelse nere på Vendéekusten; vi ser bilder på teve av vår möjliga framtid i fruktansvärt gryniga, grälla färger. Ingen kan riktigt förutsäga vad som kommer att hända oss; bältet borde följa Golfströmmen, men nu är det en fråga om kilometrar och det kan gå hur som helst.

Noirmoutier kommer nästan säkert att drabbas. L'île d'Yeu är fortfarande osäkert. De vilda strömmarna som skiljer oss åt kämpar redan om kontrollen. En av oss – kanske bara en – kommer att få oljan. Men Les Salants har inte förlorat hoppet. Vi arbetar faktiskt hårdare än någonsin förut. Bäcken är säkrad nu, buren välfylld. Aristide, vars träben hindrar honom från aktiv tjänst, håller koll på tevesändningarna medan Philippe hjälper Xavier. Charlotte och Mercédès sköter Angélos och ser till att de frivilliga får mat. Omer, familjen Guénolé och familjen Bastonnet tillbringar nästan all tid vid Les Immortelles. Brismand har anställt alla, houssinbor och salantsbor, som vill hjälpa till med det långsamma arbetet att montera ner vågbrytaren vid Les Immortelles; han har också ändrat sitt testamente till förmån för Marin. Damien, Lolo, Hilaire, Angélo och Capucine rensar fortfarande La Goulue, och vi planerar att återanvända de gamla bildäcken för att bygga skyddande barriärer mot oljan om den kommer till våra kuster. Vi har redan samlat ihop rengöringsmaterial för denna eventualitet. Flynn är ansvarig.

Ja, än så länge är han kvar. En del av karlarna är fortfarande kyliga mot honom, men familjerna Guénolé och Prossage har accepterat honom helhjärtat trots allt, och Aristide spelade schack med honom igår, så än finns det kanske hopp för honom. Detta är definitivt inte rätt ögonblick att komma med lönlösa anklagelser. Han arbetar lika hårt som alla andra – till och med hårdare – och på Le Devin är det egentligen det enda som betyder något nu. Jag vet inte varför han är kvar. Ändå är det på något underligt sätt skönt att se honom varje dag på sin vanliga plats vid La Goulue, där han petar med en pinne på de saker som havet för in och rullar ett oändligt tidvatten av bildäck uppför dynen för att återanvändas. Än har han inte slipat av alla sina vassa kanter – det kommer han kanske aldrig att göra – men jag tycker att han verkar ha mjuknat, slätats ut, delvis tagits till nåder, nästan är en av oss. Jag har till och med börjat tycka om honom – lite grann.

Ibland vaknar jag och ser på himlen genom fönstret. Den är aldrig helt mörk så här års. Ibland smyger Flynn och jag ut och tittar ut över La Goulue, där havet är blågrönt med den där konstiga fosforescensen som är typisk för Jadekusten, och sitter därute på dynen. Det växer tamarisker där, och strandglim, och harsvansgräs som fladdrar och guppar blekt i stjärnljuset. På andra sidan vattnet ser vi ibland ljuset från fastlandet; en varningsfyr i väster, en blinkande *balise* i söder. Flynn gillar att sova ute på stranden. Han tycker om insekternas små ljud från klippan ovanför huvudet, och det viskande *oyat*-gräset. Ibland är vi kvar där hela natten.

Epilog

VINTERN ÄR HÄR och det svarta tidvattnet har ännu inte nått oss. L'île d'Yeu har påverkats en del. Fromentine står under olja, hela Noirmoutier är svårt sargat. Och fortfarande stiger den, följer kusten norrut, slingrar sig in på grunda vatten och över uddar. Det är fortfarande för tidigt att säga vad som kommer att hända här. Men Aristide är optimistisk. Toinette har rådfrågat helgonet och säger sig ha fått visioner. Mercédès och Xavier har flyttat in i den lilla stugan på dynerna, till gamle Bastonnets outtalade glädje. Omer har haft en makalös segersvit i *belote*. Och jag är säker på att jag såg Charlotte Prossage le häromdagen. Nej, jag skulle inte säga att tidvattnet har vänt. Ingen kan vända tidvattnet, åtminstone inte för all framtid. Allting återvänder. Men Le Devin håller stånd. Vid översvämning, vid torka, under svarta år och svarta tidvatten håller ön stånd. Den håller stånd därför att vi gör det, devinborna: familjerna Bastonnet, Guénolé, Prasteau, Prossage, Brismand; kanske till och med, på senare tid, familjen Flynn. Inget kan hindra oss. Man kan lika gärna spotta mot vinden som försöka.

Tack

INGEN BOK ÄR EN Ö, och jag vill tacka följande personer, utan vars hjälp inget av detta hade varit möjligt. Innerligt tack till min agent, Serafina Krigarprinsessan; till Jennifer Luithlen, Laura Grandi, Howard Morhaim och alla andra som har förhandlat, lirkat, hotat och på andra sätt styrt den här boken mot utgivning. Tack också till min fantastiska redaktör Francesca Liversidge; till min hängivna förläggare Louise Page; till alla på Transworld; till mina föräldrar, min bror Lawrence, min make Kevin och min dotter Anouchka för att de (för det mesta) varit en trygg hamn; till mina e-postvänner Curt, Emma, Simon, Jules, Charles och Mary för att de håller mig i kontakt med resten av världen; till Christopher för att han väntat, och till Stevie, Paul och David för mintte, pannkakor och konstruktiv kritik. Tack till alla oräkneliga försäljare och bokhandlare som arbetat för att sätta mina böcker på hyllorna, och till sist: tack till invånarna på Les Salants som, hoppas jag, kommer att förlåta mig med tiden…

Tyckte du om den här boken?

Då vill vi tipsa dig om de här också:

Joanne Harris
EN DOFT AV APELSIN
Av författaren till filmatiserade Chocolat. Framboise Simon ärver av sin mor en receptsamling med insprängda dagboksanteckningar. Med denna återvänder hon till sitt barndomshem...

Alice Sebold
FLICKAN FRÅN OVAN
Susie Salmon är fjorton år gammal då hon blir våldtagen och mördad på väg hem från skolan. Från sin utkiksplats i himlen följer hon livet på jorden. Hon kämpar med att acceptera sin död, samtidigt som hon fortfarande klänger sig fast vid de levandes värld.

Nora Roberts
SOLENS DIAMANTER
Jude Frances Murray lämnar Chicago för att söka sina rötter i en liten irländsk by. Där lär hon känna ett antal spännande kvinnor och snart dyker också en man upp på scenen.

Penny Vincenzi
INGEN ÄNGEL
Unga lady Celia är begåvad, modig och viljestark. Hon gifter sig mot föräldrarnas vilja och gör sedan karriär på sin mans bokförlag. Men när författaren Sebastian Brooke stiger in på förlaget skakas hennes tillvaro i grunden ...

Anna Quindlen
NATTENS LJUS
En gammal dam från överklassen och hennes gårdskarl förenas i kampen för att få behålla den nyfödda baby de hittat. En oemotståndlig feelgood-roman om kärlek, ansvar och förståelse.

Läs mer på www.manpocket.se eller besök våra återförsäljare.

Nyhetsbrev från Månpocket

Prenumerera gratis på vårt nyhetsbrev via e-post! Du får förhandsinformation om våra nyheter och vad vi planerar att ge ut i pocket längre fram. Du får även information om utlottningar, kampanj-erbjudanden mm.

Anmäl dig på:
www.manpocket.se

Där kan du även läsa om våra nyheter och söka i vårt arkiv efter äldre titlar.